岩 波 文 庫

38-608-4

人類歴史哲学考

(四)

ヘ ル ダ ー 著
嶋田洋一郎訳

岩 波 書 店

Herder

IDEEN ZUR PHILOSOPHIE DER GESCHICHTE DER MENSCHHEIT

凡　例

一、本文中の＊と番号で示される注はヘルダーによる原注である。原文の隔字体は太字で示す。

一、本文には今日の人権感覚や歴史意識の点から見て問題となるような語句や表現が含まれているが、本書の歴史的性格を考え、変更を加えていない。

一、訳注について。『人類歴史哲学考』読解に際しての最大の問題は、ヘルダーが執筆にあたって参照した種々の資料について本文中にも原注にも、その典拠がほとんど示されていないことである。現在のところ、こうした典拠について最も多くの情報を提供しているのは、ハンザー版の編者ヴォルフガング・プロスによる注釈であり、以下、本訳書における訳注もこのプロスの注釈に負うところが多いことをお断りしておきたい。訳注では人物や地名等に関する説明を中心とし、著書のある人物についてはヘルダーが念頭に置いていると思われる作品にも言及する。なお人名については、原綴および生没年の記載を原則として本文で言及される近世以降の人物に限り、第五分冊に索引を付す。またヘルダーが作品執筆の最終段階で削除したと思われる他の著作からの引用は、作品の思想史的背景をより明らかにするためにも、見当のつくかぎりできるだけ掲載することとした。そのさい邦訳のあるものはこれを利用し、その書誌的情報を明記する。邦訳の見つからないものについては、主としてハンザー版の注釈に引用されているものを和訳してある。

一、今回の翻訳と訳注の作成に際して使用ならびに参照したテクスト類は左記のとおりである。なお翻訳の底本としたのは『人類歴史哲学考』の本文に加えて構想や草稿および異文が最も豊富に収録されている『ズプハン版全集』第十三巻（一八八七年）および第十四巻（一九〇九年）である。

Johann Gottfried Herder. *Sämtliche Werke.*（Hrsg. von Bernhard Suphan）, Bd. XIII. Berlin 1887, Bd. XIV. Berlin 1909.

Johann Gottfried Herder. *Ideen zur Philosophie der Geschichte der Menschheit.* 2 Bde.（Hrsg. von Heinz Stolpe）, Berlin 1965.

Johann Gottfried Herder. *Ideen zur Philosophie der Geschichte der Menschheit.*（Hrsg. von Martin Bollacher）, Frankfurt a. M. 1989.

Johann Gottfried Herder. *Werke.* (Hrsg. von Wolfgang Pross), Bd. III. *Ideen zur Philosophie der Geschichte der Menschheit.* (2 Bände), München 2002.

これらの版に加えて左記の英語訳とフランス語訳（いずれも全訳）も参照した。

Johann Gottfried v. Herder. *Outlines of a Philosophy of the History of Man.* Translated from the German *Ideen zur Philosophie der Geschichte der Menschheit* by T. Churchill, London 1800.

Idées sur la Philosophie de l'Histoire de l'Humanité, par Herder. Ouvrage traduit de l'Allemand et Précédé d'une Introduction par Edgar Quinet, Tome I, II, Paris 1827. Tome III, Paris 1828.

なお『人類歴史哲学考』にはすでに左記の二種類の和訳（いずれも全訳）があり、今回の和訳に際して大変参考になった。

ヨハン・ゴットフリイト・フォン・ヘルデル『歴史哲学』（上）田中萃一郎訳（泰西名

著歴史叢書13)、国民図書株式会社、一九二三年。同『歴史哲学』(下)川合貞一訳(泰西名著歴史叢書14)、国民図書株式会社、一九二五年(後にヘルデル『歴史哲学』として一九三三年に第一書房より一巻本として刊行されたほか、戦後にも再び上下の二巻本として刊行)。

ヨハン・ゴットフリート・ヘルダー『人間史論』Ⅰ・Ⅱ、鼓常良訳、白水社、一九四八年。同『人間史論』Ⅲ・Ⅳ、鼓常良訳、白水社、一九四九年。

一、本文中の人名と地名の表記でギリシア語やラテン語に由来するものは、原則として長音を含まずに慣例に従った形で表記する。

＊本・第四分冊における個々の民族の記述には、ヘルダーが当時の科学知識や文献資料に基づいているとはいえ、今日では不適切な語句や偏見に基づく表現が多く見られる。それらは十八世紀のヨーロッパにおける価値観や民族観の反映として読まれるべきものであり、そのまま訳出した。読者諸賢にあっては、このような事情を理解したうえで読み進めていただきたく思う。

目次

第十五巻

第四部

第十六巻

第十七巻

人類歴史哲学考（四）

第三部（承前）

第十四巻

われわれが近づきつつある海岸は、これまで考察してきた大部分の国家にしばしば恐ろしい没落をもたらしてきた(1)。というのも、次第に水かさを増す大河のようにローマから流れ出た破滅は、大ギリシアの諸国家はもちろん、ギリシア自身を、そしてさらにはアレクサンドロスの玉座の瓦礫から建設されたすべての国を越えて広がったからである。ローマはカルタゴ、コリントス、エルサレムのみならず、ギリシアとアジアの世界に属するその他の多くの繁栄した都市を破壊した(2)。同じくヨーロッパにおいてもローマは自ら武器を向けた南方のあらゆる文化、とりわけローマに隣接するエトルリアと勇敢なヌマンティア(3)に悲惨な最後をもたらした。ローマは大西洋からユーフラテス河に、またライン河(4)からアトラス山脈に至る世界の諸民族を支配するまで休まずに侵略を続け、そして運命がローマに示した線をも突破した。しかし最後には北方民族あるいは山岳民族の勇敢な抵抗にあって、その到達点を定められただけでなく、自国内の奢侈（しゃし）や不和、支配者の残忍ともいえる尊大さ、恐るべき軍人統治、そして何よりも怒濤のように押し寄せる野蛮な諸民族の狂暴によって不幸な終焉を迎えた。とにかくローマによる世界支配のもとにおけるほど諸民族の運命が長く、かつ強く一つの都市に結びつけられたことはない。この世界支配のもと、一方では人間の勇気や決断力のあらゆる長所が、しかしそれ以上に戦争や政治に関する多くの知恵が発達したのと同じように、他方ではこうした大規模の勝負事において数々の非道な悪業が、それも人間としての本性が自らの権利の一点でも意識しているかぎりは身震いするような悪業が行われた。だが不思議なことに、このローマこそがヨーロッパ全体に文化を伝える険しく恐ろしい通路となった。それというのも、いくつかの古代国家から略奪してきたあらゆる叡智と技術の財宝が、ローマの瓦礫の中から悲惨な残滓として救い出されたのみならず、奇妙な変遷を通じてローマの言語が、かの古代世界のすべての財宝を利用することを学ぶための道具となったからでもある。今なおラテン語はわれわれの青少年期から学問習得のための手段となっているが、もとよりローマ人の感覚や精神をほとんど持っていないわれわれは、柔和な諸民族の穏やかな習俗、もしくは近代諸国家の幸福に関する諸原則を学ばないうちに、世界略奪者としてのローマ人を知るように定められている。ソクラテスの叡智も、あるいはわれわれの父祖による制度も知らないうちにわれわれはマリウスやスッラ、それにカエサルやオクタウィウスと知り合いになっている。またローマ人の歴史は、彼らの言語にヨーロッパの文化が依存していたこともあって、ほとんどいかなる世界の歴史といえども誇ることのできない政治および学問上の実例を含んでいた。実際また歴史について考えた最も偉大な人々は、ローマ人の歴史について考えたのであり、ローマ人の原則や行為を通じて自らの思想を展開させた。それゆえ、われわれは豪奢をきわめたローマ人の血のしたたる地盤の上を、古典の学問や古代から残された芸術作品の聖域のように歩き回るのだ。そこでわれわれは一歩ごとに新たに目に入る対象を通じて、古代世界の二度と再帰することのない壮麗さが、埋もれた財宝となっていることを想起させられる。かつて罪のない多くの国民を罰し苦しめた征服者の権威標章は、文化の、それも悲惨な偶然事によってわれわれのあいだにも植えつけられたきわめて素晴らしい文化の萌芽と見なされてきた。しかし世界を征服したこの文化自身のことを知るまえに、われわれはまずフマニテートに供物を捧げ、ローマに隣接する民族に、少なくとも同情の眼差しを向けなければならない。というのも、この民族はローマの初期の形成の大部分にわたって貢献しながらも、残念ながらローマによる征服途上のあまりにも近いところに位置していたため、悲しい最期を迎えたからである。

一　エトルリア人[8]とラテン人[9]

イタリアという突出した半島は、すでにその位置からして種々の新参者や住民を多く受け入れることができた。イタリア半島は上部で大陸と結びつき、その大陸はスペインとガリア[10]からイリュリア[11]を経て、諸民族の一大分岐点である黒海にまで広がり、この海に沿って直接イリュリアとギリシアの海岸と向かい合っている。それゆえ、太古のかの民族大移動の時代[12]には、種々の民族のさまざまな部族がこれに沿ってイタリア半島に到達するのは避けられないことだった。半島上部ではこれら部族のいくつかはイベリア人部族[13]であり、他はガリア人部族だった。南方に下ってはアウソネス人[14]が住んでいたが、彼らの起源はそれ以上には知られていない。これら民族の大部分はペラスゴイと混淆し、後にはギリシア人、いや、それどころか場合によってはトロイア人とさえ混淆し、しかもギリシア人は種々の地域からそれぞれ異なる時期に混淆したため、こうした注目に値する新参者だけからしても、われわれはイタリアを民族の促成場と見なすことができる。

実際この促成場では、遅かれ早かれ何か注目すべきことが生じざるをえなかった。すなわち、これらの民族の多くは未開のままでこの半島にやって来たのではない。ペラスゴイの部族は自分たちの文字と宗教と寓話を持っていたし、イベリア人の部族もその多くがフェニキア人による交易圏の近くに居住していたこともあって、状況はおそらく同じであったろう。したがって重要だったのは、どのような場所で、そしてどのような方法でこの半島独自の花が咲くに至ったのかということである。

この花はエトルリア人のもとで芽を出した。こうして彼らはたとえどこから来たにせよ、美的感覚と文化の点で最も早い時期からきわめて独自の民族の一つとなった。彼らの気質は征服にではなく、さまざまの施設、制度、交易、技術、航海に向けられていた。なかでも航海のためにイタリアの海岸は、このうえなく好都合なものだった。彼らはカンパニア(15)に至るイタリアのほぼ全土で植民市を建設し、種々の技術を導入し、交易を行った。その結果、この国の高名な諸都市はいずれもその起源をエトルリア人に負っている。[*52] 彼らの手になる市民制度(16)はローマ人でさえ手本としたもので、未開人の体制をはるかに超えていた。この制度には同時にヨーロッパ精神の特徴が刻み込まれており、したがってそれはアジアもしくはアフリカの民族からの借り物では決してありえなかった。エトルリアは没落するずっと以前の時期に、一二の部族からなる連合共和国だった。ちなみにこの国はいくつかの原則に従って統一されていたが、それらの原則は、ギリシアにおいてさえずっと後に、しかもどうしようもない必要に迫られて作られたものだった。エトルリアのどの国家も共和国全体の関与なしには戦争を始めることも和平を締結することも許されなかった。戦争でさえエトルリア人によってすでに一つの技術とされていた。というのも、彼らは整然とした隊列を組んでの攻撃、退却、前進、交戦の合図としての進軍ラッパ、軽い槍、重い投槍などを考案して使用していたからである。伝令官の有する厳かな権利[17]も彼らが導入したものだが、これによって彼らは一種の戦争法と国際法を遵守した。事実また、われわれにはたんなる迷信としか思われない鳥占いや、彼らの宗教に見られるいくつかの慣習も明らかに彼らの国家制度の道具であった[18]し、こうした道具によって彼らは、イタリアにおいて宗教を人為的に国家と結びつけようとした最初の民族として姿を現す。これらすべての点でローマはあらゆるものをほとんど彼らから学んだ。そしてこの種の制度が疑いもなくローマの権力を堅固かつ偉大なものとするのに貢献したとすれば、ローマ人はこの点においても大部分をエトルリア人に負っている。この民族はまたすでに早くから実際の技術としての航海に従事し[19]、それによって植民地の主権を、あるいは交易を通じてイタリア沿岸の主権を確保した。彼らは築塁術や建築術に熟達し、そのため、ギリシア人のドーリス式円柱さえよりも古いトスカナ式円柱はエトルリア人から名称を得たものであり、断じて他の民族から借用されたものではない。彼らは馬車競走、演劇、音楽、それにまた文芸をも愛好し、その芸術遺産が示しているように、ペラスゴイの寓話までも徹底して自分に合うように作り変えた。エトルリア人の芸術の瓦礫や破片、それもたいていの場合は死者の国とも言うべきローマのみが救いとしてわれわれのために保存してくれた瓦礫や破片が示しているのは次のこと、すなわち、彼らが最も未開な起源から出発したということと、後に多くの民族、なかでもギリシア人とさえ交流するようになっても、彼ら固有の思考様式に忠実でありつづける術（すべ）を心得ていたことである。彼らは実際に独自の芸術様式を持っており、[*53]これを彼らの宗教伝承の用い方と同じように、自分たちの自由が失われた後までも保持しつづけた。[*54]こうして彼らは男女両性のための優れた市民法、農耕とブドウ栽培の施設、国内での交易の安全をはかる施設、外国人を受け入れるための施設などにおいても、後にギリシアのいくつかの共和国が達成したよりも、ずっと人間の権利に近づいていたように思われる。それにエトルリア人のアルファベットは、ヨーロッパにおけるあらゆるアルファベットの直接の原型となった。[(20)]だからわれわれはエトルリアを、ヨーロッパ文化の第二の栽培地と見なしてよいであろう。ただそれだけにいっそう残念なのは、芸術上の天分に富み、教養豊かなこの民族の文化遺産や報告に、われわれがあまりにも恵まれていないことである。実際また彼らの没落に関する詳しい歴史でさえも、敵意ある偶然によってわれわれから奪われてしまったのだから。(21)

ところで、このエトルリアという花が咲き誇った原因はどこにあるのか？　そしてこの花がギリシアの美にまで高められず、自らの完成という頂点に達しないで枯れてしまった原因はどこにあるのか？　なるほど、われわれはエトルリア人のことをよく知らないが、それでも彼らのうちに国民の形成における自然の偉大な作業を目のあたりにできるし、しかもこの作業は、内的な諸力および場所と時代との外的な結びつきに応じて、いわば自らの活動範囲を限定するものである。彼らはヨーロッパ民族の一つであったし、(22)古代以来の人類形成の母で、古くから人間の住んでいたアジアからもすでにずっと離れていた。ペラスゴイの部族も、イタリアのあちらこちらの海岸に到着したときは、なかば未開の放浪者であった。これに対してギリシアは、開化した諸国民が流れ集まる中心点のようなところに位置していた。イタリアでは多くの民族が互いに混淆したため、エトルリア人の言語も、多くの言語が混淆してできたように見える。*55 こうして多くの民族が住んだイタリアでは、混じりけのない一つの芽から開化の花が咲き誇ることは許されていなかった。未開の山岳民族を多く抱えるアペニン山脈がイタリアの中央部を縦貫していることも、一つの国とか一つの美的感覚といった一様性をすでに拒否していた。しかしこうした一様性に基づいてのみ、国内の普遍的文化は確固とした持続性を獲得する。その後の時代においてもイタリア自身ほどローマ人に苦労をかけた国はない。そしてローマ人による主権が崩壊するやいなや、イタリアはさまざまな地域に分割されて、その自然な状態に立ち返った。山脈や海岸に従うこれら地域の配置のみならず、部族としての住民の多種多様な性格もまた、このような分割を自然なものにした。事実また、有無を言わせぬ政治の威力によってすべてを一人の支配者のもとに従属させ、一本の鎖につなごうとする今日においてさえ、イタリアはヨーロッパのあらゆる国の中で最も多くの地域に分割された国のままである。それゆえまたエトルリア人も間もなく幾多の民族に攻めたてられた。彼らは好戦的民族というよりもむしろ交易民族であったため、彼らの洗練された戦争術ですら、野蛮な諸民族による新たな襲撃を受けるたびに、ほとんど屈服せざるをえなかった。エトルリア人はガリア人による襲撃のために上部イタリアの領地を失い、本来のエトルリアに押し込められた。またカンパニアにあった彼らの植民市も、後にはサムニウム人[23]の手に渡った。芸術を愛好し、交易に努める民族であったエトルリア人は、自分たちよりも野蛮な諸民族にただちに屈服せざるをえなかったが、それは、芸術にも交易にも奢侈はつきものであり、イタリアの最も美しい海岸沿いにあった彼らの植民地も、この奢侈から逃れられなかったからである。そしてついにローマ人が彼らを襲撃した。不幸なことに彼らはあまりにもローマ人の近くにいた。それゆえ、彼らはローマ人に対してあらゆる名誉ある抵抗を行ったにもかかわらず、彼らの文化も国家連邦もローマ人に対して永遠に抵抗を続けることができなかった。彼らはすでに文化によっていくらか疲弊していたが、それでもローマ人は冷酷で好戦的な民族だった。エトルリア人の国家連合もほとんど何の役にも立たなかった。というのも、諸国家の結合を切り離すことに長けたローマ人は、個々の国家と戦ったからである。こうしてローマ人は一つ一つ、それも何年もかけずにエトルリアの国家を征服したが、それには別の側からガリア人が頻繁にエトルリアに侵入していたことも与っていた。二つの強大な敵に挟まれて苦境に陥ったエトルリア人は、きわめて確固とした方法で征服を続けていた民族の方に屈服することとなった。その民族こそがローマ人であった。傲慢なタルクィニウス[24]がエトルリアに迎え入れられ、またポルセンナ王[25]が成功を収めてからというもの、ローマ人はこのエトルリアという国家を最も危険な隣人と見なした。なぜなら、ローマはポルセンナ王によって蒙った屈辱を決して許すことができなかったからである。したがって、ほとんど疲弊した民族が野蛮な民族に、交易に努める民族が好戦的な民族に、結束のゆるい連合共和国が固く団結した都市に屈服せざるをえなかったのも何ら不思議ではない。もし逆にローマが破壊を行わなかったら、ローマが早い時期に破壊されざるをえなかった。善良なポルセンナ王はローマを破壊しなかったために、ついに彼の国は自分が情けをかけた敵ローマの餌食（えじき）となった。

それゆえエトルリア人が芸術様式においても決して完全なギリシア人にならなかったことは、エトルリアが栄えていた状況や時代から説明される。彼らの手になる寓話文芸は、たんにそれ以前の重苦しいギリシア風の寓話だったが、それでも彼らはこれに驚くほどの生命と躍動を吹き込んだ。彼らが芸術によって表現した対象は、わずかに宗教上の儀式か、世俗上の儀式に限定されていたように見える。しかしそれらを個々に解くべき鍵もほとんど失われてしまった。これに加えて、われわれはこの民族のことをもっぱら葬式と棺と骨壺からしか知らない。ペルシア人に対する勝利によってもたらされたギリシア芸術の黄金期を知らないうちに、エトルリア人は自由を失った。彼らの状況が、精神と栄誉のより高い飛翔への機会、それもギリシア人が手にしたような機会を彼ら自身には与えなかった。それゆえわれわれは、エトルリア人を早熟の果実と見なさねばならない。すなわち、この果実は庭の隅にあったので、太陽熱の温和な輝きを享受する仲間の果実のような甘さにまで到達できなかった(26)。だが運命は後の時代にエトルリア人が、熟した美しい実をつけるようにとアルノ河の岸辺を彼らのために取っておいた。

＊

さしあたりティベリス河[27]の湿地状の岸辺は、三大陸にまたがる活動領域となる定めにあった。しかもその素地はローマが生れるずっと以前のいっそう古い時代の情勢に由来している。すなわち、この場所こそが伝承によればエウアンデル[28]、ひいてはヘラクレス自身が自ら率いるギリシア人とともに上陸し、またアエネアス[29]が自ら率いるトロイア人とともに上陸した場所なのだ。イタリアのここ中央にパランティウム[30]が、そしてラテン人の国がアルバ・ロンガ[31]とともに建設された。こうしてこの地はいっそう古い文化の貯蔵庫となり、そのためローマ以前にローマが存在した[32]と想定する者もいれば、ローマという新しい都市が古い都市の廃墟の上に築かれたと考える者もいたほどである。ちなみに後者の考えには根拠がない。というのも、ローマはおそらく二人の幸運な冒険者の指揮下でアルバ・ロンガからの植民によって造られた都市だからである。実際もし状況が異なっていれば、ほとんど誰もこのような悲惨な地方を選ばなかっただろう。しかしとにかくわれわれとしては、ローマがまさにこの地方で建国当初から、つまり雌オオカミの乳房[33]から離れるとすぐに、戦争や略奪の訓練をするために自分の前後左右に何を持っていたかを見ることにしよう。

ローマの周辺に住んでいたのは小民族ばかりだった。そのためローマはたちまちのうちに自分の生活の糧だけでなく、場所までも自ら戦いによって手に入れねばならない状況に陥った。なかでもカエニナ人[34]、クルストゥメリウム人[35]、アンテムナエ人[36]、サビニ人[37]、カメリヌム人[38]、フィデナエ人[39]、ウエイイ人[40]などとの初期の戦いは有名である。これらの戦いは生れたばかりのローマを、それもきわめて多種多様な民族が混淆する境界上で生れたローマを、最初からいわば常設の軍営にしてしまい、軍司令官のみならず元老院や騎士や民衆までをも、略奪された諸民族を踏み越えての凱旋行進に慣れさせた。ローマが隣のエトルリア人から取り入れたこの凱旋行進は、土地が乏しく貧困な一方で人口が多く好戦的な国家にとって、国民を外国との交戦や侵略へと誘惑する格好の餌となった。平和を愛するヌマ王[41]は、ヤヌス神[42]とフィデス女神[43]の神殿を築いたが無駄であった。王はまた国境に神々の像を置き、国境の祭典を催したが、これも無駄であった。平和を祈念するこうした制度が続いたのはヌマ王の存命中だけであった。なぜなら、最初の統治者の三〇年に及ぶ勝利によって略奪に慣れきったローマは、ユピテルに戦利品を差し出すときこそがこの神を最もよく礼拝できると信じていたからである。正当な立法者の後には新たな好戦精神が続き、トゥッルス・ホスティリウス[44]は彼の都市の母アルバ・ロンガにさえ戦いを挑んだ。彼はこの都市を破壊し、同地の市民をローマに移した。こうして彼とその後継者たちは、フィデナエ人やサビニ人だけでなく、最後にはすべてのラテン人都市を征服し、エトルリア人に攻撃の矛先を向けた。もしローマが別の場所に建設されるか、あるいは強大な隣人によって早くに制圧されていたら、これらのことはどれも起こっていなかっただろう。それが何と一つのラテン人都市にすぎなかったローマが、今や怒濤の勢いでラテン人都市同盟の盟主となり、ついにはラテン人を呑み込んでしまった。さらにローマはサビニ人とも混淆し、これをも従属させるに至った。そしてローマはエトルリア人からも多くを学んだが、彼らをもまた支配下に置き、こうして三方に及ぶ国境(45)を獲得した。

もちろんこれら初期の行動には、ローマの王たちの有していた性格、とりわけ初代の王の性格が必要とされた。この王ロムルスが雌オオカミの乳で育てられたというのも作り話だというわけではない。彼による最初の法律や制度も語っているように、明らかに彼は勇敢で賢明で大胆な冒険家だった。これらの法律や制度のいくつかはヌマ王によって緩和されたが、それはこうした措置の行われた原因が、時代にではなく、これらの法律を制定した人間の中にあったことの明白なしるしである。事実また初期のローマ人(46)の英雄精神がそもそもいかに粗暴なものであったかはホラティウス・コクレス、イウニウス・ブルトゥス(47)、ムキウス・スカエウォラ(48)などのような人物に関する数多くの出来事や、トゥッリア[49]やタルクィニウス[50]などのような人物の振舞いが示している。それゆえ、この盗賊のような国家[51]にとって幸運だったのは、歴代の王たちの中で粗暴な勇気と政治上の知恵が混ざり合い、さらにこの二つが国を愛する雅量と結びついたことである。同じく幸運だったのは、ロムルスの後にヌマ王のような人物が、そしてこれにトゥッルス[52]やアンクス[53]のような人物が、そのまた後にはタルクィニウス[54]のような人物が、さらにこれにセルウィウス[55]が続いたことだ。しかもセルウィウスは一身の勲功だけによって奴隷の身分から王位にまで昇りつめることができた。しかし何よりも幸運だったのは、これらの王たちがそれぞれにきわめて異なる特性をもって長期にわたって統治したことと、そのためにそれぞれの王が、その精神の余禄をローマにおいて確保する時間を持てたことである。だが最後には恥知らずなタルクィニウス[56]が登場するに及んで、堅固さを誇ったこの都市も別の統治形式を選んだ。選び抜かれ、たえず若返る一連の軍人や粗野な愛国者がここに台頭し、毎年自分たちの凱旋を新たに繰り返し、愛国心を無数の方法で適用し、かつ強めようとした。もし誰かが、たとえばローマがどのようにして生れることができたかを政治物語として書き綴ろうと思っても、これについて歴史あるいは寓話が実際にわれわれに提供してくれる以上の恵まれた状況を考え出すことは困難であろう。*56 レア・シルウィア[57]と彼女の息子たち[58]の運命、サビニ人女性の略奪[59]、クイリヌス[60]の神格化、戦争と勝利における粗野な人物のそれぞれの冒険、そして何よりもタルクィニウス、ルクレティア[61]、イウニウス・ブルトゥス、プブリコラ[62]、ムキウス・スカエウォラなどのような人物は、ローマという素地それ自体において将来の一連の成功全体を描き出すために不可欠なのだ。こうしてローマの歴史ほど容易に哲学的思索の対象となりえた歴史はなかった。というのも、ローマの歴史を記述する者たちの政治的精神が、出来事や行為の経過のうちに、原因と結果の連鎖それ自体をわれわれに引き出して見せてくれるからである。

＊52　デンプスター[63]による『エトルリア王室について』。ブオナローティ[64]による解説およびパッセリ[65]による補遺(フィレンツェ、一七二三年、一七六七年)を参照。

＊53　**ヴィンケルマン**『古代美術史』第一部第三章を参照。

＊54　『ゲッティンゲン王立科学協会新論文集』第三巻以下に所収の**ハイネ**による『エトルリア芸術を通じてのギリシアの伝承と宗教の受容の方法と原因について』、『エトルリア芸術の遺産における祖国の宗教の影響について』、『臆測に基づく解釈に依拠しないエトルリアの古代』、『様式と時代を遡ったエトルリア芸術の遺産[66]』を参照。

＊55　デンプスターによる『エトルリア王室について』におけるパッセリによる補遺を参照。

＊56　モンテスキューは好著『ローマ人の盛衰の原因に関する考察』において、これをほとん

ど一篇の政治物語にまで高めた。彼以前にはマキァヴェッリ[67]、パルータ[68]その他多くの明敏なイタリア人が政治上の考察の訓練を重ねてきた。

二　統治国家および軍事組織としてのローマの制度

ロムルスは自国民の数を計算して、これをトリブス、クリア、百人隊[69]に分けた。彼はまた国土を測量し、これを祭式用と国家用と国民用に配分した。国民も貴族と平民に分け、貴族をもって元老院を創設するとともに、国家の最高官職に祭司の慣習の神聖さを結びつけた。騎士の一団が選ばれ、これは後に元老院と平民とのあいだに一種の中間階級を形成した。同様にまた元老院と平民の二大階級は、保護者と被保護者[70]という関係によって互いにいっそう緊密に結びつけられた。権威標章を捧持(ほうじ)して高官の先駆を務めるリクトルの制度をロムルスはエトルリア人から採り入れたが、この権威標章は、主権の恐るべきしるしであり、後には形に違いこそあれ、すべての職の最高官僚が用いることになった。彼はローマ本来の守護神を確保するために外来の神々を排斥した。さらに彼は鳥占いや他の予言を採り入れ、国民の宗教に軍務と政務とを緊密に織り合わせた。そして彼は夫婦の関係と父子の関係を規定し、都市ローマを整備し、凱旋を祝ったが、最後には殺害され、神として崇拝されるに至った。後にローマで起こる種々の出来事は車輪のように絶え間なく回転するが、その中心にあるのは、いくつかの単純な問題なのだ。事実また次のようなとき、すなわち、時代が進むにつれて国民の階級が増えたり変化したり、あるいは相互に対立するとき。何が国民の階級、もしくはトリブスに属し、これらのどちらかが主導権を握るかということを巡って激しい争いが生じるとき。平民を苦しめる負債の増加と富者による圧迫から騒乱が勃発するとき。それゆえまた平民の負担軽減のためにトリブスの長が非常に多くの建議や土地の分配を行い[71]、あるいは中間の騎士階級が法を司るとき。元老院、つまり貴族と平民の境界を巡る争いがさまざまな形をとり、ついにはこれら二つの階級が互いに入り混じるとき。これらすべてのときに、われわれが目にするものは、粗雑に組み合わされた生きた機械としてのローマという国家が、都市の城壁の内部で遭遇せざるをえなかった数々の必然的偶然にほかならない。これと同じことは、平民の数や戦勝と征服された土地の数、それに国家による需要の増加に伴う治安当局の権威の増大についても言えるし、さらには凱旋や競技や出費、それに夫や父の権力が慣習や思考様式に従って、時代が変わるたびに制限されたり増大させられたりすることについても言える。ただ、これらはどれも古代の都市制度のさまざまな反映にすぎない。しかもその制度は、なるほどロムルスが案出したものでこそないが、きわめて堅固な手腕でもって打ち建てられたもので、歴代の皇帝の権力下にあっても、それどころか今日に至るまでもローマの政治制度の基礎でありつづけることができた。これはS・P・Q・R[*57][72]と呼ばれる。この四つの魔法の文字は世界を制圧し、破壊し、かつまた最後にはローマ自身をも混乱に陥れ、不幸にした。ここでローマの政治制度の主要な要素に目を向けることにしよう。というのも、ローマの運命は、ちょうど木が根から生え出るように、これらの要素から芽生えたように思われるからである。

1　**ローマの元老院は、ローマの国民と同じように古くから戦士であった。ローマは最高位の成員はもちろん、危急の場合には最下位の成員までも含めた軍事国家であった。**[73]元老院は評議機関であったが、同時にその貴族の中から軍司令官や使節を出した。富裕な平民は一七歳から四六歳、あるいは五〇歳に至るまでのあいだ軍務に服さねばならなかった。出征が一〇回に達しない者は、官職に就く資格がなかった。ローマ人が国家精神を戦場において、また好戦精神を国家において発揮するに至ったのは、このような理由による[74]。彼らの評議は既知の事柄に関して行われ、決定は実行に移された。ローマの使節は、諸国の王にローマへの畏敬の念を刻み込んだ。なぜなら、この使節は同時に軍隊を率いることができ、元老院においても戦場においても諸王国の運命を決定することができたからである。上級の百人隊は平民の粗野な集団ではなく、軍事や領土や政務に精通した富裕な人士によって構成された。貧しい百人隊は投票についても力がなく、ローマの隆盛期には従軍の資格さえも認められなかった。

2 **このような目的に沿う形でローマの教育、なかでも貴族の教育は行われた。**貴族は評議すること、演説すること、投票すること、あるいは国民を指導することを学んだ。また貴族は幼少時から従軍し、自ら凱旋、もしくは名誉表彰や官職への途(みち)を切り拓いた。こうしてローマの歴史や弁論術、それに法学や宗教、哲学や言語でさえ、きわめて独自の性格を帯びるに至った。貴族はみな政治と行動の精神、および男性的な剛勇さを漂わせ、しかもこれらは手際のよさと都市住民としての洗練さと結びついている。そもそもローマの歴史あるいは弁論術を、中国もしくはユダヤの歴史と互いに比較するときほど大きな相違は考えられない。しかもローマの精神は、スパルタも含めたギリシア人の精神とも異なっている。というのも、ローマの精神はローマ国民にあって、いわばいっそう冷酷な本性や古めかしい習慣、それに堅固な原則に依拠しているからである。ローマの元老院は死に絶えることがなかった。その決議や原則、そしてロムルスから受け継いだローマ人気質は永遠であった。

3 **ローマの軍司令官はしばしば執政官でもあったが、これらの職務によってもたらされる威厳は一年しか続かないのが普通であった。**それゆえ、彼らは勝利の余韻が残っているうちに急いで帰還しなければならず、後任の者も前任者の神々しい栄誉の後を追うことに忙しかった。そのためローマ人は信じられないくらい戦争を継続し、また何度も繰り返した。別の戦争から生まれた戦争もあれば、新たな戦争を促した戦争もある。ローマ人は現在の出征が終わりそうになると、次の出征を始めるための機会さえをも準備しておき、それによって戦利品と運と名誉というあたかも同一の資本を何度も使うことで、ますます大きな利益を得た。彼らが他国の諸民族に多大な関心を示し、自ら盟友や保護者、あるいは仲裁人としてこれらの民族のもとに押しかけたのは、こうした理由からであって、決して博愛からではなかった。ローマ人との盟友関係は、彼らによる後見となり、ローマ人の助言は命令になり、決定は戦争もしくは支配となった。このように、ローマ人が実証した以上の冷淡な自負心、そして何よりも命令しながら押しつけてくる恥知らずな大胆さはありえなかった。彼らは世界が自分たちのものであると信じていた。そして実際に世界はローマ人のものになった。

4　**ローマの兵士もまた軍司令官の栄誉や報酬の分け前に与った。**ローマの市民道徳の盛んな初期においては、兵士は給料をもらうことなく奉仕していた。その後わずかながら給料が支払われるに至った。しかし国内における度重なる征服や、征服地の護民官による当該地域の国民の地位向上に伴って、賃金と報酬と戦利品も増大した。征服された者たちの土地が、兵士たちに分け与えられることも稀ではなかった。そのため周知のように、ローマの共和国の最古にして最も多くの争いは土地の分配をめぐってローマ市民のあいだに生じることとなった。後に国外で征服を行うようになると、兵士は戦利品の分け前に与り、栄誉のみならず豊富な贈り物を与えられて、自らの軍司令官の凱旋にも参加した。市民冠、城壁冠、船嘴（せんし）冠[75]が授けられ、たとえばルキウス・デンタトゥス[76]は次のように自慢することができた。「私は一二〇回も戦いに参加し、一騎打ちでは八回の勝利を収め、体の前面には四五の傷を受けたが背面には一つも受けなかった。私は敵から三五回も武器を奪い、穂のない一八本の槍、二五個の馬装具、八三個の首飾り、一六〇個の腕輪、二六個の冠、すなわち一四個の市民冠と八個の金冠と三個の城壁冠と一個の攻囲冠、そのほかに現金、一〇人の捕虜、二〇頭の雄ウシを贈られた。」これに加えて、現在のわれわれの常備軍が名誉とする点、つまり誰も自分が最初に就いた地位より降格しないばかりか、勤務年数に応じて昇格するという点は、ローマ国家のどれほど長い時代にも見られなかったものであり、それどころか、軍司令官は自ら護民官を選び、また護民官も自分の副司令官を戦争の開始に際して自分で選んだ。こうして必然的に戦争における栄誉ある地位と職務を求めて、いっそう自由な競争への道が拓かれるとともに、軍司令官と副司令官と軍隊のあいだにさらに緊密な関係が打ち建てられた。全軍隊は、この出征のために選(え)りすぐられた一つの身体であって、そのどんなに小さな部分にもそれぞれの代表者を通じて軍司令官の魂がくまなく浸透していた(77)。ローマにおける共和政の初期には貴族と平民を分け隔てていた壁が時とともに破られるにつれて、戦争における勝利や勇気も、それだけいっそうすべての階級に対して国家における栄誉ある地位や富や権力への道を拓いた。そのため、後の時代にはローマ第一の権力者たるマリウスとスッラも平民から生れ、ついにはどんなに下層の人間でも最高の地位にまで昇りつめた。これは明らかにローマの堕落であった。しかもそれは、共和政の初期には貴族の矜持こそがローマを支えていたにもかかわらず、この高位階級の抑圧的な高慢が、ごくゆっくりとではあれ、その後のあらゆる内部崩壊の原因となったのと同じことであった。元老院と国民のあいだの均衡、および貴族と平民のあいだの均衡を保つことが、ローマの国家体制をめぐる絶えざる論争点であったが、あちこちで平衡を失ったことが、けっきょくこの自由国家に終焉をもたらした。

5　**ローマ人の名高い徳性の大部分は、ローマという国家の偏狭で冷酷な体制を顧慮することなしには理解できない。**事実、この体制が消滅するやいなや、徳性も失われた(78)。執政官が王に取って代わり、前者は最古の実例に従って、王の魂を超えたローマの魂を発揮するようにいわば迫られた。そしてすべての統治職、なかでも監察官(79)がこの精神を分かち持った。われわれが驚かされるのは、黎明期からずっと古代のローマ人に見られる厳格な公正さ、私心のない寛大さ、そして勤勉な市民生活であり、しかもこれらは夜明け前から遅い日暮れに至るまで見られた。これらすべてが凝縮されていたローマ以上に、こうした真剣な勤勉さと市民としての厳格さを実現した国家は世界でもおそらくないであろう。氏族の名によっても輝かしく傑出していた歴代貴族の高貴さ。国外から絶えず迫りくる危険。国内では平民と貴族とのあいだで均衡を求めて不断に起こる争い。他方また被保護者と保護者という関係から生じるこの両者のあいだの絆。市場や建物や政治の殿堂における多数の人々の交わり。元老院に属するものと国民に属するものとのあいだの、近いが厳正に区切られた境界。ローマ人の質素な家庭生活。そして幼少時からこれらのものを視野に入れた青少年の教育。これらすべてがローマ国民を世界で最も誇り高い第一級の国民へと形成した。ローマ貴族の高貴さは、他の国民におけるように怠惰な土地貴族、あるいは門閥（もんばつ）貴族に由来するものではなかった。それは祖国が最強の支柱として頼りにしている最高位の氏族における誇り高い家族精神であり、市民精神であり、ローマ人の精神なのだ。こうした高貴さは不断の活動において、また恒久的国家との永続的関係の中で、父から子そして孫へと受け継がれた。私の確信するに、ローマ人はどんなに危険な時代にあっても、ローマがそもそも没落するなどとは考えもしなかった。彼らは自分の都市のために働いたが、それはまるで神々によってこの都市に永遠性が授けられ、彼ら自身もこの都市を永遠に維持するための道具であるかのようであった。しかし恐ろしいまでの運がローマ人の勇気を高慢に変えたとき、すでにスキピオはカルタゴの没落に際してのホメロスの詩句を、それもホメロスが自分の祖国に対してトロイアの運命を予言した詩句を口にしていた[80]。

6　**宗教がローマにおいて国家と織り合わされた[81]際の仕方が、市民の住む都市および戦争国家としてのローマの偉大さに寄与したことは明らかである。**宗教はこの都市の黎明期から、そして共和国の最も勇敢な時代においても、名声ある氏族や政治家や軍人自身の手中にあり、そのため皇帝たちも宗教上の地位に就くことを恥じてはいなかった。こうして宗教は、そのさまざまな儀式の点でも、あらゆる国教に付随する真の病弊から、つまり元老院があらゆる手を尽くして宗教から遠ざけようとした軽蔑から身を護ることができた。政治に精通していたポリュビオスも、自ら迷信と呼んだローマ人の宗教に彼らの徳性の一部を、なかでも揺るぎない忠実さと誠実さとを帰したのはこうした理由による[82]。そして実際にローマ人は、後に自分たちが没落する時期までこの迷信に帰依していたため、気性のきわめて荒い軍司令官たちまでが神々と交渉があるように振舞い、神々の霊感および助力を通じて、国民や軍隊の心情に対してのみならず、運や偶然をも支配する力が自分に備わっていると信じた。すべての政務と軍務は宗教と結びつけられ、宗教によって神聖なものとされた。それゆえにこそ貴族は、最も神聖な特権としての宗教上の地位を所有せんがために平民と争った。このことは通例ローマ人の政治上の知恵にすぎないとされる。というのも、彼らは鳥占いや腸占いを巧妙に宗教と見せかけることによって、政務上および軍務上の出来事の経過を操っていたからである。もちろん私としても宗教がこのような用いられ方をしたことは否定しないが、しかしそれは事柄の全体ではなかった。ローマ人の祖先と神々の宗教は、一般の信仰するところによれば、彼らの幸福の支柱であり、他民族に対する彼らの優位のしるしであるとともに、世界で唯一のローマ国家の特別な聖域であった。だからローマ人は異国の神々をどれも寛大に扱ったにもかかわらず、建国当初はそれらを採用しなかった。それによって彼らは自分たちの神々のために、自分たちをローマ人にしてくれた古い祭式を残そうと考えたが、この点で何か変更を加えることは国家の礎柱を揺るがすことを意味していた。だからこそ宗教儀式の配列においても、元老院と国民は主権者としての権利、すなわち個々の祭司階級のあらゆる謀反や狡猾な言動を締め出す権利を確保しておいたのだ。政務上および軍務上の宗教であったローマ人の宗教は、なるほど彼らの行う不当な出征を擁護こそ(83)しなかった。しかし彼らはこれらの出征を少なくとも正義と見せかけておいて、祭司団や鳥占師の儀式によって神々の見るところに任せ、自らも神々の助力を拒まなかった。後年ローマ人が、自らのかつての原則に反して異国の神々を認め、これを誘致さえしたことは、同じくまた現実に即した彼らなりの政策であった。この点ですでに彼らの国家は動揺をきたしていたのであり、それはあのように膨大な地域を征服した後では、どうにも止めようがなかった。しかしこのときもまた、異教の祭式を迫害しようとする精神から彼らを護ったのは、政治上のこうした寛大さであった。ちなみにこの迫害精神は、皇帝たちのもとでのみ生れたもので、実際また抽象的真理に対する憎悪もしくは愛情からではなく、政治上の諸原因から皇帝たちによってあちこちで実行に移された。全体として見れば、ローマはいかなる宗教も、それが国政に抵触しないかぎり意に介さなかった。この点においてローマ人は、人間でもなければ哲学者でもなく、市民であり兵士であり征服者だった。

7　ローマ人の戦術については何を語るべきだろうか？　言うまでもなく、これは当時この種のものとしては最も完成されたものであった。なぜなら、それは兵士と市民、軍司令官と政治家とを一つにしたものであり、どの敵からも常に注意深く、常に柔軟に、かつ新たに学んだものだからである。ローマ人の戦術の粗雑な基盤は、彼らの都市と同じくらいに古く、それゆえロムルスによって選ばれた市民たちがその最初の軍団であった。しかしローマ人は時とともに軍隊の旧態をあらため、マケドニアから学んだファランクスと呼ばれる古い密集隊形(84)を、より可動的なものにすることをためらわなかった。そして彼らは間もなく自らこの可動性のゆえに、当時の戦術の模範であり十分に訓練されたマケドニアの部隊を粉砕するに至った。彼らはまた以前のラテン人式軍備に代えて、エトルリア人やサムニウム人の武器から自分たちに役立つものを採り入れ、ハンニバルからは行軍の隊形を学んだ。とりわけハンニバルがイタリアに長く駐留したことは、ローマ人にとってそれまで経験したなかで最も苛酷な軍事演習となった。スキピオ一族(85)、マリウス、スッラ、ポンペイウス(86)、カエサルといった偉大な軍司令官たちの誰もが、戦争という自らの生涯にわたる仕事を一つの技術として考察していた。しかも彼らはこうした技術をさまざまな民族に対して、それも捨て身の勇気と気力によってきわめて勇敢になっていた民族に対して行使しなければならなかったため、必然的に自分たちの戦争知識のどの部分においても非常な進歩を遂げた。とはいえ、ローマ人の強さは、武器や隊形や陣営にあったのではなく、むしろ軍司令官の豪胆な戦闘精神と兵士の鍛え抜かれた強靭さにあった。実際にローマ人兵士は空腹と喉の渇きと危険に耐えることができ、武器を手足のように使い、槍の襲撃にも屈せず、ファランクスの只中にあってさえローマ式短剣を手にして敵の心臓を探し求めた。ローマ人が勇気をもって振るったこの短剣こそが世界を征服した。防御するよりも攻撃すること、包囲するよりも撃破すること、常に一直線で最短の道を通って勝利と栄誉に向かうことがローマ式戦術であった。こうした戦術に寄与したのは、共和国の次のような鉄則であり、これには全世界が屈服せざるをえなかった。敵を倒すまでは決して攻撃の手をゆるめないこと。そのためには常に一人の敵とだけ戦うこと。たとえ勝利より和平が得策であっても、不利な状況では決して講和を受け容れないこと。それよりも地にしっかり足を着け、有利な状況にある敵に対してその分いっそう抵抗すること。最初は寛大さを示し、公平無私の仮面をかぶること。あたかも苦しむ者だけを保護し、盟友だけを獲得するかのように振舞い、時期を逸せずにその盟友に命令を下し、保護した者を抑圧し、敵味方に対して勝利者として凱旋できるようにすること。ローマ人のこうした傲慢な原則、あるいはこう言ってよければ、巌(いわお)のように堅固で賢明な尊大さが世界各国を彼らの属州にしたのであり、もし同じような時代が、同じような国民とともに再来すれば、このようなことは何度も繰り返されるだろう。そこで次にわれわれは、この世界征服者たちが歩み尽くして血まみれとなった戦場に足を踏み入れ、彼らがそこに残したものに目を向けることにしよう。

＊57　ローマの元老院ならびにローマの人民。

三　ローマ人による征服

　ローマが英雄としての道を歩みはじめたとき、イタリアは無数の小民族で溢れていた。これらの民族は文明化の程度の差こそあれ、それぞれ独自の法と部族の性格に従って、活発で勤勉で実り豊かな生活を送っていた。それにしてもこうした小国のどれもが、荒涼とした山岳地域においてさえ、ローマ人に対抗して産み出すことのできた人間の数には驚かされる。しかも彼らは昔からみな自分で身を養っていたし、当時もそのようにしていた。イタリアの文化は決してエトルリアに局限されていたわけではなかった。どのような小民族も、ガリア人さえも例外でなく、この文化に与っていた。土地は耕作され、人々は時代によって与えられた方法で、未熟な技芸と交易と戦争術に従事していた。また僅かではあるが、優れた法やいくつかの国家間の勢力均衡に関するきわめて自然な規則も、これらの民族には欠けていなかった。自負心、もしくは必要に迫られる一方で、さまざまな状況にも恵まれたローマ人は、これらの民族と五〇〇年にわたって苛酷で血みどろの戦争を行った。それゆえ、ローマ人の征服したこれと別の世界は、次から次へと彼らの支配下に入ったこれらの民族の狭い地域ほどには骨の折れる獲物ではなかった。しかし、こうした骨折りの結果は何だったのか？　破壊と略奪である。私は敵味方両方の戦死者や、エトルリア人やサムニウム人のように全滅した民族を数え上げたりはしない。むしろ彼らの共和国が没落したことの方が、その都市の破壊も含めて、イタリアで起こったいっそう不幸な出来事であった。というのも、この不幸は、ずっと最近に至るまで影響を及ぼしたからである。これらの民族はローマに移住させられ、あるいは彼らの哀れな残民がローマの盟友に数え入れられ、あるいは完全に臣下として扱われ、特定の居住地によって制限されたこともあって、彼らが最初に持っていた力は二度と戻りはしなかった。彼らは一旦ローマの鉄の軛につながれたが最後、盟友もしくは臣下として何百年にもわたってローマのために、つまり自らの利益や栄誉のためでなく、ローマの利益や栄誉のために自分の血を流さねばならなかった。彼らは一旦ローマの軛につながれると、それぞれの民族に与えられていたあらゆる自由にもかかわらず、最後にはローマにおいてしか幸福、名声、権力、富が求められなかった。その結果、この大都市はわずか数世紀のあいだにイタリアの墓場となった。遅かれ早かれローマの法はイタリア全土で効力を有するようになり、ローマ人の習俗はイタリアの習俗となり、また世界征服という彼らの途方もない目標は、これらすべての民族が競ってローマへ押し寄せるように仕向け、ついにはローマの奢侈の中で死滅するに至らしめた。これに対しては結局いかなる拒否も制限も禁令も役に立たなかった。なぜなら、自然の歩みは一旦その進むべき方向から逸れると、後から人間の法によって恣意的に変えることができないからである。[87] こうしてイタリアはローマによって次第に精を吸い尽くされ、神経を抜かれ、住民も減少した。それゆえ、新しい人間のみならず、新しい法や習俗や勇気を再び獲得するために、最後には粗野な野蛮人が必要になった。しかしそれでも過ぎ去ったものは戻ってこなかった。アルバ・ロンガとカメリヌム、富裕なウエイイ、[88] それにエトルリア、ラティウム、[89] サムニウム、[90] プーリア[91] といった地域の大部分の都市は、もはや消滅していた。これらの都市の灰燼(かいじん)の上に貧弱な植民地を建設したところで、それらがかつて有していた名声や多数の住民、また技術に向けられる勤勉さや法や慣習は二度と取り戻せなかった。繁栄を誇る大ギリシアのすべての共和国についても事情は同じであった。タレントゥム[92] やクロトン、[93] シュバリスやクマエ、[94] ロクリ[95] やトゥリオイ、[96] レギオン[97] やメッサーナ、[98] それにシラクサ、カタナ、[99] ナクソス、メガラ[100] は、もはや存在しない。これらの多くは苛酷な不幸のうちに崩壊した。賢明で偉大なアルキメデスよ、[101] 汝は幾何学の問題に取り組んでいる最中に打ち殺された。しかも後世になって汝の同郷人が汝の墓を知らなかったというのも不思議ではなかった。汝の祖国自体が汝とともに埋葬されてしまったのだから。事実、汝の都市が被害を免れたということも祖国を助け起こすことにはならなかった。ローマによる支配が世界のこの一隅で、その土地と人間の学問や技芸、それに文化に与えた損害は信じられないほど甚大なものだ。あの美しいシチリアは、戦争と総督が原因で滅びた。美しい南イタリアは度重なる略奪によって、そして何よりもローマに隣接していたことによって滅びた。というのも、南イタリアにせよ、ローマにせよ、いずれもローマ人の分割領土や快楽の場にすぎず、したがって彼らによる搾取の最も手近な対象だったからである。これと同じことは、兄のグラックス[102]の時代にすでに全盛期を迎えていたエトルリア国についても言える。豊沃な空地に奴隷が住むようになり、ローマ人によって精を吸い取られたのだ。ローマ人の手が及ぶやいなや、これと同じ境遇に陥らなかった美しい地域があろうか？

ローマはイタリアを平定した後にカルタゴとの交易を始めた。しかもそれは、思うに、どんなに筋金入りのローマ人びいきの人間でさえ恥じ入る[103]ようなやり方で始められた。ローマ人がシチリアで足場を得るためにマメルティニに加勢した[104]際のやり方や、まさにカルタゴがその傭兵に攻め立てられていたときにサルディニア[105]とコルシカを奪った際のやり方、そして何よりもあの賢明な元老院が「カルタゴのようなものが地上に存在することがいったい許されるのか？」[106]という問題を、あたかも自分が植えたキャベツ[107]を問題としているかのように評議した際のやり方。これらはもちろんのこと、また、たとえ彼らがどれほど賢明で勇敢であったにせよ、無数のこのような苛酷なやり方こそが、ローマ人の歴史を悪魔の歴史[108]たらしめている。ローマ人にほとんど危害を加えることもないカルタゴ。高価な貢ぎ物によって自らローマ人に援助を懇願し、約束に基づいて今や彼らに武器と船と兵器庫、それに身分の高い人間を三〇〇人も人質として差し出すカルタゴ。このような状況に置かれたカルタゴに、よりによって、そのカルタゴの破壊という冷酷で尊大な提案を元老院決議として携えて行くのが、たとえスキピオであれ、あるいは神であれ、この提案が、それを携行する気高い人物でさえ自らきっと恥じ入るような腹黒くて悪魔のような決議であることに変わりはない。「カルタゴを占領した」とスキピオはローマに書き送った。まるで自分の不名誉な行為を、この表現によって覆い隠そうとするかのように。事実、ローマ人はこのようなカルタゴという国を決して世界に対して産み出すことも、与えることもなかった。この国のあらゆる弱点と罪悪を知っている敵までもが怒りをもってその没落を見つめたが、この敵はまた、カルタゴ市民が武器を奪われ、欺かれた共和国住民として自らの墓の上で戦い、墓のために死んでゆく今となっては、彼らに少なくとも敬意は表するのだ。汝、比類なく偉大なハンニバルよ、どうして汝には自分の祖国が廃墟になるのを未然に防ぎ、カンナエ[109]で勝利を収めた後に、ただちに宿敵の狼穴(おおかみあな)へと急ぐことが許されなかったのか？　ピレネーやアルプスを一度も越えたことのない後世の虚弱な連中は、こう言って汝を非難する[110]。しかしこういう連中は、どのような人間から成る軍隊を率いて汝が戦ったかということも、上部および中部イタリアでの悲惨な冬の戦いの後でこの軍隊がどのような状況に置かれざるをえなかったかということも、まったく顧慮していないのだ。連中はまた汝の敵の口を借りて、汝の軍隊には規律が欠如していると非難する。なぜなら彼らには、ならず者から成る軍隊を、汝がなぜかくも長いあいだ統御できたのかということと、あれほどの進軍や行動の後でも、汝がとにかくカンパニアの平原に到達するまで少しも休もうとしなかったことがほとんど理解されていないからである。しかしローマ人が大砲の引き渡しと同じように、傲慢にもその身の引き渡しを一度ならず要求したこの勇敢な敵ハンニバルの名は、栄誉とともにずっと語られるだろう。ローマ人に対して獲得した勝利は、カルタゴではなくハンニバルによるものだったにもかかわらず、彼がこの勝利を完全なものにすることを許されなかったのは運命のせいではなく、彼の祖国に見られる暴徒の如き強欲さのせいであった。そのため明らかに彼は、自分の粗野な敵、つまりローマ人に戦術を教えるたんなる手段にならざるをえなかった。しかしそれはちょうどローマ人が彼の同国人から航海術のすべてを学んだのと同じことであった。カルタゴとローマの両者において、運命はわれわれに次のような恐るべき警告を与えた。「自らの決定にあっては、必ずこれを貫徹すること。そうしないと、阻止しようとしていることを逆に促進してしまう」という警告を。要するに、カルタゴが滅びたということは、ローマ人がこれに代わるものを二度と手に入れられないような国家が滅びたということだ。交易はこの地域の海から退き、いつもそうであるように、間もなく海賊がこれに取って代わった。穀物の豊富なアフリカは、ローマの植民地となってからは、カルタゴのもとでずっと長いあいだ植民地であったときとは違うもの、すなわちローマ人の穀倉、娯楽用の野獣狩猟場、奴隷の倉庫となった。アフリカという世にも美しい土地の海岸や平地は、今なお悲しい状態に置かれている。というのも、ローマ人が最初にアフリカ内部の文化を剝奪したからだ。**カルタゴ文字**(111)の一字としてわれわれには残されていない。アエミリアヌス(112)はこの文字をマシニッサ(113)の子孫に贈り伝えた。カルタゴの敵の一人がまた別の敵に贈り伝えたのだ。

カルタゴからどこに視線を向けても、私に見えてくるのは破壊ばかりだ。実際ローマ人という世界征服者は、いたるところに同じ痕跡を残した。もしも彼らが本気でギリシアの解放者たらんとして、この尊大な名称のもとにイストミア競技祭(114)に姿を現していたならば、それも、今やまた幼児のようになったギリシア人の眼前に姿を現していたならば、彼らはどれほど違ったやり方で支配したことか！　しかしここに及んで、パウッルス・アエミリウスが自分の軍隊に報酬を与えるためだけに、エピロスの七〇の都市を略奪させ、一五万もの人間を奴隷として売らせるとき(115)。メテッルス(116)とシラヌス(117)がマケドニアを、ムンミウスがコリントスを、スッラがアテナイとデルフォイを荒廃させ、また世界のどの都市もほとんど経験しなかったほど、ひどい略奪を行うとき。こうした廃墟がさらにギリシアの島嶼（とうしょ）にまで広がり、ロドス、キプロス、クレタがギリシア本土の体験したような不幸な運命、すなわちローマ人が凱旋するときに使用される貢ぎ物の金庫および略奪の場となるという運命に遭遇するとき。マケドニアの最後の王(118)が息子たちとともに凱旋の場に引き出されたうえに、悲惨このうえない牢獄の中で弱り果て死に至る一方で、死から逃れた息子の一人がローマで技術に秀でた轆轤（ろくろ）細工師(119)や書記として生き延びるとき。ギリシアが有する自由の最後の微光であるアエトリアやアカイア人(120)の同盟が崩壊し、ついにはすべての国家がローマの属州、もしくは戦場となり、そこで略奪や荒廃を事とする軍隊、それも、三頭政治(121)を行った執政官の軍隊が最後には互いに戦いを始め、殺戮（さつりく）し合うに至るとき。おお、ギリシアよ、汝の保護者、汝の弟子、そして世界の教育者であるローマは、汝に何という結末をもたらすことか！　汝のものとして、われわれに残されたものは、あの野蛮人たちが勝利の獲物としてローマへと運び去った廃墟であり、しかも彼ら自身の都市の灰燼にあっては、人間の技術が、かつて案出したすべてのものが、いつかは滅びる運命にあったのだ。

さて、われわれはこのギリシアを離れて、アジアおよびアフリカの海岸へと船を走らせよう。ローマ人は小アジア、シリア、ポントゥス[122]、アルメニア[123]、エジプトといった王国に、相続人あるいは後見人、仲裁人、調停人として押し入った。しかしこれらの王国から汲み取った仕事の報酬こそがローマ人自身の国家体制に究極の致命傷を与えた。アジアのスキピオ[124]、マリウス、スッラ、ルクッルス[125]、ポンペイウスによる大戦役は有名だが、なかでもポンペイウスは一度の戦いだけで一五の王国を略奪し、八〇〇の都市を占領し、一〇〇〇の城砦を陥落させて意気揚々と凱旋することができた。彼が誇示した金銀は二万タラント[126]に達した[*58]。彼はまた国家収入をその三分の二、すなわち一万二〇〇〇タラントにまで増やしたため、彼の軍隊全体も非常に潤い、最下級の兵士でさえ自分がすでに戦利品として手にしていたあらゆるものに加えて、彼から二〇〇〇ターレル以上の凱旋報奨金を受け取ることができた。何とひどい盗賊だろうか！　クラッスス[127]も同じ道を歩み、エルサレムからだけでも一万タラントを強奪した。また遠く東方へと出征した者は、戻ってきたときには黄金や豪華な品をどっさり抱えていた。これに対してローマ人は、東方諸国の住民に何を与えたろうか？　法でも平和でも制度でも国民でも技芸でもなかった。ローマ人は国々を荒廃させ、図書館を焼き払い、祭壇や神殿や都市を廃墟にした。アレクサンドリアの図書館[128]は、その一部がすでにユリウス・カエサルの時代に灰燼に帰した。ペルガモンの図書館[129]の大部分はアントニウス[130]がクレオパトラ[131]に贈ったものだが、それはいつかこの両人が同時に死を迎える原因となりかねないようなものだった。こうしてローマ人は、世界に光[132]をもたらそうとするものの、どの場合にもまず荒廃の原因となる夜を作り出す。黄金や芸術品といった財宝は強奪され、いくつもの国家や永劫の昔から伝わる思想が奈落に沈む。そこでは諸国民の性格は消し去られたままであり[133]、それぞれの属州も歴代の悪辣(あくらつ)このうえない皇帝のもとで搾取され、強奪され、虐待される。

西方のスペインやガリアにおいて略奪された国家に目を向けると、なおいっそうの同情を禁じえない。ローマ人の手は、そこまで伸びていたのだ。前述の東方諸国はローマ人によって征服されたものの、そのほとんどがすでに花としての盛りを過ぎていた。それに比べてここ西方では、未熟だが充溢した蕾(つぼみ)がローマ人によって最初の青春期に発育をひどく阻害されたため、その多くは氏族や部族の区別がほとんどつかないままであった。ローマ人がやって来る前のスペインは、よく耕作され、ほとんどの土地も豊饒で、富裕で幸福な国であった。また交易も盛んで、諸国の文化が軽蔑に値するとされることもなかった。実際また文化が軽蔑されなかったことは、フェニキア人やカルタゴ人ともずっと交流のあったバエティカのトゥルデタニ人[134]のみならず、スペイン中部のケルティベリア人[135]も実証している。かの勇敢なヌマンティアは地球のどの地域にもましてローマ人に抵抗した。とにかくスペインは二〇年ものあいだ戦争に耐え、ローマ軍を相次いで撃破し、ついにはスキピオのあらゆる戦術とも勇敢に戦ったが、その痛ましい最期は、読む者をみな震え上がらせる。いったい略奪者ローマ人はこの国で、それも彼らを怒らせたこともなければ、その名前すらほとんど聞いたことのなかった国民のもとで何を手に入れようとしたのか？　金と銀の鉱山である。スペインはローマ人にとって、今のアメリカがスペインにとってそうであるに違いないもの、すなわち強奪の場であった。こうしてルクッルスやガルバ[136]らは信義などまったく無視して略奪を行った。敗北を喫した軍司令官がヌマンティア人と締結していた二つの講和条約を、元老院自身が無効にしてしまう。残酷なことに、元老院はヌマンティア人にこれらの軍司令官を自ら引き渡すが、しかしこれら引き渡された不幸な者に対する雅量の点でも元老院はヌマンティア人に負けてしまう。するとここにスキピオが全兵力を挙げてヌマンティアに迫り、これを包囲する。そして不当な苦しみを受けるこの都市を助けようと唯一やって来た四〇〇人も、若者たちの右腕を切り落とさせるばかりか、飢餓の真っ只中で侵略を受けた国民が慈悲と正義を乞い求める悲痛な願いにも耳すら貸さない。こうしてスキピオは、紛れもないローマ人としてこれらの不幸な者たちを完全な破滅へと追い込む。ティベリウス・グラックスもまた紛れもないローマ人として振舞い、ケルティベリア人の僅か一国において、たとえ小さな町や城にすぎなかったとしても、三〇〇の都市を略奪した。ここからローマ人に対するスペイン人の消しがたい憎悪の念が生れた。ここからウィリアトゥス[137]やセルトリウス[138]の勇敢な行為が生れた。ちなみに、この両者は不名誉な死に方をしたものの、知恵と武勇の点では多くのローマ人軍司令官を凌駕していた。そしてまたここからピレネーの山岳民族が生れた。ほとんど一度も屈服しなかった彼らは、ローマ人に対抗して自らの野性をできるだけ長く保持した。黄金の国でありながら不幸なイベリアよ、汝はほとんど誰にも知られないまま、汝の文化と諸国民とともに影の国へと沈んでしまった。それもすでにホメロスがこうした影の国を、夕日の輝きのもとで地下の人々の国として描いているように[139]。

ガリアについてはほとんど述べることができない。というのも、この地域の征服[140]については、征服者自身の戦記によってしか知られていないからだ。著者カエサルは、一〇年にわたって信じられないくらいの労力と自身の偉大な魂の全力とを注ぎ込んだ。たとえ彼がどんなローマ人よりも気高い心の持ち主であったにせよ、それでも彼はローマ人としての運命に逆らうことはできず、「彼は内乱のほかに国外で五〇回もの会戦を戦い、一一九二人[141]の人間を一騎打ちで倒した」という悲しい讃辞を一身に集めた。しかも戦死者の大部分はガリア人であった。この広大な地域における多くの活発で勇敢な民族は、今どこにいるのか？　カエサルより数世紀後に野蛮な諸民族がガリア人を襲い、これをローマの奴隷として自分たちで山分けしたとき、ガリア人の精神や勇気、それに数や力はどこにあったのか？　地球のこの筆頭民族ローマ人の名前や、そのきわめて独自な宗教や文化や言語でさえ、ローマの属州であったすべての地域で根絶やしにされている。汝ら偉大で高貴な魂の持ち主であるスキピオ一族とカエサルよ、汝らが現世を去った霊として、星空から強盗の巣窟であるローマと、自ら手を下して遂行した殺人行為を見おろすとき、汝らは何を考え、何を感じたのか[142]？　汝らには自分の栄誉がいかに不純で、勝利の月桂冠がいかに血なまぐさく、殺人術がいかに低劣で非人間的なものと思われずにはいられなかったことか！　かのローマはもう存在しない。しかしローマが存在したときでさえ、高貴なローマ人の感覚は、こうした感覚を有するすべての者に、これらすべての恐ろしく、かつ野心に満ちた勝利は、彼の祖国に呪詛と破滅を積み上げるであろう、と告げざるをえなかった。

＊58　一二二四四万ターレル[143]。

四　ローマの没落

因果応報の法則は永遠の自然秩序である。秤（はかり）の一方の皿を押し下げると、必ずもう一方の皿が上がるのと同じように、政治勢力の均衡が失われ、諸民族や人類全体の権利に対して不法な行為がなされると、必ずそれに対する反動や報復があり、こうして積もり積もった過度の行為自体は、それだけいっそう恐ろしい崩壊を惹き起こす。歴史がわれわれにこの自然の真理を示しているとすれば、それはローマの歴史である。しかしわれわれは視野をさらに広げるべきであって、ローマ衰亡の原因の一つにだけ視野を限定してはならない。もしローマ人がアジアやギリシアを一度も目にすることがなく、さらには他のもっと貧弱な国々に対して、アジアやギリシアに対するのとは異なる方法で振舞っていたとしても、明らかにローマ人は別の時代に別の状況のもとで堕落していたのであり、どのみちやはり堕落は避けられなかったであろう。腐敗の萌芽は、ローマという木の内部にあった。虫がその根と髄にまで喰い入っていたのだ。そのためこの巨木といえども、最後には崩れるように倒れざるをえなかった。

1　ローマの体制内部に分裂があったため、それが除去されなければ遅かれ早かれ、ローマの没落は惹き起こされずにはいなかった。その分裂とは、国家それ自身の制度、すなわち、元老院と騎士と市民のあいだの不公正もしくは不確実な境界であった。ロムルスはこの区分を導入したとき、自分の都市に将来起こりうるすべての状況を予見することまではできなかった。彼はこの区分を周囲の事情や要求に応じて作った。そのため、こうした要素が変化したとき、この彼ですら、その名声があまりにも重荷となっていた者たちによって命を奪われた。しかし彼の後継者の誰一人として、ロムルスが為さなかったことを行おうという気概も欲望も持ち合わせていなかった。彼らは後継者という身分を利用して反対派を圧倒し、危険に囲まれた未熟な国家の中で自らの党派と反対派を操った。セルウィウスは国民を吟味し、最も重要な案件を富裕な階層に委ねた。初期の執政官たちの時代には、種々の危険があまりにも切迫していた。しかも貴族のあいだでは非常に有力で強大で、かつ功績のある人物たちが燦然と輩出したため、未熟な国民はこれに従わざるをえなかった。しかし間もなく状況が変化し、貴族による抑圧は耐えがたいものとなった。負債の重荷は市民の頭上に降りかかった。彼らは立法にほとんど関与していなかったし、また自らも加わって戦い取らざるをえなかった勝利の分け前にもまったく与っていなかったので、仕方なく聖山[144]へと逃れた。ここから両者の争いが生じたのであるが、護民官の任命もこれらを抑えられず、むしろ増大させるだけであった。それゆえ、両者の争いはまたローマの歴史全体を通じて繰り返される。耕作地の分配、ならびに立法職と執政職と祭事職への国民の参与をめぐってのあの長くて、しかも何度も振り出しに戻った争いの原因はまさにここにある。そのような争いにあっては、どの党派も自分の利益を求めて闘い、誰も全体を公平に処理することなどできなかった。こうした確執は三頭政治の時代まで続いたが、言ってみれば三頭政治そのものがこの確執の結果にすぎなかった。今や三頭政治はローマの体制全体に終焉をもたらし、それにこの確執も、この共和国とほとんど同じくらい古いものだった。したがって最初から国家の芽をかじっていたのは外的な原因ではなく内部の原因であった。とすれば、ローマの国家体制[145]を最も完全なものとして描くのは奇妙なことだと思われる。事実また世界で最も不完全なものの一つであるこの体制は、未熟な時代状況から生まれ、その後も全体への視点を踏まえて改善されたことは一度もなく、いつもただどちらかの方向に偏ったままであった。あの比類ないカエサルであれば、これをことごとく改善することができたかもしれないが、しかし時はすでに遅すぎた。彼は制度改善を構想しながら、どれも実現しないうちに短剣の一刺しによって命を奪われた。

2　ローマは諸国民の王であり、世界の支配者である、という根本命題には矛盾がある。なぜなら、**ローマは一つの都市にすぎなかったし、その制度も一つの都市制度にすぎなかったからだ。**なるほどローマの宣戦決議は、一人の死すべき人間である君主による決定ではなく、不滅の元老院によるものだった。そしてこうした事情が諸民族との執拗な交戦と、したがってまたローマの長期にわたる勝利に寄与したことは明らかである。というのも、ローマによる世界破壊という格率を支える精神は、交替しやすい統治者たちによるよりも、むしろ必然的に合議体の中で保持されざるをえなかったからである。それどころか、元老院と市民はほとんどいつも緊張した対立関係にあったため、元老院は国内の安定が確保されるように、一方では不穏な群衆に対して、他方では不安な統治者に対して何とか戦争を作り出すことによって国外での仕事を与えねばならなかった。もちろんその結果として、こうしてずっと続く緊張関係もまた、止むことのない世界破壊を大きく助長した。あげくの果てには元老院自体が自己保身のために戦争での勝利、もしくは戦勝の噂が必要だったし、それのみならず、ひどく差し迫った危険さえをも必要とすることも稀ではなかった。また市民の力を借りて活動の実を挙げようとする豪胆な貴族は、いずれも贈り物や競技や名声や凱旋を必要としたが、これらはみなもっぱら、あるいは主として戦争によって手にすることができた。したがって、明らかにローマという都市のこうした複雑に分割された不安定な統治が不可欠の要因となって、世界は不穏な状態に置かれるとともに、そうした状態が何世紀にもわたって続いた。実際また整然とした秩序を有し、自足した国家であれば、自国の幸福のために世界をこのような修羅場にはしなかっただろう。しかしながら征服を行うのと、征服したものを維持するのとは別のことであり、また勝利を戦い取るのと、勝利を国家の利益のために用いるのも別のことだ。この最後のこと、すなわち勝利を国家の利益のために用いることを、ローマは内部の制度が原因で一度も実行できなかった。それに征服したものを維持することも、ローマは都市の体制にまったく反する手段によってしか実現できなかった。遠征に向かった初期の王たちは、征服されたいくつかの都市や市民をローマの城壁内に収容することをすでに余儀なくされていたが、それは、途方もなく大きな枝を伸ばそうとするこのローマという弱い樹木の根と幹を維持するためであった。その結果、ローマの人口は恐ろしく増加した。それからこの都市は他の都市と同盟を結び、同盟した都市の市民はローマとともに戦場に赴いた。こうして彼らはローマの勝利と征服に関わるようになった。そして彼らはまだローマ市民でもローマという都市の住民でもなかったにもかかわらず、ローマ人となった。しかし間もなく激しい争いが起こり、彼らは自分たちにもローマの市民権を与えよと主張した。これは事柄の本性からして避けがたい要求だった。

これが原因となって最初の内乱が勃発し、それによってイタリアから三〇万人の命が奪われたのみならず、奴隷身分から解放された自由民にも武装させざるをえなかったローマは没落寸前にまで追い込まれた(146)。実際これは頭部と四肢との戦いであって、しかもそれは、この四肢も将来またこうした不格好な頭部の一部になるという形でしか終わらせられないものであった。今やイタリア全体がローマとなり、そのローマはますます拡大して世界を大混乱に陥れた。ただ私としては、すべてがこうしてローマ化されることによってイタリアの全都市に法律上のどのような混乱がもたらされたかについて考えるのではなく、その後あらゆる地方や辺境からローマ自身に流れ込んできた禍(わざわい)についてだけ言及しておきたい。すでに以前からすべてがこの都市に向かって押し寄せ、市民の財産等を評価登録した調査表(147)もきちんと管理できなかったため、ローマ市民でない者が執政官に選ばれる(148)ほどであった。だとしたら、この世界の頭部がイタリア全土からの寄せ集めであり、同時に地球がこれまで戴いた最も巨大な頭部であったというのは、いったい今となっては何なのだろうか。スッラの亡くなった直後におけるこの世界全体の主人たちは四五万人(149)だった。同盟した都市の国民を受け入れたとき、その数は著しく増加し、カエサルの時代には公の分配のさいに穀物を求める者だけで三二万人が名乗り出た。この不穏ではあるが大部分は無為の大衆が、投票集会にその庇護者、あるいは名誉ある官職を求める者たちに伴われて集まる様子を思い浮かべてみるがよい。そうすれば、贈り物や競技や壮麗な行列や追従（ついしょう）、そして何よりも兵力によって、どのようにしてローマで騒擾（そうじょう）が惹き起こされ、血で血を洗う殺戮が行われるようになったかということや、この世界の高慢な支配者を最後にはその世界自身の奴隷にしてしまった三頭政治が、どのようにして開始されたかが理解できるだろう。それにしても主権を要求し、強大な軍隊の中でその時どきの指導者の命令に従うこれら無数の大衆に対して、四〇〇人から六〇〇人の数からなる元老院の権威はどこにあったのか？　追従の上手なギリシア人が神とまで呼んだ元老院は、暴君であった皇帝たちをまだ含まないまでも、マリウス、スッラ、ポンペイウス、カエサル、アントニウス、オクタウィウスと比べたら何と惨めな役を演じたことか！　祖国の父キケロ[150]は、クロディウス[151]のような人物によって攻撃されるだけでも、どれほど惨めな姿をさらすことか。キケロのどんなに有効な助言も、ポンペイウス、カエサル、アントニウスなどが実際に行ったことのみならず、カティリーナ[152]のような人物でさえも実行しただろうことに比べたら何の役にも立たない。こうした不均衡が生じたのは、アジアの香料や、ルクッルスの軟弱さのせいではなく、都市として世界の頭首となろうとしたローマの根本的体制によるものなのだ。[*59]

3　しかしローマには元老院と市民しか存在しなかったのではなく、奴隷も存在し、それもローマ人が世界の支配者になればなるほど、その数は増大した。これらの奴隷を使ってローマ人はイタリア、シチリア、ギリシアなどにおいて、広大で豊かな畑地を耕作した。大量の奴隷は彼らの家財であったし、奴隷の取引はおろか奴隷の躾（しつけ）もローマの重要な生業（なりわい）であり、カトー(153)ですら、これを恥じなかった(154)。主人が奴隷とまるで兄弟のようにつきあっていた時代、そして父親は自分の息子を三度まで奴隷として売ってもよい、という法をロムルスが制定できた時代は、もうとっくに過ぎ去っていた。世界征服者の奴隷は地球のあらゆる地域から駆り集められ、親切な主人からは穏やかに、無慈悲な主人からはしばしば動物のように扱われた。このように抑圧された人間の巨大な群れがローマ人に対して何の損害も与えなかったとしたら、それこそ奇蹟であったろう。なぜなら、いかなる悪い制度もそうであるように、この奴隷制も必然的に自ら復讐を受け、罰せられざるをえなかったからである。しかもこの復讐とは、スパルタクスが軍司令官としての勇気と知恵をもって三年にわたってローマ人と戦ったあの血まみれの奴隷戦争(155)だけでは決してなかった。彼に従う者は七四人から何と七万人にまで膨れ上がった。何人もの軍司令官はもとより、二人の執政官までも彼によって打ち倒され、ほかにも多くの残虐行為が行われた。しかしこれよりさらに大きな損害は、奴隷の主人のお気に入りの者や、奴隷身分から解放された自由民によって惹き起こされた。この自由民によってローマは最後に言葉の最も本来の意味において奴隷の奴隷となった。こうした災いはすでにスッラの時代に始まっており、歴代の皇帝のもとでさらに恐ろしいまでに増大した。そのため私としても、奴隷身分から解放された自由民によって、そしてお気に入りの奴隷によって惹き起こされた混乱や残虐行為は、とても叙述することはできない。ローマ人の手になる歴史記述や諷刺詩はこのような題材に満ちている。地球上のどの未開民族も、このようなものは知らない。こうしてローマはローマによって罰せられた。世界の抑圧者は極悪非道の奴隷たちの従順な下僕となった。

4　ローマの没落を決定的なものにしたのは、言うまでもなく奢侈である。ローマの世界征服にその位置もまた貢献していたことは明らかだが、それと同じようにローマはこの奢侈という不幸に対しても好都合な状況にあった。一つの中心点からのように、ローマは地中海を、すなわち三大陸の最も富裕な沿岸地域を支配した。それればかりか、有名な艦隊の助けを借りて、アレクサンドリアを越えてエチオピアやずっと遠くのインドから高価な品々をも手に入れた。アジアが征服されてこのかた、饗宴、競技、美食、衣服、建物、家具においてローマ自身やローマに属するすべてを支配した乱暴な浪費や贅沢を叙述するには、私の言葉ではとうてい及ばない。[*60] これらの事柄の記述に加えて、外国産の貴重な品々の高い価格、これに伴う濫費、そして結局は奴隷身分から解放された自由民と奴隷であった富裕なローマ人が抱え込んだ負債[156]の重荷についての記述を読む者は、自分の目を疑うだろう。実際こうした浪費はきわめて苛酷な貧窮を招来せずにはいなかった。そのうえ、この浪費はそれ自体すでに悲惨な貧窮であった。何世紀ものあいだ、すべての属州からローマに流れ込んできた金の泉は、ついに枯渇せざるをえなかった。ローマ人の交易全体も、彼らが過剰に買いすぎ、また気前よく支払いすぎたため、彼らには極端に不利なものであった。それゆえ、インドだけでも彼らから年々巨大な金額をむさぼり喰っていたことも驚くべきことではない。そのあいだにもローマの国土は荒廃の一途を辿っていた。古代のローマ人やその同時代人によって営まれていた農業は、もはやイタリアでは営まれなくなった。ローマの技術も有用なものにではなく無用なもの、すなわち凱旋門、浴場、墓碑、劇場、屋外円形劇場などに向けられた[157]。驚嘆に値するこれらの建築物は、言うまでもなくローマ人という世界略奪者のみが築き上げることのできたものである。ただ、人間社会の有益な技術や生計部門において何がしかのものを案出したローマ人は一人もいない。ましてやローマ人は案出によって他の国民の役に立つようなこともなかったし、これらの国民から適切で永続する利益を引き出せなかったことも言わずもがなである。こうして間もなくローマ帝国は零落した。貨幣は粗悪になり、すでにわれわれの暦法による第三世紀には、この次第に粗悪になる貨幣によって軍司令官が報酬として受け取るものは、初代ローマ皇帝アウグストゥスの時代に一般の兵士が受け取っていたものに比べてもあまりにも少なかった。これらは事の成り行きの自然な結果としか言いようのないものであり、たんに交易や生業の見地からしても、やはりそうならざるをえなかった。これと同時に人類は、まさに破滅をもたらすこうした原因によって、数のみならず体格や発育や内部の生命力においても痩せ衰えていった。よりにもよってこのローマとイタリア、すなわち世界で最も人口が多く、最も繁栄していた国であったシチリア、ギリシア、スペイン、アジア、アフリカ、エジプトをなかば荒涼とした土地にしてしまったローマとイタリアは次のものによって、すなわち、自らの法と戦争によって、しかし何にもましてその堕落しきった怠惰な生活様式によって、常軌を逸した悪徳によって、妻を離別することや奴隷に対する非情さによって、そして後には最も高貴な人間たちに対する暴虐によって、自然でありながら最も不自然な死を自分自身で招いた。病んだローマは、恐ろしい痙攣を繰り返しながら、何世紀にもわたって死の病の床についている。この病の床は、ローマが甘美な毒を搾り取った世界の全体に広がっている。しかし今やその世界とてローマの死を早めるという形でしか役に立つことができない。異邦人である北方の巨人たちがやって来ても、衰弱したローマ人は彼らには小人にしか見えない。彼らはローマを廃墟にし、疲弊しきったイタリアに新たな力を与える。しかしこれは自然におけるすべての逸脱がそれ自身に報復し、また自己を喰いつくすということの恐ろしくも慈悲深い証拠なのだ。東方の人々の奢侈にわれわれが感謝しなければならないのは、世界がローマという屍から早く解放されたことである。もっともこの屍は、他の地域での勝利によって腐敗していただろうが、しかしおそらくこれほど急に、かつ恐ろしい形で腐敗することはなかったであろう。

5　このあたりで私としても、これまで見てきたことすべてをまとめ、自然の偉大な秩序について詳しく述べるべきだろう。すなわち、たとえ奢侈、庶民、元老院、奴隷が存在しなくとも、どのようにしてローマの好戦精神は結局それ自身だけで堕落し[158]、この精神が罪のない、いくつもの都市や国民に対して何度も何度も抜いてきた剣を自らの臓腑に向けざるをえなかったかということを。しかしこれについては私の代わりにローマの明らかな歴史が語ってくれる。略奪によっては満たされず、かといってこれ以上に奪うものも見つけられないどころか、パルティア[159]とゲルマーニアの境界で自らの名声の終焉を目にしたローマの軍隊は、祖国に引き返して自分の母を絞殺する以外にいったい何ができたろうか？　すでにマリウスとスッラの時代にこの恐ろしい見世物は始まっていた。自分たちの軍司令官を慕い、あるいはこの軍司令官から支払いを受けていた軍隊は、ローマに戻ってこの軍司令官の仇討ちをその敵方に対して行ったため、ローマは血の海と化した。この見世物はさらに続いた。かつてムーサたちが歌い、アポロンが羊飼いとしてヒツジに草を食ませていた土地で、ポンペイウスとカエサルが高い賃金で雇った軍隊を互いに戦わせることによって、ローマ人[160]がローマ人と戦ったこの遠隔の地で、彼らの母国の都市ローマの運命は決定された。モデナにおける三頭政治の執政官たちによる残酷な和議[161]においても事情は同じだった。この和議は、一片の記録にあるだけでも三〇〇人の元老院議員と二〇〇〇人の騎士を追放と死刑に処し、二〇万タラントをもっぱらローマから、しかも婦人たちからさえゆすり取った。ブルトゥスが戦死したピリッピの戦い[162]の後も同様であったし、偉大な父の高貴な息子であるポンペイウス[163]に対する戦いの前もそうだった。さらにはアクティウム[164]その他における戦いの後もそうだった。あの脆弱で残忍なアウグストゥスが平和を好む善人を装っても無駄だった。剣によって勝ち取られたローマ帝国は、剣によって護られるか、剣によって崩壊せねばならなかった。今ローマ人がうたた寝を楽しんでいるからといって、侮辱されたり激昂させられたりした民族も、うたた寝をしたいと思ったわけではない。彼らは報復を求め、自分たちの時代が来れば仕返しをした。ローマ帝国にあって皇帝はいつも軍最高司令官にすぎなかったし、ずっとそうあり続けた。それゆえ、皇帝の多くが自分の義務を忘れたとき、軍隊によって恐ろしい仕方で注意を喚起された。軍隊は皇帝を擁立しては絞殺した。そしてついには親衛隊長が宰相に成り上がり、元老院を惨めな傀儡にした。間もなく元老院までが軍人だけによって構成されるようになったものの、時とともに軍人も弱体化し、戦争においても議会においても役に立たないものとなった。帝国は崩壊した。対立する皇帝同士が互いを追い落とし、苦しめ合った。さまざまな民族が押し寄せ、ローマは敵を自軍内に取り込まざるをえず、この敵がまた別の敵をおびき寄せた。こうしていくつもの属州は引き裂かれ、荒廃するに至った。誇り高い永遠のローマは、ついには自分自身の指揮官たちからも見捨てられ、裏切られて、転げ落ちるように没落した。これは大小さまざまな帝国の征服欲が、それも特に専制主義的な軍人精神が、いずれも公正な自然法則に従って、どのような終焉を迎えるかということの恐ろしい記念碑なのだ。ローマ人の国家ほど堅固で強大な戦争国家は、これまで一度も存在したためしがない。しかしそれにもまして、いかなる死体も、何世紀にも及ぶローマの歴史においてほど恐ろしい形で墳墓に運ばれたことはなかった。そのため、ポンペイウスとカエサル以後は一人の征服者も現れず、文明化した諸民族にあっては、どんな軍人政治も二度と生れることはなかった。

　大いなる運命よ！　ローマ人のこうした歴史がわれわれに伝えられ、それどころか世界の一部には剣をもって無理やり押しつけられたのは、汝がわれわれにこれを学ばせようとしたからなのか？　しかし、われわれがこの歴史で学ぶものは言葉だけなのだ。あるいは、この歴史は誤って理解されて新たなローマ人を形成したが、それらの誰一人として自分たちの模範に匹敵すらしなかった。かの古代のローマ人たちが舞台に立ったのは一度きりであり、多くは私人として恐ろしく大げさな劇を演じた。われわれは人類のためにも二度と彼らにこれを演じてほしくない。しかしそれでもわれわれは、この悲劇がまた種々の事象の経過の中で、どのような輝きと偉大な側面を有していたかを見ようではないか。

＊59　古代ローマ人の素朴さとローマ国民の教育について言われうる長所については、**マイエロット**[165]による実証に富む著作『**ローマ人の習俗と生活様式**』(第一部、ベルリン、一七七六年)を、そしてこれとは逆に、民衆と貴族における奢侈の歴史について書かれた第二部を読んでいただきたい。

＊60　ペトロニウス[166]、プリニウス[167]、ユウェナーリス[168]や他の古代の著作家の作品における非常に多くの箇所に加えて、近代のさまざまな著作からは**マイエロット**による『ローマ人の習俗と生活様式』第二部や**マイナース**による『ローマ人衰亡史[169]』などを参照。

五　ローマ人の性格、学問、技術

これまで述べてきたことの後にまた義務として要求されるのは、かの高貴な魂の持ち主たちの名を挙げ、かつ称揚することである。これらの人物は、運命によって置かれた苛酷な状態の中で、自らが祖国と呼んだものに勇敢に身を捧げ、その短い生涯のうちにほとんど人間諸力の最高目標に達する事柄を遂行した。私としては歴史の歩みに従って、ユニウス・ブルトゥスとプブリコラ、ムキウス・スカエウォラとコリオラヌス、[170]ウァレリア[171]とウェトゥリア、[172]三〇〇人のファビウスとキンキンナトゥス、[173]カミッルスとデキウス、[174][175]ファブリキウスとレグルス、[176][177]マルケッルスとファビウス、[178][179]スキピオ一族とカトー一族、[180]コルネリアとその不幸な息子たちを、[181]しかしまた軍人だけが重要というのであれば、マリウスとスッラ、ポンペイウスとカエサルを、また立派な目的や努力が称賛に値するならば、マルクス・ブルトゥス、キケロ、アグリッパ、[182]ドルスス、[183]ゲルマニクスを[184]それぞれの功績によってその名を挙げ称揚すべきだろう。さらに私は皇帝の中からも人類の喜びであるティトゥス[185]、公正で立派なネルウァ[186]、幸福なトラヤヌス[187]、不撓不屈のハドリアヌス[188]、優れたアントニヌス一族[189]、辛抱強いセウェルス[190]、男らしいアウレリアヌス[191]などを、沈みゆく建造物の強固な支柱として称賛すべきだろう。しかしこれらの人物はギリシア人にもまして有名なので、最良の時代におけるローマ人の性格について、ただ一般的に語り、またこの性格を、もっぱら彼らの時代状況の産物として考察することを許してほしい。

　不偏不党と固い決心。言葉と行いにおける倦むことのない活動。勝利あるいは名誉という目標に向かっての確固迅速たる歩み。不幸によっても屈せず、幸運によっても驕慢にならない冷静大胆な勇気。これらにもし名称を与えようというのなら、それはローマ人としての勇気という名称でなければならないだろう。この国の構成員の多くは、低い身分の出自の者でさえ、こうした勇気を立派に実証してみせた。だからわれわれも、特にローマ人の、主としてその高貴な側面だけが見える青年期において、古代世界のこのような人物たちを、過ぎ去った偉大な霊として崇敬するのだ。ローマの軍司令官たちは巨人のように或る地方から別の地方へと歩みを進め、諸民族の運命をその丈夫で機敏な手で持ち運ぶ。彼らの足は通りすがりに数々の玉座をひっくり返し、彼らの一言が無数の人間の生死を決定する。彼らが立っていたのは危険な高みだったのだ！　王冠と何百万の人間や黄金を賭けたあまりにも高価な勝負事だったのだ！

そしてローマの軍司令官たちは、王位にある野蛮人の華麗さを軽蔑しながら、このような高みをローマ人として悠然と歩く。兜（かぶと）が彼らの王冠であり、胴鎧（どうよろい）が彼らの装身具だ。

また私が権力と富のこうした頂点にある彼らの勇ましい雄弁を耳にし、家庭愛もしくは愛国心に基づいてたゆまず活動するのを目にするとき。戦闘の只中あるいは広場の雑踏の中でカエサルの額が相変わらず晴れやかで、その胸までが敵に対しても寛大な思いやりをもって高鳴るとき。偉大なる魂よ、汝がその軽率な罪悪をものともせずローマ人の君主となるに値しなかったなら、やはり誰もそれに値しなかったのだ。しかしカエサルはこれ以上のものだった。彼こそ皇帝カエサルであった。地上の最高の玉座が彼自身の名をもって飾られたのだ。おお、この玉座がさらに彼の魂で自らを飾り、何世紀にもわたってカエサルの善良で快活で度量の広い精神によって生命を得ることができれば、どれほどよかったろうか！

しかし彼には友人のブルトゥスが短剣の刃をきらめかせて立ちはだかっている。立派なブルトゥスよ、汝の邪悪なゲーニウスが汝の前に姿を現したのはサルディスやピリッピにおいてのことではなかった[192]。このゲーニウスはずっと以前に祖国の姿をとって汝の前に現れていた。しかも汝は自らの粗暴な祖先よりも柔らかな魂をもって、人間性と友情のいっそう神聖な権利を祖国のために犠牲とした。汝にはカエサルの精神とスッラの賤民的凶暴さが欠けていたため、汝に強要された行為を利用することができなかった。それゆえ汝は、もはやローマでなかったローマをアントニウスやオクタウィウスのような人物の粗暴な決定に委ねることを余儀なくされた。実際またアントニウスはローマの豪奢をエジプトの愛人の足元にこぞって捧げたし、オクタウィウスはその後リウィア[193]のような女性の閨房(けいぼう)から一見神聖な落ち着きを示しながら、苦しみ疲れた世界を支配した。汝に残されたものといえば、僅かに汝自身の剣だけであった。すなわちそれはローマの運命の下にある不幸な者たちの、悲しいとはいえ必要不可欠の避難所であった。

ローマ人のこうした偉大な性格はどこから生れたのか？　それは彼らの教育から生れたものであり、さらには個人や一族の名声から、彼らの仕事から、そして元老院と市民とすべての民族が世界支配という中心点において押し集まることから生れた。しかし何といってもそれはローマ人の置かれていた幸福にして不幸な必然性から生れたものである。それゆえ、こうした性格はローマの偉大さに関与したすべての者たちに、すなわち貴族のみならず市民にも、また男性のみならず女性にも分かち与えられることになった。スキピオの娘やカトーの娘[194]、すなわちブルトゥスの妻ポルキア、グラックス兄弟の母や妹[195]も一族の品位を落とすような振舞いはできなかった。それどころか、高貴なローマ人女性が才知や品位の点で男性を凌駕することも稀ではなかった。実際テレンティアはキケロより勇猛果敢であり、[196] ウェトゥリアはコリオラヌスより気高く、パウリーナ[197]はセネカなどより意志が強かった。自然のどのような素質も、東方の後宮やギリシアの娼家においては、ローマ人の公共生活および家庭生活におけるほど女性の美徳を育てることはできなかった。しかしこれはもちろん堕落した時代のローマにおける女性の悪徳についても言えることであり、それはまさに人間性を震撼させるものである。すでにラテン人征服後には一七〇人のローマ人妻たち[198]が、それぞれの夫を毒殺することで意見が一致し、それが発覚すると、用意してあった薬を毅然と飲み干した。[199] 最も暗い影は最も強い光に隣接している。[201] 継母リウィア、貞節なアントニア・ドルスス、プランキナ[200]とアグリッピナ・ゲルマニクス、メッサリーナ[202]とオクタウィア[203]のような女性たちもこれと紙一重の違いなのだ。

＊

われわれがローマ人の価値を学問においても評価しようとすれば、彼らの性格から出発すべきであって、[205] 彼らにギリシア人の芸術を要求してはならない。ローマ人の言語[204]は アイオリス地方の方言にイタリアのほとんどあらゆる言語が混じったものであり、この粗雑な形から次第に洗練されたが、それでもどれほど手を加えてもギリシア語の軽快さ、明瞭さ、美しさには決して到達できなかった。要するに、ローマ人の言語は重々しくて威厳のあるもので、世界の立法者にして支配者の言語なのだ。それはまたあらゆる点でローマ人の精神の形象でもある。彼らはラテン人とエトルリア人と自分たちの文化によって長い時間をかけて固有の性格と国家を形成した後に、ようやくギリシア人を知るようになった。そのためローマ人が彼ら本来の雄弁をギリシア人の芸術によっていっそう美しいものにすることを学んだのも、ずっと後のことだった。そこでわれわれとしても、ローマ人の言語の形成に明らかに大きく貢献した初期の戯曲や詩歌の習作は割愛し、彼らのうちにより深い根をおろしたものについて述べたい。それは彼らの**立法**、**弁論術**、**歴史記述**である。これこそ知性の精華であって、まさに彼らの仕事自体が生み出したものであった。こうした精華の中に彼らのローマ魂が最もよく見られる。

しかし嘆かわしいことに、ここでもまた運命はわれわれにあまり恩恵を与えてくれなかった。というのも、他の民族のあれほど多くの文献をわれわれから奪った征服者精神の持ち主たるローマ人は、同じように破壊を続ける未来の子孫に自らの精神の所産を委ねざるをえなかったからだ。事実、このようなローマ人の古代の祭司年代記[206]、エンニウス[207]やナエウィウス[208]の叙事詩、あるいはファビウス・ピクトル[209]の年代記は言うに及ばず、キンキウス、[210] カトー、[211] リボ、[212] ポストゥミウス、[213] ピソ、[214] カッシウス・ヘミナ、[215] セルウィリアヌス、[216] ファンニウス、[217] センプロニウス、[218] コエリウス・アンティパテル、[219] アセッリオ、[220] ゲッリウス、[221] リキニウスなどの歴史書はどこにあるのか？　アエミリウス・スカウルス、[223] ルティリウス・ルフス、[224] ルタティウス・カトゥルス、[225] スッラ、[226] アウグストゥス、[227] アグリッパ、ティベリウス、[228] アグリッピナ・ゲルマニクス、それにクラウディウス、[229] トラヤヌスなどの彼ら自身によって書かれた伝記はどこにあるのか？　これに加えてローマの最も重要な時代における国家の最重要人物、たとえばホルテンシウス、[230] アッティクス、[231] シセンナ、[232] ルタティウス、[233] トゥーベロ、[234] ルッケイウス、[235] バルブス、[236] ブルトゥス、ティロ、[237] そしてウァレリウス・メッサラ、[238] クレムティウス・コルドゥス、[239] ドミティウス・コルブロ、[240] クルティウス・ルフスによる無数の歴史書はどこにあるのか？　さらにはコルネリウス・ネポス、[242] サルスティウス、[243] リウィウス、[244] トログス、[245] プリニウス[246]などの多くの失われた著作についても事情は同じだ。私がこれらの人物の名を連ねたのは、自らをローマ人より高い位置に置く何人かの近代人を、ここに記した名前によってだけでも否定するためである。いったい近代のどの国民が、統治者、軍司令官、一流の政治家という点で、これほどの短い時期に重要な変革やそれに関わる自らの行為に関して、この野蛮と呼ばれるローマ人よりも多くの偉大な歴史家を有していたというのか？　なるほど、コルネリウス、カエサル、リウィウスらの僅かな断片や実例を見るかぎり、ローマの歴史書にはギリシア人による歴史記述のような典雅さや快い優美さはなかった。しかしその代わりにローマ人らしい品位が確実に見られ、またサルスティウス、タキトゥス[247]などにあっては哲学的および政治的賢明さも多く見られる。偉大な事業が行われると、思想や著述も偉大なものとなる。ただ奴隷状態にあっては、後期のローマ史自体が示しているように、人の口は閉ざされる。しかも残念なことに、ローマの自由な時代、もしくは半ば自由な時代から生れたローマ史家の作品は、その大部分が完全に失われている。これは取り返しのつかない大損失だ。このような人物たちが生きたのも、また自分の歴史を書いたのも、一度だけだったのだから。

ローマ人による歴史記述は、その妹である弁論術と、これら両者の母である政治術と戦争術と手を携えながら進展した。最も偉大なローマ人の多くがこれらの学問のそれぞれについて知識を持っていただけでなく、自ら著述を行ったのもこうした理由による。それゆえ、ギリシアとローマの歴史家が自分たちの記述する出来事に政治演説や軍事演説を頻繁に混入させたと言って彼らを非難するのは正当ではない。事実また共和政にあってはすべてが公の場での演説によって方向を決定されていたため、歴史家にとってはまさにこうした演説ほど種々の出来事を結びつけ、さまざまな方面から叙述し、実用的な側面から説明できる自然な絆はなかった。このような演説は実用的講演というずっと優れた手段であって、後のタキトゥスやその兄弟たちが必要に迫られて自分個人の考えを単調に織り込んだものの比ではない。しかしこのタキトゥスも、彼の省察精神についてはしばしば不当に評価されてきた。なぜなら彼は、その描写においてのみならず悪意に満ちた語り口においてもローマ人の精神と心情を遺憾なく発揮したからである。彼には出来事の原因を詳述せずに、あるいは嫌悪すべきものを黒い色彩で描くことなしに出来事を語ることができなかった。彼の歴史記述は自由を求めてあえぎ、その暗くて閉ざされた語り口は、言葉を用いてなしうる範囲をはるかに超えて、自由の喪失を辛辣に嘆く。弁論術と歴史記述が享受するのは自由の時代、すなわち政治と軍事における公の活動の時代なのだ。このような時代が失われると、弁論術も歴史記述も消え去った。これらは、国家が怠惰な歩みを見せるようになると、そこから同じように怠惰な考察や言葉を借用するからである。

とはいえ、弁論術については歴史家に劣らず偉大な弁論家の喪失をわれわれはそれほど嘆く必要もない。あの比類ないキケロ[248]が一人で何人分もの埋め合わせをしてくれるのだから。弁論術の著作において彼はわれわれに少なくとも彼の偉大な先人や同時代人の性格を提示してくれる。それに彼の演説そのものが現在のわれわれにはカトー[249]、アントニウス、ホルテンシウス、カエサルなどの演説よりも役立ちうる。このキケロという男の運命は輝かしいものだが、それは存命中よりも死後においていっそう輝かしい。この人物は規範や模範という形でのローマの弁論術だけでなく、ギリシア哲学の大部分をも救った。実際もし羨望に値する彼の言語表現がなければ、たいていの学派の教義もそれぞれの学派の名前だけで知られる程度のものにしかなっていなかっただろう。彼の雄弁はデモステネスの雷鳴のごとき雄弁を、光と哲学的明晰さにおいてのみならず、上品さと真の愛国心においても凌駕している。彼はまたほとんど一人でラテン語を、より純粋な形でヨーロッパに復興させた。そしてこの道具は度重なる濫用にもかかわらず、人間精神に紛れもなく大きな利益をもたらした。それゆえ安らかに眠るがよい、汝、多くの方面で活躍し、多くの辛酸を味わった男よ。ヨーロッパにおけるあらゆるラテン語学校の祖国の父よ、汝の弱点を汝は存命中に十分に償った。汝の死後、人々は汝の博識で立派で誠実で気高く思考する精神を享受し、汝の著作や書簡から、汝を崇拝こそしないまでも高く評価し、感謝の念をもって愛している。[*61]

*

ローマ人の文芸は外国の花にすぎなかった。(250) この花はたしかにラティウムにおいて美しく咲きつづけ、あちこちでいっそう洗練された色をつけたが、そもそも独自の新たな果実の芽を産み出すことはできなかった。すでにエトルリア人は祭式時の舞踏歌や鎮魂歌、婚礼時の諷刺劇、アテッラ風の道化芝居や庶民の日常を描いた劇によって、無粋な戦士たちの関心を文芸に向けさせていた[251]。タレントゥムや他の大ギリシア諸都市の征服とともにギリシアの詩人たちも征服されたが、彼らは自分たちの母語の優雅なムーサの力を借りて、ギリシアを征服した者たちの粗野な方言をいっそう心地よいものにするよう努めた。われわれにはこれらローマ最古の詩人たちの業績は、いくつかの詩句や断片からしか知られていない。しかしそれでも最古の時代のみならず、一部は全盛期からも伝わってその名が挙げられている悲劇や喜劇の膨大な数には驚かされる。時がこれらの作品を葬り去ったものの、思うに、ギリシア人の場合に比べれば損失はそれほど大きなものではない。というのも、これらの作品の一部はギリシアの題材と、おそらくまたギリシアの習俗を模倣したものだからである。ローマの民衆は道化芝居や無言劇、屋外円形劇場での競技や血の飛び散る剣技を非常に喜んだので、演劇に対してはギリシア人のような耳も、ギリシア人のような魂も持つことはできなかった。舞台のムーサはローマ人にあって奴隷として連れてこられ、ずっとローマ人の奴隷のままだった。それにしても私がとにかく残念に思うのは、プラウトゥス[252]の一三〇篇の戯曲が失われ、テレンティウス[253]の一〇八篇の喜劇が入った船荷が海底に沈み、強固な魂を持つエンニウスの詩、なかでも彼の作になるスキピオや教訓詩が残されていないことだ。カエサルの言葉を借りれば[254]、テレンティウス一人だけでもわれわれは少なくともメナンドロス[255]の半分を取り戻せるだろうに。したがってまたわれわれはキケロ[256]とアウグストゥス[257]にも感謝しようではないか。前者はローマの魂とも言うべき詩人ルクレティウス[258]を、後者は自分が関わったウェルギリウスの『アエネーイス』においてホメロスの半分をわれわれのために保持しておいてくれたのだから。コルヌトゥス[259]にも、彼が自分の優れた弟子ペルシウスのいくつかの習作を散逸させなかったことを感謝しようではないか。そして汝ら修道僧よ、われわれは汝らにも感謝したいと思う。汝らはわれわれがラテン語を学ぶためにテレンティウス、ホラティウス、ボエティウス[260]を、それに何よりも汝らのウェルギリウスを信仰に忠実な詩人[261]として大切に守ってくれているのだから。アウグストゥスの王冠の唯一の汚れなき栄誉は、彼が学問を重視したことと、ムーサたちを愛したことだ。

＊

ローマの詩人から哲学者に目を転ずるのは、私にはさらに喜ばしいことだ。多くの哲学者は感情豊かで、しかも詩人でもあった。ローマでの哲学は体系こそ案出されなかったが、人々は哲学を実践し、これを法と国家体制と実生活に引き入れた。ルクレティウスほど情熱を込めて力強く書いた教訓詩人はいないだろう。それは彼が自説を信じていたからである。キケロの素晴らしい対話においては、プラトン以来のアカデミアがこれほどの魅力をもって若返ったことは一度もない。こうしてストア哲学は、たんにローマ法[262]の中で大きな領域を占めて同地の人間の行動を厳格に規定しただけでなく、セネカの著作[263]やマルクス・アウレリウスの傑出した省察やエピクテトス[264]の箴言(しんげん)などにおいても実践上の堅実さと優美さを獲得した。そしてこうした堅実さと優美さには、多くの学派の教説が寄与していたことは言うまでもない。ローマ国家のさまざまの苛酷な時代状況における訓練や苦労は、人々の心情を強固でたくましいものにした。人々は心の支えとなりうるようなものを求め、ギリシア人の考え出したものを無用の装飾としてではなく、心の武器や甲冑として用いた。ストア哲学はローマ人の精神と心情の中で数々の偉大なものを産み出したが、それらは世界征服のためではなく、正義と公正の促進、ならびに罪なくして抑圧された人々の内面を慰めるためのものであった。事実またローマ人も人間であった。彼らの罪なき子孫は、祖先の悪徳によって苦しんだとき、得られるところならば、どこからでも心の支えとなりうるものを求めたし、自ら案出しなかった場合でも、他から取ってきて、いっそう確実に自分のものにした。

＊

しかしそれでもローマの学問の歴史は、われわれにとって数多くの廃墟の一つだ。なぜなら、ローマの学問文献を蒐集したものだけでなく、それらが汲み取られてきた原典もその大部分が失われているからである。もしウァッロ[265]の著作か、あるいはプリニウスが寄せ集めて書いた際の原本となった二〇〇〇冊の書物[266]がわれわれに伝えられていたならば、どれほどわれわれの苦労も省かれ、また古代についてどれほど多くのことが明らかにされていたことか！　もちろん、アリストテレスのような人間であれば、ローマ人に周知の世界からプリニウスとは異なる蒐集の仕方をしていただろう。しかしそれでもプリニウスの書物は、個々の分野において不案内であるにもかかわらず、蒐集者プリニウスの勤勉さだけでなく、ローマ人としての彼の魂をも示す貴重な宝なのだ。これと同じことは、この国民の法学の歴史についても言える。それは偉大な知力と努力の歴史であり、こうした力はローマという国家においてしか訓練されえず、またローマでなければ、かくも長く継続しえなかった。そこから時の流れが作り出し、それに加えたものに関して古代ローマの法学者に罪はない。要するにローマの文献は、ほとんどどの分野においてもギリシアの文献に比べるとひどく不完全なものに見えるが、それでもローマの文献が一〇〇〇年以上にわたってあらゆる国民の誇らしい立法者でありえたのは、時代状況だけでなく、これら文献に見られるローマ的本性にも起因していた。本書の以下の叙述(267)はこのような経緯を明らかにするだろうが、そのときわれわれは、ローマの灰燼の中から新たなローマがすっかり姿を変えて、しかしそれでもなお征服精神に満ちて再生する様子を目にするであろう。

*

最後に、私はローマ人の技術について語らねばならない。彼らはこの分野において当時はもちろん、後世に対しても自分たちが地上の支配者であることを実証したが、それは彼らによって征服されたすべての民族が材料と人手を提供したからである。最初からローマ人の中には、自らの勝利の栄誉を戦勝記念碑によって、また自分たちの都市の壮麗さを華美で恒久的な記念碑によって表すという精神があった。そのため、彼らはすでにかなり早い時期から自分たちの誇り高い存在の永遠性ということに思いを巡らせていた。ロムルスとヌマ王が建てた神殿や、彼らが公の集会に指定した広場は、どれもみなすでに勝利と強力な民衆統治を念頭に置いたものであった。それから間もなくアンクスとタルクィニウス・プリスクスが建築様式の礎石を据え、それは最後にはほとんど際限なく壮大なものにまで高められた。エトルリアの王は切石でローマの城壁を築いた。彼はまた巨大な水道を敷き、国民に飲料水を供給し、ローマの街を清潔にした。この水道は、それが廃墟となった現在でも世界の不思議の一つである。なぜなら、近代のローマにはこれを除去する力もなければ、ずっと維持する力もなかったのだから。ローマの回廊や神殿や法廷、それにもっぱら国民の娯楽のために造られ、廃墟となった現在でも賛嘆の念を呼び起こす巨大な円形競技場もまったく同じ精神に由来している。歴代の王、なかでもタルクィニウス・スペルブスや、後には執政官や按察官が、(268) さらに遅れて世界征服者や独裁者、とりわけユリウス・カエサルがこうした道を歩み、皇帝たちがそれに続いた。かくして次々とあのような門や塔、劇場や半円形劇場、娯楽場や競技場、凱旋門や顕彰碑、壮麗な墓碑や納骨堂、街道や水道、宮殿や浴場が造られた。これらはローマやイタリアだけでなく、他の属州においても前述の世界支配者たちが残した永遠の足跡である。こうした記念碑の多くを廃墟の形で見るだけでも、われわれの目は圧倒される。そして堅固さと華麗さとの壮大な形の中で設計を行う技術者が脳裡に描いた途方もない形象を把握しようとすると、われわれの魂は力を失ってしまう。しかしわれわれがいっそう卑小なものになるのは、これらの建造物の用途、これらの中や間でのあらゆる活動、そして何よりもこれらの建造物が捧げられていた国民と、これらを時には国民に捧げた個々の私人に思いを致すときである。そのときわれわれの魂はこう感じる。すなわち、かつて世界にはローマしか存在せず、クリオの木造の半円形劇場[269]からウェスパシアヌスの巨大な円形競技場[270]に至るまで、ユピテル・スタトルの神殿[271]からアグリッパのパンテオン[272]、あるいは平和神殿[273]に至るまで、勝利者を迎える最初の凱旋門からアウグストゥス、ティトゥス、トラヤヌス、セウェルスらの戦勝門や顕彰碑に至るまで、彼らの公私にわたる生活の記念碑の瓦礫すべても含めて一つのゲーニウスが支配していた、と。しかしこのゲーニウスは諸民族の自由および博愛の精神ではなかった。事実これらの大理石や岩塊をしばしば遠方の土地から運び、征服された奴隷として建設に従事せざるをえなかった労働者たちの非常な労苦を考えてみるとき。こうした途方もない技術が、略奪され搾取された属州の血と汗という形で要求した費用をざっと見積もってみるとき。そして何よりもあの血の飛び散る剣技によって、あの猛獣との非人間的な格闘技や野蛮な凱旋行列などによって、浴場や宮殿での淫蕩《いんとう》は言わずもがな、これらの記念碑の大部分が養った残酷で尊大で粗暴な趣味についてよく考えてみるとき。そのとき実にわれわれは、こう思わざるをえない。すなわち、人類に敵意を持つデーモンは、あらゆる地上的なものに対して、デーモンとしての自己の超人間的な栄華の痕跡を示すためにローマを建設したのだ、と。この問題について読者諸賢は大プリニウス[274]と、どの高貴なローマ人のものでもよいが、彼ら自身の嘆きを読むがよい。そしてエトルリアやギリシアやエジプトの技術がローマに伝わる契機となった搾取や戦争の跡を追うがよい。そうすれば読者諸賢はおそらくローマの華麗な石材の山を、人間の力と偉大さの最高度の総和として驚嘆の目で見ると同時に、人類の暴君および殺戮者の巣窟として忌み嫌うようにもなるだろう。しかしそれでも技術の規矩というものはずっと変わらない。だから、たとえローマ人が自らの技術においてそもそも何一つ案出せず、それどころか別の場所で案出されたものをひどく野蛮に組み合わせたにすぎないにしても、それでも彼らはこの掻き集め、高く積み上げるという美的感覚によって自らを地上の偉大な支配者と称しているのだ。

……確かにギリシアの人々は、
ローマと異なり堅剛な、青銅刻して息をする、
像をつくって柔らかな、線を見せもするであろう。
大理石から生々と、した容貌を彫り出だし、
事を弁じて雄弁に、規矩を用いて大空の、
運行記述しさし登る、星座の時をも告げるだろう。

しかし汝ローマ人、ひろく諸族を統治して、
平和を与え法を布く、ことこそ汝の他に秀ぐる、
わざであって征服を、うけたるものを寛大に、
あつかいながら暴慢の、やからを圧伏するであろう。[275]

できればわれわれも喜んでローマ人に対しては、彼らの軽蔑したギリシア人の技術を、しかしそれ自体は華麗さや有用さのためにローマ人によって用いられた技術のすべてを、さらにはまたいくつかの最も高貴な学問、天文学、年代学などの拡大さえをも許しつつ、人間知性のこれらの花がそれ自身の土壌で咲き誇っている場所へと巡礼したいものだ。ローマ人がこれらをそれぞれの発祥の地に置いたままにしておき、自らの技術を、すなわち統治されることも利点となると称して諸民族を統治した技術を、いくらかでも人道的に行使していたならばどんなによかったろうか。しかしローマ人にはそれができなかった。というのも、彼らの知恵は勢力の拡大にしか役立たず、諸民族の偽りの自尊心を屈服させたのは、いっそう大きな自尊心だったからである。

*61　真価を認められることが稀なこの人物については、ミドルトン[276]による『キケロの生涯』

（ドイツ語訳、全三部、一七五七年）を読むように。これはこのローマ人の著作についてだけでなく、彼の生きた時代の歴史全体についての傑出した作品である。

六　ローマの運命と歴史についての一般的考察

政治哲学の古くからの鍛錬の場で行われたのは、ローマ人の勇気と運のどちらがローマの偉大さに多く寄与したかを研究することであった。プルタルコス[277]をはじめ何人ものギリシアおよびローマの著作家はこれについての意見を述べ、近代になっても歴史について熟考する者は、ほとんど誰もがこの問題を扱ってきた。プルタルコスは、ローマ人の勇気に帰されねばならないすべてのものにおいても運に決定権を与え、他の著作においてと同じく、この研究においてもなるほど華やかで愛すべきギリシア人の面目を発揮したが、この研究対象を十分に論ずる精神の持ち主であることを実証したわけではなかった。これに対してローマ人のほとんどは、すべてを自分たちの勇気に帰し、これより後の時代の哲学者たちは知恵の構想を、すなわち、ローマの権力がその最初の礎石を置いてから最も大きく伸展するに至るまで拠り所とした構想を思い描いた。歴史が明らかにしているのは、これら三つの体系のどれ一つとして他のものを排斥せず、きちんと結びつけられれば、どれもみな真実だということである。勇気と運と知恵は、遂行されたものを完全なものとするために一体とならねばならなかった。実際またロムルスの時代から、これら三人の女神はローマのために結束しているのが見られる。それゆえ、われわれが古代人のやり方に倣って、生きた原因と結果の組合せの全体を自然、ないしは運と呼ぼうとするならば、ローマ人の勇気のみならず残忍な非情さまでもが、彼らの知恵と奸計と同じように、ともにこのすべてを左右する運には不可欠である。したがって、もしわれわれがこれらの特性の一つだけに固執し、ローマ人の優秀さに気をとられて彼らの欠点や悪徳を見落としたり、彼らの行為の内的性格に目を向けるあまり、外的な付随状況を忘れたり、そして何よりも、戦争における彼らの確実で高度な知性に目を奪われて、まさにこの知性がしばしばきわめて巧みに利用した偶然というものを忘れるならば、考察はつねに不完全なものにとどまるだろう。カピトルの丘を救ったガチョウたち[278]は、カミッルスの勇気やファビウスの逡巡、あるいはユピテル・スタトルと同じくローマの守護神だった。自然界においては一緒に入り組んで作用を及ぼすものはすべて、植えつけるにせよ、保持するにせよ、あるいは破壊するにせよ、互いに補完し合って全体を形作っている。歴史の自然界においても事情はまったく同じである。

　思考力を快適に訓練するには、もし状況が変わっていればローマはどうなっていただろうか？　と折にふれて自ら問うようにすることだ。たとえば、もしローマがどこか他の場所にあったら？　とか、もし早い時期にウエイイの方に移されていたなら？　とか、もしカピトルの丘が、ガリア人部族の長ブレンヌスによって征服されていたなら？　とか、もしイタリアがアレクサンドロスによって攻撃されていたら？　とか、もしローマの街がハンニバルによって征服されるか、あるいは彼がアンティオコスに与えた助言が実行されていたならば？　と問うように。同じくまたこう問うこともできよう。もしアウグストゥスではなくカエサルのような人物が、ティベリウスではなくゲルマニクスのような人物が統治していたならば、とか、もしキリスト教が侵入しなかったならば、どのような体制のローマ世界が生れていただろうか、などと。このような探究によって、われわれはいずれの場合も種々の状況を精確に結びつけられるようになり、その結果、ローマをかの東方人たちのやり方に従って一つの生きものと見なすことを学ぶ。ちなみに、この生きものは、ティベリス河の岸という状況のもとで、まるで海からのように立ち昇り、次第に陸と海で自らの世界の領域拡大を求めてあらゆる民族と争い、これらを制圧し破滅させ、ついには自己の名誉の限界と、自ら実際に見出したような衰滅の起源を自分自身の中に見出す。このような考察を行うと、すべての無意味な恣意が歴史からも消え去る。自然界の行うあらゆる産出におけるのと同じように、歴史においてもすべてが偶然か、あるいは何一つ偶然でないかのどちらかであり、またすべてが恣意か、あるいは何一つ恣意でないかのどちらかである。歴史のどの現象も自然による産出となり、人間にとって、あらゆるものの中で最も考察に値するものとなる。というのも、歴史にあっては非常に多くのものが人間に左右され、人間自身が、自らの諸力の及ばない圧倒的に優勢な時代状況の中に置かれたものにあってさえも、たとえばあの制圧されたギリシア、カルタゴ、ヌマンティアにおいて、あの殺害されたセルトリウス、スパルタクス、ウィリアトゥスにおいて、没落した若きポンペイウス、ドルスス、ゲルマニクス、ブリタンニクス(280)などにおいて、殻は苦いが最も役立ちうる核心部分を見出すからである。これこそが歴史を観察する唯一の哲学的方法であって、思索する精神の持ち主はみな無意識のうちにこれを実行してきた。

摂理の限られた秘密の計画を、あの残虐なローマの歴史にすら押しつけようとすることほど、こうした公平な考察の妨げになるものはないだろう。たとえばそれは次のように考えることである。すなわち、ローマがあれほど繁栄したのは、もっぱらキリスト教を導入するためであって、そのためにこそローマは弁論家と詩人を産み出し、ローマ法とラテン語をこの国の国境にまで普及させ、すべての街道を整備しようとした、というふうに。しかしこのような詩人や弁論家が登場しうるまでには、どれほどひどい災禍がローマとその周辺世界を苦しめたかということは誰でも知っている。たとえば、シチリアにとってウエッレスに反対するキケロの演説[281]は、どれほど高価なものについたかとか、ローマとキケロ自身にとって、カティリーナに反対する彼の演説や、アントニウスに対する彼の攻撃は、どれほど高価なものについたか、などということは誰でも知っている。こうして一粒の真珠が救われるためには一隻の船が沈没しなければならなかった。また何千人もの人間が生命を失ったが、それはひとえにこの者たちの灰の上に数本の花が育つようにするためであった。しかしそれらの花でさえ、風が吹けば散ってしまう。ウェルギリウスの『アエネーイス』を、そしてホラティウスのような人物の落ち着いた詩才や彼の優雅な書簡をローマが手にするには、これに先立ってローマ人の血が潮のように流され、無数の民族や国々が制圧されねばならなかった。いったいこうして強奪[282]された黄金時代の美しい果実は、あれほどの犠牲を払う価値があったのか？　ローマ法についても事情は変わらない。事実、ローマ法によって苦しめられた民族がどれほどあったかということや、それぞれに異なる国々の、ずっと人間らしい制度がローマ法によってどれほど多く破壊されたかを知らない者があろうか？　異国の諸民族は彼らの知らない習俗に従って裁かれ、一度も耳にしたことのない犯罪や、それに対する刑罰を知るようになった。それどころか、何よりこの立法の過程全体がローマの体制にしか適合していなかったので、無数の抑圧が行われた後、その過程は征服されたすべての国民の性格をまったく消し去り、台無しにした。その結果、これらの国民に固有の特徴に代わって、最後にはどこでもローマの鷲(283)だけが姿を現したが、その眼球は突つき出され、臓腑も喰い尽くされた後に、属州の痛ましい亡骸を弱々しい翼で覆った。またラテン語も、征服された諸民族から何ひとつ得なかったし、征服された諸民族もラテン語から得るものは何ひとつなかった。ラテン語は頽廃の道を辿り、ついには属州のみならず、ローマにおいてさえローマ風の混合物となった。これより美しいギリシア語でさえも、ラテン語によって純粋な美しさを失った。そしてきわめて多くの民族にそれぞれ固有の言語、それも彼ら自身とわれわれにとっては堕落したローマの言語よりもずっと有益であると思われる言語は、まったく影も形もなく消え失せた。最後に、キリスト教について述べておこう(284)。私はキリスト教が人類にもたらした善行を格別に尊敬するものだが、たとえローマがキリスト教普及の重要な一里塚であったにせよ、私にはそもそもこの宗教のために、たったひとつの一里塚さえローマにおいて人間の手で建てられたとはとうてい思われない。ロムルスはローマという都市をキリスト教のために建設したのではないし、ポンペイウスもクラッススもキリスト教のためにユダヤを通って進軍したのではない。ましてやヨーロッパとアジアにおけるローマ式諸制度も、キリスト教がいたるところで道を拓くために作られているのではない。ローマはキリスト教を受け容れはしたが、それはイシスの祭礼や東方世界のあらゆる不道徳な迷信を受け容れたのと何ら変わるところはなかった。そればかりか、摂理は真理と徳の普及という自らの最も立派な仕事を行うに際して、暴虐で残忍なローマ人の手よりほかに道具を知らなかった、などと想像するのは神を蔑(ないがし)ろにすることだろう。ローマ帝国が独力で大きくなったのと同じように、キリスト教も自分自身の力で発展した。そして両者が最終的に結びついたときも、それによって一方も他方も得るものはなかった。ローマとキリスト教の混淆したもの[285]は生れたが、多くの者は、それが生れてなど来なければよかったのにと思っている。

究極目的を持つ哲学[286]は自然史に何の利益ももたらさず、その愛好者を研究によってではなく、見せかけだけの妄想で満足させた。無数の目的を持ち、互いに干渉し合う人間史の何と多いことか！

それゆえ、われわれも次のように考えることは避けねばならない。すなわちそれは、時代の進展の中で、あたかもローマ人が人間全体を描く絵画におけるように、文化の連鎖においてもギリシア人を超えるいっそう完全な部分を形成するために存在したかのように考えること[287]である。ギリシア人が傑出していた事柄において、ローマ人はギリシア人を凌駕したいとは一度も思わなかった。それとは逆に、ローマ人が自分固有のものとして所有していたものは、彼らがギリシア人から学んだものではなかった。ローマ人は、インド人から穴居人に至るまで、自分たちが知るようになった民族はことごとく利用した。しかしローマ人は、これらの民族をローマ人として利用したのだ。そのためしばしば疑問に思われるのは、それがこれらの民族の利益となったのか、あるいは弊害となったのかということである。実際ローマ人以外のどの民族も、ローマ人のために存在していたわけでもなければ、何世紀も前に自分たちで作った制度も、ローマ人のために作られたわけではない。同じようにギリシア人もこうしたことをローマ人のために行ったわけではないだろう。アテナイにしても、イタリアの植民市にしても、自分のために法を制定したのであって、ローマ人のためにではない。それにもしアテナイが存在しなかったとしても、ローマ人はスキタイ人のもとに、法が記された銘板を得るために人を送ることができたであろう。また多くの点においてもギリシアの法はローマの法に比べて完全なものだった。しかも後者の欠陥は世界のいっそう多くの地域に広まった。ローマの法がいくらか人間的なものになった場合、それはローマ風にそうなったのだ。事実また、かくも多くの文明化された民族を征服したローマ人たるものが、少なくとも自らしばしば諸民族を欺くのに用いた人間らしさという外観だけでも学ばなかったとしたら、それはそれで、やはり不自然なことだったろう。

　したがって残された唯一のことは、摂理がローマ国家とラテン語とを架け橋として作り、これによって太古世界の財宝のいくらかでもがわれわれのところに到達しうるようにした、と考えることだろう。しかしこの架け橋は、選ばれうるかぎり最悪のものだろう。なぜなら、まさにその建設がわれわれから最も多くのものを奪ったからである。ローマ人は破壊を行い、そして破壊された。しかも破壊者は世界の維持者ではない。ローマ人はすべての民族を煽動し、ついに自らその餌食となった。摂理は彼らのために何の奇蹟も行わなかった。それゆえわれわれとしても、これらの現象を他のあらゆる自然現象、しかもその原因と結果をわれわれが自由に探究しようとする自然現象と同じように、何らかの計画も押しつけることなく考察することにしよう。ローマ人は自分たちがなりえたものだったたし、またそのようなものになった。彼らのもので滅亡しうるものは滅亡し、維持されうるものは維持された。時代は進展しつづけ、それとともに時代の子、すなわち多様な形態を持つ人類も進展しつづける。花を咲かせうるすべてのものは地球上で花を咲かせた。しかもそれぞれが自分の時代と活動領域において花を咲かせた。そして今は枯れて死んでいても、自分の時が来れば再び花を咲かせるだろう。摂理の仕事は、普遍的で壮大な法則に従って永遠に続けられる。われわれもこうした法則の考察に、控え目な足どりで近づくことにしよう。

第十五巻

「このように歴史においてはすべてが過ぎ去ってゆく。[1] 歴史の殿堂の銘には虚無と滅亡と書かれている。塵（ちり）となった祖先の遺骨の上をわれわれは歩み、かつまた、人間の作ったいくつもの制度や王国が破壊され崩れ落ちてできた瓦礫の上をさまよい歩く。エジプト、ペルシア、ギリシア、ローマは影のようにわれわれの前を通り過ぎた。それらは影のように墓から立ち現れ、歴史の中にその姿を見せる。

「もし何らかの国家機構がその全盛期を過ぎてまで生き残っているとしたら、これに静かな往生を望まない者がいるだろうか？　生き生きと活動する者たちの世界にあって、その生きた者たちから光と住処（すみか）を奪う古い制度の墳墓に出くわしたとき、戦慄を感じない者がいるだろうか？　しかもその後継者たちがこうした地下納骨堂をすっかり除去しても、今度はその瞬間に自分たちの制度が、その後に来る者にとって同じような墳墓に思われ、それらの制度もこの者によって地下へと送られるだろう。

「地上のあらゆる事象のこうした無常さの原因は、それらの存在、それらの居住する場所、そしてわれわれの本性を拘束する法則全体の中にある。人間の肉体は、もろくて絶えず新しくされる外皮であるが、最後にはもはや新しいものになれない。しかも人間の精神は地上ではもっぱら肉体の中で肉体とともにのみ活動を行う。われわれは自分が自立しているように思っているが、実は自然におけるすべてのものに依存している。移り変わる事象の連鎖の中にすべてが組み込まれている以上、われわれもそれらの循環の法則に従わざるをえない。その法則とは生成と存在と消滅にほかならない。ゆるやかな糸が人類を結びつけているが、この糸はいつでも切れて新たに結びつけられる。賢くなった老人は地下へと送られるが、それはこの後に来る者が同じように子どもとして始め、この先任者の仕事を場合によっては愚かにも台無しにし、次に来る者に、その生涯を喰い尽くしてしまうほどの虚しい労苦を引き継がせるためだ。このように歳月は互いに鎖のようにつながっていく。またこのように時代や国々も互いに鎖のようにつながっていく。太陽が沈むのは夜が生れるためと、それによって人間が新たな朝焼けを喜ぶことができるようになるためである。

「そしてこれらすべてにあってなお幾分かだけでも進展が見られるとすれば、いったいそれは歴史のどこに姿を現すのか？　歴史のいたるところに見られるのは破壊であり、しかも新たに生れたものが、破壊されたものよりも良くなるとは認められない。さまざまな国民が花を咲かせ、そして枯れてゆく。花盛りを過ぎた国民には再び若い花は咲かないし、ましてや以前よりも美しい花が咲くことはない。文化は進展する。しかしそれによっていっそう完全なものになるわけではない。新しい場所に新しい能力が展開される。古い場所の古い能力は衰亡し、二度と元には戻らない。ローマ人はギリシア人より賢く、かつ幸福だったろうか？　そしてわれわれは両者に比べて賢く、かつ幸福だろうか？

「人間の本性は常に同じものであり続ける。世界が一万年目を迎えても、人間は世界が二年目を迎えたときに情念を持って生れてきたのと同じように、やはり情念を持って生れてくる。そして人間は自らの愚行という歩みを通じて、晩年の不完全で役に立たない賢さに到達する。われわれは迷路の中を歩き回っているのであり、その中での一瞬の時間をわれわれの生は切り取っているにすぎない。それゆえわれわれには、この迷路に設計図や出口があるかどうかは、ほとんどどうでもよいことなのだ。

「人類の悲しい運命よ、そのすべての努力をもってイクシオンの車輪やシジフォス(2)の石に縛りつけられ、タンタロスの渇望という罰を受けた人類の悲しい運命よ、それでもわれわれは欲せざるをえず、また努力せざるをえない。しかもその際われわれは自らの苦労が完全に実るのを目にすることもなければ、歴史全体から人間の努力の結果を学び知ることもないだろう。民族というものは、ひとりだけでいると、その特色は時のなすがままに擦り減ってしまう。他の民族とせめぎ合うと、すべてを溶かす坩堝（るつぼ）の中へ投げ込まれ、その中で自らの形態は、ひとりだけでいる場合と同じように消え失せてしまう。こうしてわれわれは氷の上に建物を築き、またこうして海の波に字を書いている。波はざわわと流れ去り、氷は溶け、われわれの豪華な大邸宅も、われわれの思想と同じように消えてしまう。

「それでは何のために神は人類に忌まわしい苦労をその短い生の中で日々の仕事として与えたのか？　各人が苦労して地下の墓にまで持ち込む重荷は何のためなのか？　それに誰も、こうした重荷を背負い込みたいのか？　とか、この場所、この時代、この境遇に生れたいと思ったのか？　などと尋ねられもしなかった。それどころか、人間の不幸の大部分は人間自身、つまり劣悪な政治体制や統治、抑圧者の傲慢（ごうまん）、支配する者と支配される者とのほとんど避けがたい弱点に起因している。とすれば、人間を自分と同じ人間が用意した軛（くびき）につなぎ、同胞の脆弱（ぜいじゃく）な、あるいは愚かな恣意のもとへと売り飛ばした運命とは、どのようなものだったのか？　それぞれの民族が幸福だった時代、あるいは不幸だった時代を、彼らの立派な統治者、あるいはひどい統治者の時代を、さらには彼らの最善の統治者においても、その賢さと愚かさ、ならびに理性と情念の総和をすべて合算してみるがよい。その全体はいかに膨大な負の数となることか！　アジアやアフリカはもちろん、地球全体の専制君主を観察するがよい。ローマの玉座に君臨したあの怪物どもを見るがよい。彼らのもとで世界は何世紀にもわたって苦しんだ。さまざまの動乱や戦争、抑圧や激しい騒擾を残らず数え上げ、そのすべての結末に目を向けるがよい。ブルトゥスのような人物が敗れ、アントニウスが凱旋する。ゲルマニクスが没落し、ティベリウス、カリグラ(3)、ネロ(4)が支配する。アリステイデスは追放され、孔子は逃げ回る。ソクラテス、フォキオン、セネカは死ぬ。ここでもいたるところに次の命題が認められる。すなわち「存在するものは存在する。生成しうるものは生成する。消滅しうるものは消滅する」という命題が。しかしわれわれも悲しみをもって認めざるをえないのだが、次の第二の命題、すなわち「われわれの地球上では暴力とその姉妹たる邪悪な策略が勝利を収める」という命題だけが、いつもわれわれに説得力をもって迫ってくる。」

このように人間は、歴史が提供する多くの経験をざっと見ただけでも疑問をいだき、また絶望する。それどころか、こうした悲しい嘆きは或る程度まで世界の出来事自体を外から覆っている。私の知っている何人もの人間が次のように、すなわち「自分は人間史という荒れた海上で神を見つけられない。それも自分が自然探究という陸地では、どのような草の茎や、ちり粒の中でも知力の目をもって見ていたのみならず、あらゆる感情をもって崇拝していた神をも見つけられない[5]」と考えていたのもこうした理由による。世界創造という神殿では、彼らにはすべてのものが全能と慈悲深い叡智に満ちているように思われた。これに対して、人間のさまざまな行動が集まり、われわれの生涯すらそこに向かうものとして考えられていた歴史の広場で彼らが目にしたものは、愚かな情念と暴力、ならびに継続する善良な意図を持たないでただ破壊するだけの技術が争う戦場ばかりであった。歴史は彼らにとって世界という建造物の片隅にあるクモの巣のようなものになった。実際またクモの巣は、絡み合った糸の中で、なるほど干からびた獲物を十分に見せてくれるが、その悲しい中心点、すなわち糸を織るクモ自体はどこにも見えない。

しかし神が自然の中に存在するならば、その神は歴史の中にも存在する[6]。なぜなら、人間もまた創造の一部分であり、人間はたとえどんなに無法な逸脱や情念においても、すべての天体と地球が運行する際に従っている法則と同じように素晴らしく、かつ卓抜した法則に従わざるをえないからである。私が今や信じて疑わないのは、人間は自分が知らなければならないことを知ることができるし、かつ許されてもいるということだ[7]。そこで私としても、これまでわれわれがくまなく見て回ったさまざまな事象の混沌から抜け出して、これらの事象も従っている高貴で美しい自然法則に向かって、何ものにもとらわれずに確信をもって進んでいくことにしたい。

一　フマニテートは人間本性の目的であり、神は人類にこの目的をもって人類固有の運命を委ねた[8]

たんなる死んだ手段にとどまらない事柄の目的は、その事柄自身のうちになければならない。もしもわれわれが北を指す磁石のように、完全性という一つの地点を、それもわれわれの外にあって決して到達できないような地点を目ざして努力しながらも、その苦労が永遠に報われないように創られているとすれば、われわれは盲目の機械として自分自身に同情するだけでなく、われわれ人類にタンタロスのような運命を罰として与えた存在にさえも同情することが許されるであろう。なぜならこの存在は、他人の不幸を自分の目で見て喜ぶという、およそ神には似つかわしくない目的のためにわれわれを創ったのだから。もしわれわれがまた、この存在を弁護しようとして次のように言いたいのだとしても、つまり、こうした決して目標に到達しない虚しい努力によって、それでも何らかの善が促進され、われわれの本性も永遠の活動のうちに維持されるだろうと言いたいのだとしても、やはりこの存在は不完全で冷酷な存在のままであり、今述べたような弁護を必要とするだろう。なぜなら、目標に到達しない活動の中に善は存在しないからである。とすれば、こうした存在は、無能のためか、それとも悪意をもってかは分からないが、自分自身の意図について、われわれの眼前に前述したような夢をかかげてみせることによって、卑劣にもわれわれを欺いたということになろう。しかしこのような妄想がわれわれに教えられるのは、幸運なことに事物の本性によってではない。われわれが人類というものを、われわれの知っているような形で、しかも人類に内在する法則に従って考察するならば、人間におけるフマニテート以上に高次の法則は何ひとつ認められない。なぜなら、われわれは天使や神々のことを思い浮かべるときでさえ、それらをもっぱら理想上の高次の人間として考えているからである。(9)

この明らかな目的に向けて人間の本性は有機組織化されていることをわれわれは見た。*62

この目的に向けて人間の精緻な感覚と衝動、理性と自由、繊細で持続する健康、言語、技術、宗教はわれわれに与えられている。人間はたとえどのような状態や社会においても、そしてたとえどのようなものを考えていたにせよ、フマニテートのことしか思い描けなかったし、それ以上のものを考え出すこともできなかった。このフマニテートの助けとなるように、人間の男女両性および年齢という具体的な配列が自然によって作られているのであり、しかもその目的はわれわれの幼年期が他の動物に比して長く続くことと、われわれが教育の手を借りてのみ一種のフマニテートを学ぶことである。このフマニテートの助けとなるように、われわれの広大な地球では人間のあらゆる生活様式が整えられ、あらゆる種類の社会が導入された。狩人あるいは漁師、羊飼い、あるいは農民や市民のように人間はどのような境遇においても飲食物を識別することと、自分と家族のために住居を造ることを学んだ。また人間は男女両性のために衣服を装飾にまで高めることと、家庭を営むことを学んだ。人間は多種多様な法と統治形態を考え出し、それらすべてに次のような目的を、すなわち、各人が他人に妨げられずに自分の力を発揮し、生をいっそう素晴らしく、かつ自由に享受できるという目的を持たせようとした。このために財産が保護され、労働、技術、交易、多くの人間同士の交際も容易なものにされた。犯罪者に対する刑罰、功績のあった者に対する褒賞が考え出され、また公私にわたる生活、それに宗教においてさえ種々異なる階級の道徳上の慣習も無数に定められた。

このために最後には戦争が惹き起こされ、条約が締結された。そして多種多様な友好協定や交易協定とならんで、人間が祖国の外部でも寛容に扱われ尊敬されるようにと、次第に一種の戦時法や国際法が制定された。それゆえ歴史においてかつてなされた善いことは、フマニテートのためになされたのであり、他方また歴史において広く行われた愚かなこと、不品行なこと、嫌悪すべきことは、フマニテートに反してなされた。そのため人間は、地球上での自分のあらゆる営みの目的として、彼の神が彼に創り与えた弱々しいが力強い本性、そして低劣だが高貴な本性の内にある目的しか自分自身の中で思い浮かべることができない。このように地球上での人類の目的は、われわれが今や創造全体においてすべてのものをその在りようと活動の仕方によって知るときにのみ、人類の自然と歴史という最も明瞭な説明を通じてわれわれに与えられている。

ここでわれわれは、これまで遍歴してきた地域を振り返って見ることにしよう。そこでは中国からローマに至る諸民族のあらゆる制度において、彼らの体制のあらゆる多様さにおいて、同じく戦争と平和について彼らがそれぞれ考え出したものにおいて、さらには諸国民のあらゆる残虐行為や過ちにあってさえ、自然の次の主要法則がずっと見てとられた。すなわち、「人間は人間であれ！　人間は自分が最善と認めるものに従って自己の状態を作り上げるがよい」という法則が[10]。これを実現するために諸民族は自分の土地を占有し、できるかぎりの制度を作った。人々は女性や国家から、奴隷から、衣服や住居から、娯楽や食物から、学問や技術から、地球上のあちらこちらで自分あるいは全体の幸福のために作りうると考えたものはすべて作った。こうしてわれわれがいたるところで目にするのは、人類が一種のフマニテートに向けて、それも人類がこのフマニテートを認識した程度に応じて自己形成する権利を所有し、かつ利用する様子である。人類は道を誤ったとき、あるいは受け継いだ伝承の途中で立ち止まったときには、その誤りの結果を甘受し、自分の罪を償った。神性は何ごとにおいても、人類自身の本性、時代、場所、それに人類に内在する諸力以外のものを通じて人類の手を縛ったことはない。神性は人類が道を誤っても、奇蹟によって手助けすることは決してなく、むしろこうした誤りを活用し、人間が誤りを自ら正すことを学ぶようにした。

この自然法則は単純なものであるが、それだけ神にふさわしく、調和がとれ、結果の点でも人類にとって実り豊かなものである。現在あるものである運命にあった人類、そしてなりうるようなものになる運命にあった人類は、自ら活動を行う本性と自由な活動領域を、それも人類にとっては不自然な奇蹟によって邪魔されない領域を、自らの周囲に保持せざるをえなかった。生命を持たない物質や、本能に導かれる生きものはどのような種類のものであれ、創造以来ずっとそのままの状態で存在してきた。一方で神は人間を地上の神と定め、自己活動の原理を人間の中に組み入れ、この原理を人間本性の内的および外的欲求を通じて最初から作動させた。人間はもし理性を用いることを学ばなかったら、生きることも、その身を維持することもできなかった。理性を用いるやいなや、人間にはもちろん無数の過誤や誤った試みへの門も開かれたが、しかしまさにこれらの過誤や誤った試みによってさえも、理性のより良い使用への道が開かれた。人間は自分の誤りを速やかに認識することを学べば学ぶほど、また活発な力をもって誤りの改善に向かえば向かうほど、それだけいっそう先へ進み、自らのフマニテートもいっそう形成される。こうして人間はフマニテートを完成させなければならない。さもなければ人間は何世紀にもわたって自らの罪の重荷のもとで呻吟(しんぎん)せざるをえない。

それゆえまた明らかなのは、自然はこの法則を確立するために、人類の居住地として自然にとって許されるかぎりの広さで場所を選んだことである。自然はわれわれの地球上で人類が自己を有機組織化しうるかぎり、多様に人間を有機組織化した。自然はサルのそばに黒人を置き、黒人の理性から最も精緻な人間という形成物の頭脳に至るまで、自然最大の難問であるフマニテートをあらゆる時代のあらゆる民族によって解決させた。地球のほとんどの民族も、本能や欲求の行きつく必然的なものを逸することはありえなかった。人類をいっそう精緻な状態に向けて完成させるためには、同じくいっそう精緻な民族が温和な風土のもとに存在した。そもそも整然として美しいものはすべてみな両極端の中央にあるのと同じように、理性とフマニテートの美しい形もこの温和な中央地域にその場所を見出さざるをえなかった。しかもその形はこうした普遍的な便益という自然法則に従って、このような場所を豊富に見出した。事実またアジアのほとんどすべての民族は、その恵まれた地理的配置のもとにきわめて早い時期からとどまり続け、また受け継がれた形式を神聖で捨てがたいものと見なしてきた。そのこともあって、怠惰であるというそしりを免れえないにしても、彼らの膨大な大陸や、とりわけ山地によって彼らにもたらされた種々の偶然を考慮に入れるならば、われわれとしてもやはり彼らを弁護せざるをえない。全体において彼らの手になる最初期の施設は、フマニテートの形成についてそれぞれを時代と場所に即して見れば今なお称賛に値する。しかし同時にまた種々の民族が地中海沿岸で、いっそう大きな活動において成し遂げた進歩もそれに劣らず認められるべきものである。これらの民族は古い統治形態と伝承による専制政治の軛を払い落とすことによって、人間の運命の偉大で慈悲深い次の法則を実証した。すなわち「一民族あるいは全人類が自分自身の幸福のために熟慮して欲するものと力強く遂行するものは、自然によっても彼らに認められているものであり、それは専制君主や伝承ではなく、フマニテートの最善の形が彼らの目的として定めたものである」という法則を。

この神々しい自然法則の原理は、われわれを、広大な地球上での人類の形態のみならず、現在までのすべての時代を通じてのさまざまな変化とも、驚くほど美しく宥和(ゆうわ)させている。いたるところで人類は、自分で成ることのできたもの、自分でそうなる意欲と力を持ったものである。ただ人類が自らの状態に満足していた場合、あるいは諸時代の大きな種子の中で人類を改善へと向かわせる手段がまだ成熟していなかった場合には、人類は何世紀にもわたって以前のままであり、まったく変わらなかった。しかし他方で人類が神によって使用するようにと与えられた武器、すなわち人間の知性と力、それに追い風が運んできたあらゆる機会を利用した場合には、人類は技術によってさらに向上するとともに、勇敢なものに育ってもいった。ただ、そうしなかった場合でも、こうした不活発さがすでに示すように、人類は自分をそれほど不幸だと感じなかった。なぜなら、自分が不当に扱われているという生々しい感情は、これに知性と力が加われば、自らを解放する力とならざるをえないからである。それゆえ、たとえば専制政治下で人々が長いあいだ忍従したのは、専制君主の優勢がその原因なのでは決してなかった。そうではなく、抑圧される者たちの従順さや弱さ、そして後には忍耐強い不活発さが専制政治の唯一かつ最大の支えだったからである。実際また、忍耐のほうが彼らには無理やり自己を改善するよりも明らかに容易であった。[11] こうしてほとんどの民族は、自分たちの理性という神々しい賜物を通じて神から授けられた権利を行使しなかった。

しかし一般に、地球上でまだ起こっていないことでも将来には起こるであろうことは疑いのないところだ。なぜなら、人類の権利に時効はないし、神が人間の中に置き入れた諸力は抹殺できないからである。[12] われわれを驚かせるのは、ギリシア人やローマ人がわずか数世紀のあいだに自分たちのさまざまな活動領域において、いかに進展を遂げたかということである。事実、たとえ彼らの活動目的が必ずしも最も純粋なものではなかったにせよ、それでも彼らは自分たちの目的を達成しえたことを実証した。ギリシア人やローマ人という手本は歴史の中で輝きを放ち、彼らに類するすべての人を鼓舞して、運命の同じような、またはいっそう大きな庇護のもとで、彼らと類似の、またはいっそう立派な努力へと向かわせる。この点で諸民族の歴史全体はわれわれにとってフマニテートと人間の威厳という最も美しい花冠に到達するための競技場となる。だが栄光に満ちた古代の民族のほとんどは、これより劣る目的しか達成しなかった。とすれば、われわれがいったいそれより純粋で高貴な目的を達成しないことがあろうか？　彼らもわれわれと同じように人間であった。それゆえ、フマニテートを最良の形態に作り上げることが彼らの使命であったとすれば、この仕事をわれわれの時代状況に従って、われわれの良心に従って、われわれの義務に従って行うことがわれわれの使命なのだ。彼らが奇蹟なしに行いえたことはわれわれにも行いうるし、また許されてもいる。神性がわれわれを助けてくれるのは、もっぱらわれわれの努力を通じて、われわれの知性を通じて、われわれの諸力を通じてである。神性は地球を、そして理性を持たないすべての地球上の被造物を創り終えると、人間を形作り、こう語りかけた。「私の似姿となり、地上の神となるがよい[13]。支配し、治めよ。汝がその本性から創り出せる高貴なもの卓越したものを産み出すがよい。私には奇蹟を通じて汝を助けることが許されていない。私は人間としての汝の運命を汝の手に委ねたのだから。しかし私のすべての神聖で永遠の自然法則が汝を助けるであろう。」

これらの自然法則のいくつかを検討してみよう。それらは実際また歴史のさまざまな証拠に従って、人類におけるフマニテートの歩みを促進してきたし、真に神の自然法則であればあるほど、この歩みをいっそう促進してくれるだろう。

＊62　本書第一部第四巻[14]。

二　自然において破壊を行うすべての力は、時の経過とともに、維持する諸力に従属するのみならず、自らも最後には全体の完成に役立たざるをえない[15]

第一の例。かつて無限の中で将来のさまざまな世界を形成する材料が浮遊していたとき、これらの世界を創造した者の心に叶ったのは、物質に自己を、しかも物質に備わった内的諸力に従って形成させることであった。全体の中心点である太陽には、どこにも自己の軌道を見出せなかったものや、あるいは太陽自らがその強大な玉座にあって圧倒的な力で引き寄せたものが流れてきた。引力の他の中心点を見出したものは、同様に塊となってこの中心点に集まり、楕円形を描いてその大きな焦点の周囲を回るか、それとも放物線や双曲線を描いて飛び去り、二度と戻らなかった。エーテルと呼ばれる天空はこうして純化され、また浮遊しながら合流する混沌から、調和のとれた世界体系もこうして生れた。そしてこの世界体系に従って、いくつもの地球と彗星が規則正しい軌道の中を永劫にわたってそれぞれの太陽の周囲を回る。これこそが、**植えつけられた神的な諸力によって、混乱の状態から秩序が生れる**[16]という自然法則を永遠に証明するものなのだ。相互に均衡がとれ、数が決められたあらゆる諸力のこうした簡素で偉大な法則が存続するかぎり、世界構造は安定している。なぜなら、この構造は神性の特性と規則とに基づいているからである。

第二の例。われわれの地球が混沌とした塊から惑星へと自己を形成したのと同じように、その地球上でも種々の構成要素が互いに争い闘った後、各自の場所を見出し、その結果いくたびかの激しい混乱を経て、今やこの調和と秩序のある球体にすべてのものが仕えている。陸と海、火と大気、季節と風土、風と潮流、天候とそれに属するもの。これらすべてがそれぞれの形態と塊、運動と太陽からの距離という一つの偉大な法則の支配下に置かれ、こうした法則に従って調和を保って統制される。かつてわれわれの地球の表面で炎を上げていた無数の火山は、もはや噴火しない。かつてわれわれの大陸の地面を覆っていた硫酸塩の流出物や他の物質によって大洋は、もはや沸き立っていない。何百万もの被造物が消滅したが、それらは消滅せざるをえなかったのだ。自己を保持することのできたものは残り、何千年来このかた、今も壮大な調和の秩序のうちに存在している。野生動物と家畜、肉食動物と草食動物、昆虫、鳥類、魚類、人間は相互に順序よく配列され、これらすべてにおいて雄と雌、生と死、時期と年齢、苦しみと喜び、欠乏と満足がある。しかもこうしたものはどれもみな、たとえば日ごとに変わる不可解かつ恣意的な結合に従っているのではなく、被造物の織りなす構造の中に置かれた法則、**すなわち、われわれの惑星上で生気を与えられ、維持されてきたあらゆる有機的諸力の調和的関係の中に置かれた**明白な自然諸法則に従っている。このような構造および調和的関係の自然法則が存続するかぎり、その結果もまた存続するであろう。それはすなわち、創造の中でも生命を与えられた部分と与えられない部分のあいだの調和のとれた秩序であり、これは地球の内部が示すように、何百万もの被造物の消滅によってのみ、もたらされえたものである。

それにいったい人間の生においてまさにこの法則が、つまり自然の内的諸力に応じて混沌から秩序を創り、混乱した人間世界に規則正しさをもたらすこの法則が支配しないことがありえようか？　断じてありえない。われわれはこの原理を自らの中に持っており、この原理はその特性に応じて活動せざるをえないし、また活動するであろう。人間の誤りはどれもみな真理の霧なのだ。人間の胸に秘められた情念は、或る力の衝動、それも自分自身をまだ知らないが、自らの本性に従って、もっぱらより善いものを目ざして活動する力の粗暴な衝動である。海の嵐は時には打ち砕いたり、荒廃をもたらしたりするものの、やはり調和のとれた世界秩序の産物であり、そよ吹く微風のようにこの秩序に貢献せざるをえない。私としては、この悦(よろこ)ばしい真理をわれわれに確信させてくれるいくつかの所見を以下に明示できればと思っている。

1　海では嵐よりも順風の吹く割合が多いのと同じように、人類においても、**破壊する者より維持する者のほうがずっと多く生れてきた**(17)という慈悲深い自然法則が見られる。

動物界においてはライオンやトラよりもヒツジやハトのほうが多く存在しうるし、また実際に存在しているという神々しい法則が見られる。歴史においてもまったく同様の慈悲深い秩序が見られる(18)。つまり、ネブカドネザルやカンビュセス、アレクサンドロスやスッラ、アッティラやチンギス・カンなどよりも、温和な軍司令官や静かで平和を好む君主の数のほうがずっと多い。前者の人物たちを形作っているのは常軌を逸した情念や不自然な本性であり、これらを通じて彼らは地球にとって優しい星としてではなく、燃えさかる流星として現れるか、あるいはこれらの情念や本性に、たいていの場合は教育上での特殊な事情や、古い慣習を実行するという稀な機会、さらには戦争による政治上の困窮による苛酷な要求が加わって、人類に対していわゆる神の鞭(むち)を振るい続ける。このように自然は、なるほどわれわれのために次のような歩みを、すなわち、自ら産み出す無数の形や性質の中に時おりまた粗暴な情念を持つ人間や、維持のためならぬ破壊のための人物をも世の中に送り出すという歩みを止めることはないだろう。しかしまさにこうしたときにこそ人間はこれらのオオカミやトラに人類という群を委ねるのではなく、むしろこのようなオオカミやトラをフマニテートの諸法則によって自らの手でおとなしくさせることができる。かつてはヨーロッパのいたるところで森林地帯のほとんどを占有していたオーロックス[19]と呼ばれる野ウシはもういない。またローマが闘技に使用した大量のアフリカ産の巨大獣を狩猟で獲ることも、やがてローマには困難になった。陸地の開墾が進めば進むほど、砂漠はそれだけいっそう少なくなり、そこに原生する被造物も稀になる。同じように人類においても、人間による文明化の増大はこうした自然な作用をすでに及ぼしており、そしてこのことは次の点に、すなわち、文明化の増大がひ弱な人間身体の動物としての強さのみならず、粗暴な情念に向けられた素質をも弱め、人間という生きものを形成する点に現れている。もちろん、この生きものの中には常軌を逸したものも存在しうる。しかもこれらは東洋やローマにおける多数の専制君主の実例が示すように、子どもに特有の弱点を基盤としているだけに、それだけいっそう荒れ狂い、破滅に至る場合も少なくない。しかしいつの時代においても、甘やかされた子どもは、血に飢えたトラなどよりも容易におとなしくさせることができる。このように自然は、その和（やわ）らげながら整える秩序でもって、われわれに同時に次の方法を示した。

すなわち、われわれもまた常軌を逸した性格をいかにして努力を重ねながら制御し、貪欲で野獣のような性格をいかにしておとなしくさせるべきか、またおとなしくさせてよいのかという方法を。現在もし太古の時代のように巨人たちが竜退治に出かけねばならない地域が存在しないとするならば、われわれは人間自身に対してもヘラクレスのような破壊する力を必要とはしない。こういう性質の英雄たちにはコーカサス山脈やアフリカで残虐な闘技を行わせ、ミノタウロス[20]を探して倒させるがよい。彼らの住む社会はゲリュオン[21]という火を吐く雄ウシと自ら闘うという明白な権利を持っているのだから。しかしこの社会が自ら進んでこうした怪物の餌食になって苦しむとしたら、それはわれわれの社会自身の責任なのだ。これはちょうどあの略奪を行うローマに対して、諸民族が全力をもって世界の自由に向けて互いに連帯を組まなかったことが、これらの民族の責任であったのと同じことである。

2　歴史の進行が明らかにしているのは、真のフマニテートの成長につれて、人類の中の破壊するデーモンも実際に少なくなったということと、それも自らの蒙を啓く理性および政治術の内的な自然諸法則に従って少なくなったということである[22]。

理性が人間のあいだで増大すればするほど、それだけいっそうわれわれとしても若い頃から次のことを、つまり人間の敵である暴君の偉大さよりも素晴らしい偉大さが存在することと、土地を荒廃させるより耕作するほうが、また都市を破壊するより建設するほうが立派でかつ困難であることをよく理解するようになるに違いない。勤勉なエジプト人、才知あるギリシア人、交易を行うフェニキア人は、破壊するペルシア人、征服するローマ人、貪欲なカルタゴ人に比べて、歴史において美しい姿を見せるだけでなく、全盛期には快適で有用な生を享受していた。前者、すなわちエジプト人とギリシア人とフェニキア人の姿は今なお栄誉をもって生き生きと蘇り、地球上での彼らの活動も力をさらに増して不滅のものとなっている。これに対して略奪者が悪魔のような圧倒的な力で手にしたものといえば、獲物の瓦礫の上で彼ら自身が贅沢にして惨めな民族となったことと、最後にはいっそうひどい報復の毒杯を自ら飲み干したことだけである。これがアッシリア人、バビロニア人、ペルシア人、ローマ人の場合であった。ギリシア人にとってさえ、敵の剣よりも国内の不和や、多くの地方や都市に見られるような贅沢のほうが多くの害をもたらした。ちなみにこれらの原則は自然の秩序であり、それはたとえば歴史のいくつかの事例といった偶然の実例によって実証されるだけではない。それはまた自分自身、つまり抑圧や苛酷きわまりない権力という本性、あるいは戦勝の結果である贅沢と傲慢といった崩れた均衡の法則に基づいて、事象の経過とともに永遠に変わらない歩みを続ける秩序なのだ。とすればわれわれも次のことを、すなわち、このような自然法則が他のあらゆる法則と同じように認識されることと、またしっかりと理解されればされるほど自然真理の過つことのない力をもって作用を及ぼすことをいったい疑う必要があろうか？　数学的な確実さや政治上の計算に還元しうるものは、遅かれ早かれ真理として認識されざるをえない。なぜならエウクレイデスの定理や九九の表に疑義が呈されたことなど一度もないからである。[23]

それゆえ、すでにわれわれの短い歴史さえもが実証しているように、諸民族が真に啓蒙されるにつれて、彼らを非人道的かつ無意味に破壊に導く行為も、幸いなことに減少の道を辿った。ローマの没落以降、ヨーロッパにおいて自己の制度全体を、戦争や征服の上に築いた文明国は一つも生れなかった。事実また中世において侵略を行った国民は、どれも粗暴で野蛮な民族だった。しかし彼らも文化を受け容れ、自分たちの財産を愛好することを学ぶようになればなるほど、自分でも気づかないうちに、それどころかしばしば自分の意志に反して、技術への努力、農耕、交易、学問のさらに美しく落ち着いた精神がいっそう自ずと湧き上がった。破壊されたものは二度と利用できないということから、人々は破壊せずに利用することを学んだ。こうして時とともに、いわば事柄自体の本性を通じて諸民族のあいだに平和な均衡が生れた。それは何百年にも及んだ野蛮な戦争の後に、誰もが皆ようやく次のことを、すなわち、誰しもが望むような目的は、各自が共同してこれに貢献するという形でしか達成されえないことを理解するようになったからである。最大の利己心の対象であるかのように見える交易でさえ、こうした方法しか取りようがなかった。なぜなら、こうした方法は自然の秩序であり、これに対してはどのような情念も先入見も、けっきょくは無力なのだから。ヨーロッパのどの交易民族も、かつて自分たちが迷信もしくは嫉妬のために意味もなく破壊したものを今でも惜しんでいるし、将来もさらになお惜しむだろう。理性が増大すればするほど、征服を目的とする航海はそれだけいっそう交易を目的とする航海にならざるをえない。実際また交易を目的とする航海が依拠するのは次のもの、すなわち相互の正義と寛容さ、相手を凌駕しようとする技術への努力におけるたゆみない競争心、要するにフマニテートとその永遠の諸法則なのである。

われわれの魂が内面から満足感を得るのは、人間の自然法則に含まれているバルサムという慰めの香油を魂が知覚するときのみならず、この香油がその本性によって人間たちのあいだに、彼らの意志に反して広がり、自らの場所を獲得するのを目にするときである。神性ですら人間から、過ちを犯すという能力を取り去ることはできなかった。むしろ神性は人間の本性の中にこの能力を置き入れたため(24)、誤りは遅かれ早かれ誤りとして現れるとともに、この人間という計算する被造物にとって明らかなものとならざるをえなくなった。ヨーロッパのどの名君も、博愛からではなく統治という問題へのより優れた洞察からであるにせよ、もはやペルシアの王が自分の領地を統治するようには統治しないし、それどころかローマ人が自分たちの属州を統治したようにさえも統治しない。というのも、何百年という時とともに、政治上の計算が以前に比べて確実で容易で明瞭なものになったからである。われわれの時代にエジプトのピラミッドを建築するのは愚か者だけだろう。またこれに類した無用な建造物を築き上げる者も、理性を有する世界からは、民族愛という理由ではなく経済的な理由から、思慮を欠いた者と見なされる。われわれはもう流血の格闘技や猛獣を使った残虐な闘技には耐えられない。人類はその青年期に見られたこれらすべての野蛮な訓練を経てきたが、けっきょくはこうした常軌を逸した快楽は努力に値しないということを学んだのだ。同様にわれわれはもう悲惨なローマ人奴隷を、あるいはヘイローテスと呼ばれたスパルタの農奴が受けた抑圧を必要としない。なぜなら、われわれの政治体制は、あの昔の体制が、獣と見なされるような人間たちによって今よりも危険な形で、さらには多額の費用までかけて獲得したものを、自由な身分の人間たちによってずっと容易に獲得する術を心得ているからである。それどころか、いずれはわれわれも昔のローマ人奴隷やスパルタの農奴を見るのと同じように、現在の非人道的な黒人の売買を、博愛からではなく計算からであるにせよ、後悔の念をもって振り返り見るときが訪れるにちがいない。[25] われわれはいずれにしても、その誤りやすい弱い本性にもかかわらず、われわれ人間に理性を与えてくれた神性を賛美しなければならない。しかもこの理性は、神性という太陽からの永遠の光線であり、その本質は夜を追い払って事物の姿をありのままに示す点にある。

3　技術と案出それ自体の進展は人類に次第に多くの手段を手渡したが、それは自然ですら絶滅させることのできなかったものに制限を加えるか、あるいは無害なものにするためであった。

海には嵐が無いわけにはいかない。万物の母ですら人類のためを考えると、これを取り除くことができなかった。それでは彼女は嵐に対抗すべく人類に何を与えたのか？ 航海術である。まさにこのような嵐のために、人間は自ら乗る船の無数に精巧な形態を考え出した。こうして人間は嵐から逃れるのみならず、嵐から利益をも引き出す術を心得ており、その翼に乗って帆走する。

ただ嵐に押し流されて海上を迷う人間は、自分の眼前に現れて正しい航路へと導いてくれるディオスクロイ[26]にも呼びかけることができなかった。そこでこの人間は自分の案内者たる羅針盤を自ら案出し、天空に自分のディオスクロイ、つまり太陽と月と星辰を探し求めた。人間はこの技術で武装して、無限の大海原（おおうなばら）へと思いきって乗り出し、赤道直下から南北両極に至るまで進んだ。

自然は人間から火という破壊する要素を奪えなかったが、もしそうしていれば、それは自然が人間から同時に人間としての特性を奪おうとすることであった。だとしたら、自然は火という手段によって人間に何を与えたのか？　それは多種多様な技術である。しかもそれは、この火というむさぼり喰う毒を、害のないものにして制限するだけでなく、これ自体をきわめて種々の有益な目的のために使用する技術である。

人間の荒れ狂う情念も、海でのこのような嵐や、火という破壊する要素と何ら変わるところはない。まさにこうした情念を通じて、そしてこれらの情念において人類は自らの理性を磨き上げ、無数の手段、規則、技術を案出した。しかもそうした案出がこれらの情念を制限するだけでなく、人間自らの利益にも向けられたことは歴史全体が示しているとおりである。もし人類に情念が備わっていなければ、人類は自らの理性をも決して完成させていなかっただろうし、今頃はまだどこかの穴居人の洞窟に住んでいることだろう。

たとえば人間を喰い尽くす戦争は、何百年にもわたって粗暴な略奪者たちの仕事だった。長いあいだ人間は激しい情熱に駆られてこうした戦争を行った。実際また戦争にあって個人の力と策略と狡猾さが重要な役割を果たしていたかぎりでは、他に非常に称賛すべき特性があったにもかかわらず、そこでは殺人や略奪というきわめて危険な能力しか養われえなかった。このことは古代や中世の戦争、それに若干の近代の戦争が十分に証明しているとおりである。破滅をもたらすこの戦争という仕事において戦争術が案出されたが、しかしそれはいわば人間の意志に反してのことであった。なぜなら、戦争術を案出した者たちは、それによって戦争の基盤そのものが掘り崩されようとは予想もしなかったからである。つまり戦いが、熟考された技術になればなるほど、また特に多種多様な機械が案出されて戦いに投入されればされるほど、兵士個人の情念や野性的な力はそれだけいっそう無用なものとなった。今やこれらの兵士たちは、生命を持たない大砲として一人の軍司令官の考えや僅か数人の指揮官の命令に従属させられた。しかも古代にあっては好戦的な民族はほとんどみなずっと武装を解く暇もなかったのに対して、こうした近代における戦争という危険かつ高価な競技を行うことができるのは、結局は常に国王だけということになった。その実例をわれわれはアジアのいくつもの民族においてだけでなく、ギリシア人やローマ人においても見てきた。たとえばローマ人は何世紀にもわたってほとんど戦場に出ていた。かのローマ・ウォルスキ戦争[27]は一〇六年も続き、サムニウム戦争は七一年かかった。ウエイイという都市は第二のトロイアよろしく一〇年間も包囲攻撃されたし、ギリシア人のあいだで二八年間にわたって破壊をもたらしたペロポネソス戦争も十分よく知られている。ちなみにどの戦争においても、戦闘の場での死は禍(わざわい)としては最小のものであるのに対し、侵攻する軍勢がもたらした破壊や病気、あるいは攻囲された都市を押しつぶす破壊や病気は、あらゆる職業や階級で行われていた略奪による無秩序とともに最大の禍だった。しかもそれらは、情念に煽(あお)られた戦争に、無数の恐ろしい姿となって必然的に伴うものである。それゆえ、われわれがギリシア人やローマ人、とりわけしかし火薬の案出者と大砲の技術者に感謝してもよいと思われるのは、これらの者たちが戦争という野蛮きわまりない仕事を一つの技術に、それも近代においては王冠を戴く者たちの名誉ある最高の技術にまで高めたことである。王が自ら親しくこの戦争という名誉な競技を、情念も無いが数にも限りのない軍勢を率いて行うようになって以来、われわれはたんに軍司令官の名誉のためだけに一〇年も続く包囲攻撃、あるいは七一年も続く戦争など行わなくても済むようになった。特にまた後者のように長期にわたる戦争は、その大軍勢のために自ずとなおさら起こらなくなっている。こうして自然の不変の法則によれば、禍それ自体が何か善いことを産み出したのだ。というのも、戦争術が戦争を或る程度まで撲滅させるに至ったからである。また軍司令官の名誉のために行われていた略奪や破壊も、決して博愛からではなく戦争術を通じて減少した。戦争の法も捕虜の取り扱いも、かつてのギリシア人における場合と比べてさえ、ずっと寛大なものになった。ましてや好戦的な諸国家においてだけ最初に現れた公共の安全については言うまでもない。たとえばローマ帝国全体は、武装した鷲の翼に覆われているかぎり道路も安全だった。これに対してアジアやアフリカ、それにギリシアにおいてさえも外国人にとって旅行は危険なものだった。なぜなら、これらの地域には安全を確保する公共精神が欠けていたからである。このように戦争という毒は、技術となるやいなや薬に変わる。没落した時代もいくつかあったが、しかし人類という不滅の全体は、消滅してゆく部分の苦しみを乗り越えて生き続け、禍においてさえ善いことを学ぶのだ。

戦争術について言えたことは政治術についてはなおさら言えるにちがいない。(28) ただ技術としては政治術の方がその中に国民全体の幸福が集約されるだけに、いっそうむずかしい。アメリカの未開人も自分たちの政治術を持っている。しかしそれは何と不十分なものか。というのも、彼らの政治術はなるほど二、三の部族には利益をもたらすが、民族全体を没落から護るものではないからだ。実際いくつもの少数民族は戦いのあげく、相互に体力をすり減らし、また別の諸民族はひどく痩せ衰えた。そのためこうした民族の多くは、今なお天然痘や火酒や強欲なヨーロッパ人との不幸な闘争の中で、おそらく先人と同じような運命にさらされている。アジアとヨーロッパにおいて、国家の体制が工夫をこらしたものになればなるほど、国家はそれだけいっそう自ら確固と存在すると同時に、それだけいっそうまた緊密に他の国家と共通の基盤を有することにもなる。その結果として、一つの国家が崩壊すると、他の国家も崩壊することにもなりかねなくなった。しかしながら中国も存立し、また日本も存立している。古い建造物は自らの下にそれぞれ深い土台を持っているからである。他方またギリシアの諸体制はすでにずっと精巧なものだった。実際ギリシアのいくつかのきわめて傑出した共和国は、何世紀にもわたって政治上の均衡を求めて戦った。共通の危険がこれらの共和国を一つにさせたが、これが完全なものであったならば、ギリシア人という壮健な民族は、かつてダレイオスやクセルクセスに対して勝利を収めたように、ピリッポスやローマ人に対しても立派に抵抗できただろう。ギリシアに隣接するどの民族の政治術も劣悪なものだったばかりに、事態はローマに有利に運んだ。これらの民族は個々に攻撃され、個々に征服された。しかしこのローマもその政治術と戦争術が衰退すると、ギリシアと同じ運命を辿った。ユダヤとエジプトも同じであった。どの民族もその国家がよく整っていれば、たとえ征服されたとしても没落することはありえない。このことは中国が自らのあらゆる失策によってさえも実証しているとおりである。

熟考された技術の有用性は、国の内政、交易、司法、学問、産業を論ずるときに、さらに明白になる。これらのすべての事柄において明らかなのは、高度の技術は同時に高度の利益を伴うことである。真の商人が嘘をつかないのは、嘘が決して富をもたらさないからだ。これと同じように真の学者は偽りの学問で自分を偉そうに見せたりはしないし、また法学者はその名に恥じない者であれば、故意に不正を行うことはない。実際にもしこれらの者たちがこのような嘘や偽りや不正を行えば、それぞれ自分がその技術の親方ではなく弟子であることを自ら告白しているようなものである。同じくまた次のような時代が確実に到来するにちがいない。すなわちそれは、国家の理性を持たない者が(29)、理性を持たない自己を恥じる時代、そして横暴な専制君主であることが、それがあらゆる時代において嫌悪すべきものと考えられていた以上に嘲笑すべき愚かなこととなる時代が。しかもこのような時代には、理性を持たない国家がいつも誤った九九で計算するような非理性的な計算(30)によって、たとえどれほど大きな数字を獲得しても、それで利益が得られることは決してない。こうしたことが誰の目にも瞬時に明々白々となる時代は確実に到来する。そのためにこそ今も歴史が書かれているのであって、その過程において、この命題の正しさを証明するいくつもの証拠(31)が明示されるだろう。人間があらゆる無秩序を経て次のことを、すなわち人類の幸福は恣意に基づいて(32)いるのではなく、人類にとっての本質的な自然法則である理性と公正に基づいていることをようやく学ぶためには、統治のあらゆる誤りが先行し、いわば出尽くさざるをえなかった。そこで今度はこの自然法則の展開に目を向けることにしよう。われわれとしては真理の内的な力が、この展開の記述そのものに光と確信を与えてくれることを望みたい。

三　人類は文化の多様な段階をその多様な変化の中で通り抜けるように定められている。しかし人類の幸福が持続する状態[33]は、本質的には理性と公正にのみ基づいている

第一の自然法則。数学に基づく自然学において証明されているのは、事物が不変の状態を維持するには一種の完全性が、すなわち最大値もしくは最小値[34]が常に必要とされるが、それはこの事物の諸力の活動の仕方の結果として生ずる。それゆえたとえば、われわれの地球の重力の中心点がその最も深い場所になければ、そしてすべての力がこの場所に向かわずに、またこの場所から調和のとれた均衡を保って活動しなければ、地球は存続しえないだろう。こうしてすべての存続する存在は、この美しい自然法則に従って、自然に即した真理と善と必然性を、自己の存続の核としてそれ自身のうちに有している[35]。

第二の自然法則。同じように証明されているのは、組み合わされ有限な事物の、ある

いはそれらの体系のあらゆる完全性と美しさは、こうした最大値に基づいているということである。すなわち、類似のものと、異なるもの、手段において単純なものと活動において多様なもの、最も確実な目的、あるいは最も実り豊かな目的に到達するための諸力の最も容易な適用。これらのものが一種の均整と調和のとれた比例関係を形作っており、これはその運動の法則にあっても、その被造物の形においても、最大のものにあっても、最小のものにあっても、いたるところで自然によって遵守され、人間の技術によって人間の諸力の及ぶかぎり模倣される。ここではいくつもの規則が互いに制約しあい、そのため一つの規則に従えば増大するものも、他の規則に従うと減少する。そして組み合わされた全体が自らの節約された最も美しい形と、この形によって内的な存続と善と真理を最後に獲得する。これこそ無秩序と恣意を自然から追い払い、世界秩序のいかなる変わりやすい制約された部分においても、最高の美しさの規則をわれわれに示してくれる傑出した法則である。

第三の自然法則。さらにまた同じように証明されているのは、或る存在物、もしくはそれらの体系が自らの真理、善、美しさのこうした不変の状態から逸脱させられても、この状態以外に存続の方法が見つけられないため、再びこの状態に、内部の力によって、あるいはさまざまに揺れ動きながら、あるいは漸近線を描きながら近づくということである。[36] 諸力が生き生きとして、多様であればあるほど、漸近線は目につかない形で真直ぐに進むことがますますできなくなり、他方また揺れ動きや振動はそれだけいっそう激しくなる。そして存在は、妨害されても、自己の諸力の均衡に、もしくはそれら諸力の調和のとれた運動の均衡に、したがってまたこの存在にとって本質的な不変の状態に、最終的に到達する。

ところで人類は全体としても、それぞれの個人、社会、民族としてもきわめて多様な生きた諸力の持続的な自然体系である。そこでわれわれとしては、この体系の存立基盤はどこにあるのか？　この体系の最高の美しさと真理と善はどの点において統一されるのか？　そして歴史や経験がわれわれに非常に多く提示するあらゆる逸脱にもかかわらず、この体系はどのような道を辿って自らの不変の状態に再び近づくのかを見ることにしよう。

＊

1　人類は種々の素質と力によって非常に豊かに構想されたものであり、またすべては自然において最も明確な個性に基づいている。それゆえ人類の重要で多くの素質は、われわれの惑星では**何百万にも分けられた**形でしか現れようがなかった。[37] この惑星で生れうるものはすべて生れ、それが自然の諸法則に従って自己の不変の状態を見出すと自ずと維持される。それゆえ、どの個々の人間も自分の身体の形態におけるのと同じように、魂の素質においても自分自身の中に均整を有している[38]。そしてどの人間もこれに向けて形成されていると同時に、またこれに向けて自分を完成すべきなのだ。この均整は人間存在のあらゆる種類や形を通じて行き渡っている。すなわち、自己の生命をほとんど維持できなかったきわめて病弱な奇形から、神のようなギリシアの人間の最も美しい形姿に至るまで、そして黒人の頭脳のきわめて情熱的な興奮から、最も素晴らしい叡智の素質に至るまで、失敗や誤り、教育や困窮や訓練を通じてどの人間も自分の諸力のこうした均整を求める。というのも、人間存在の最も完全な享受は、こうした均整の中にしか存在しないからである。しかし最も純粋かつ素晴らしい方法でこうした均整を手にするのは、ごくわずかの幸運な者だけなのだ。

2　個々の人間はそれ自身としては非常に不完全な形でしか存立できないので、それぞれの社会について共同して活動する諸力のいっそう高い最大値が形成される。これらの諸力は激しい混乱の中できわめて長期にわたって互いに争うが、それは自然の誤ることのない諸法則に従って、相反する規則が互いに制約しあい、最終的に運動の一種の均衡と調和が生れるようにするためである。こうして諸民族は場所と時代、そして自身に内在する性格に従って姿を変える。どの民族も自らの完全性の均整を他の民族とは比較されえない形で自分自身の中に有している。或る民族が偶然に遭遇した最大値が、純粋で美しいものであればあるほど、またその民族がいっそう美しい諸力をより有用な対象に向けて行使すればするほど、そして最後に、国家のすべての成員をその内面の最も奥深いところで結びつけ、彼らをこうした立派な目的へと導く統合の絆が精密で強固なものであればあるほど、その民族はそれだけいっそう自分自身で存立し、その姿は人間史の中でそれだけいよいよ気高く輝いている。われわれがこれまでいくつかの民族の中を通って歩んできた道は、彼らの努力の向けられる目標が場所と時代と状況によっていかに異なっているかを示してくれた。その目標とは中国人にあっては政治道徳であり、インド人にあっては世俗を超えた一種の純粋さと仕事への寡黙な熱心さと忍耐であり、フェニキア人にあっては航海の精神と交易上の勤勉という精神であった。ギリシア人、なかでもアテナイの文化は芸術および道徳、それに学問や政治制度においても感覚上の美の最大値を目ざしていた。スパルタやローマではそれぞれまったく異なる仕方で、祖国あるいは英雄に向けられた愛国心という美徳が熱心に求められた。これらのどれを見ても大部分は場所と時代に依存している。それゆえ、国民としての栄誉という自己を最も際立たせる一つの特徴から、古代の諸民族を相互に比較することなどほとんど不可能なのだ。

3　しかしわれわれはすべてにおいて**一つの原理**が活動しているのを目にする。その原理とは**人間理性**であり、これは多から一を、混乱から秩序を、多様な諸力や意図から一つの全体、それも均整と持続する美しさを具備した全体を産み出そうと努める。[39] 中国人が美しい庭園を造るのに用いる奇妙な形をした不自然な岩石から、エジプトのピラミッド、あるいはギリシアの理想美に至るまで、その程度こそきわめて異なるものの、いたるところに熟考する知性の計画や意図が認められる。この知性が精緻に熟考すればするほど、またこの知性が次のような地点、すなわち自らの種類の最高のものを含み、右へも左へも逸脱を許さない地点に近づけば近づくほど、この知性から生れた種々の作品は、それだけいっそうわれわれの模範となった。なぜなら、これらの作品はあらゆる時代の人間知性にとっての永遠の規則を含んでいるからである。こうしてたとえばエジプトのピラミッド、あるいはギリシアやローマの多くの芸術作品以上に高次のものは考えられない。それらは人間知性が種々の問題をこのような方法できちんと解決した結果であり、このような結果にあっては、問題がたとえば解決されていないとか、あるいはもっとうまく解決されうるという勝手な想像は許されない。というのも、これらの問題がどのように解決されるべきかということのきちんとした理解は、前述の諸作品において最も容易な、最も豊かな、最も美しい方法で尽くされているからである。それらの作品から逸脱することはどれも誤りであろう。それゆえ、もしこうした誤りが無数の方法で繰り返され倍加されるようなことにでもなれば、われわれはつねにあの目標、すなわちその種類の最高のものにして唯一の地点であるあの目標に絶えず立ち戻らねばならないだろう。[40]

4　したがって**文化の連鎖**は、これまでわれわれが考察を重ね、またさらに考察を続けるあらゆる文明化された国民を通じて、きわめて脱線の多い曲がりくねった線を描きながら進んでいる。文明化されたどの国民においてもこの文化の連鎖は、増大する量と減少する量を示し、あらゆる種類の最大値を有している。これらの最大値の多くは互いに排除しあったり制約しあったりするが、それでも最後には全体として均整が生じる。それゆえ、もしわれわれが或る国民の一つの完全性から他のあらゆる完全性を推論しようとすれば、それは最も誤りの大きな推論だろう。たとえばアテナイが素晴らしい弁論家を持っていたからといって、最良の統治形態を持っているというわけにはいかなかったし、中国があれほど優れて道徳化されていたからといって、その国家が他の国家の模範となるには至っていない。統治形態は、道徳上の立派な格言とか、情熱的な演説とはまったく別の最大値と関連している。ただし最終的に或る国民における万事は、もっぱら排除する形であれ制約する形であれ、一つの連関の中に見出される。したがって、国民を統合する最も完全な絆こそが最も幸福な国家を作る最大値である。ただしそれは、その国民が種々の素晴らしい特性なしでも生きていかねばならないという仮定のもとでのことではあるが。

5　同一の国民にあっても、**自らの素晴らしい努力のどの最大値も必ずしも永遠に持続する**ことは許されないし、また持続することもありえない。なぜなら、どの最大値も時代の流れにおける一つの点にすぎないからである。時代の流れは絶えることがないし、その素晴らしい活動もますます多くの状況に依存していた。したがってこうした活動もそれだけいっそう没落や消滅にさらされている。幸運なのは、こうした活動がさまざまな模範という形で後の時代の規矩（きく）としてずっと残る場合だ。とはいえ、こうした活動にすぐ続いて生れる活動は、概してこれらの模範にあまりにも接近しすぎている。だからこのような活動は、おそらくまさにこれらの模範を凌駕しようとしたために没落した。たとえどれほど血気盛んな国民でも、最大値がきわめて急激に減少すれば、沸騰点から氷点にまで落下することも稀ではない。

*

個々の学問および国民の歴史については、これらの最大値を勘案する必要がある。(41) 私としては、最も良く知られた時代における最も有名な国民についてだけでも、このような最大値から見た歴史を手にできればと思う。だがとにかく今は人間史一般と、それぞれの風土のもとでのそれぞれの形における人間史の持続状態についてのみ語ることにしよう。この状態とは**フマニテート、すなわち人間のあらゆる階級、あらゆる仕事における理性と公正**にほかならない。しかもこの状態がこうしたものになるのは、支配者の恣意や伝承の説得力によってではなく、人類の存在基盤である自然法則によってなのだ。人類の最も堕落した諸制度でさえも、われわれにこう呼びかける。「もしわれわれのもとに理性と公正の微光がまだ残されていなかったら、われわれはとうに存在しなくなっていただろうし、それどころか生れてさえいなかっただろう」と。人間史という織物全体がこの点から始まるからには、われわれもそこに入念に目を向けなければならない。

第一。われわれが人間のどんな仕事においても尊重し、かつ尋ね求めるものは何か？それは理性と計画と意図である。これらがなければ人間的なことは何一つなされず、実証されるのは盲目の力ということになる。われわれの知性は、歴史という広大な領域のどこをさまよい歩こうとも自分自身だけを探し求め、再び自分自身を見出す。この知性は、自らのどのような企てにあっても、純粋な真理と人間の善意とに出会うことが多ければ多いほど、その仕事はそれだけいっそう持続的で有益で素晴らしいものとなった。そしてそのような仕事の規則の中では、あらゆる時代における、あらゆる民族の思想や感情がますます一致するようになる。純粋な知性および公正な道徳とはどのようなものであるかについて、ソクラテスや孔子、ゾロアスター、プラトンやキケロの意見は一致している。彼らの言うことは千差万別だが、それでも彼らは人類全体の依拠している唯一の点を目ざして活動したのだ。さて旅をする者[42]にとっては、自分と同じように思考し知覚するゲーニウスの痕跡を、たとえ自分の予想しなかったところでも、いたるところで認めるときほど甘美な喜びを感じることはない。それと同じように、われわれにとって最も魅力的なのは、人類の歴史においてあらゆる時代と民族の反響が最も高貴な魂の持ち主たちという形をとって、もっぱら人間の善意や人間の真理として鳴り響くのを聴き取ることである。私の理性が事物の連関を探し求め、そのようなものを認めると私の心が喜ぶのと同じように、公正な人間は誰でもこうした連関を探し求めてきた。ただ違うとすれば、それは各自が自分の位置という視点において、おそらく私と異なる見方でこれをとらえ、また私と異なる方法で特徴づけただけのことである。この人物が誤った場合、それは彼自身と私のために誤ったのだ。というのも、それによって彼は私も同じような過ちを犯さないようにと警告してくれているのだから。彼が私を正しく指導し、教え、元気づけ、励ましてくれるとき、彼は私の同胞なのだ。すなわち彼は、同一の世界霊、一つだけの人間理性、一つだけの人間真理にともに参与する者なのだ。

第二。歴史全体の中で次のような人間を、すなわち幸運のどんな変転にあっても、どんな年齢にあっても、どんな仕事にあっても、常に分別があって立派な人間を見出すときほど悦ばしい瞬間はない。しかし同様にまたその一方で、偉大で立派な人間が自分の理性を逸脱したがために、自然の法則に従ってひどい報復しか得られなかったのを目にするときほど本当に遺憾に思うことはない。ただわれわれはこれらの堕落した天使を人間史においてあまりにも頻繁に目にしても、われわれの人間理性に道具として仕えるこの目の弱点を嘆くのみである。屈することなく耐え忍ぶことのできる人間の何と少ないことか！　法外な事態に遭遇しても自分の道を逸脱しない人間の何と少ないことか！　小さな名誉、ほの見える幸福、人生における意外な状況といったものは、或る者にとっては自らを泥沼や深淵に引きずり込むのに十分な鬼火だった。また或る者は自らの実力を把握できないまま、度を超えすぎて力を失って倒れてしまった。それゆえわれわれは、幸運な者たちが不幸にして今まさに自らの運命の岐路にあるのを見るとき、また彼らが今後とも理性的で、公正で、幸福でありうるための力それ自体の欠乏を自らのうちに感じとっていることに気づくとき、同情を禁じえない。彼らの背後には彼らを摑(つか)んで放さない復讐の女神フリアがいて、彼らをその意に反して中庸という線の向こうに突き落とすのだ。こうして彼らはフリアの手に落ち、些細な無分別と愚行の結果をおそらく一生ずっと償うのだろう。あるいは、彼らが幸運によって持ち上げられるあまり、自分が今や幸福の絶頂にいると感じるとき、彼らの認識力は、まさに眼前に迫りくるこの不実な女神の移り気を、つまり彼ら自身の企ての種からさえも芽生える不幸を予感するのではないだろうか？　同情心あふれるカエサルよ、汝の仇敵として殺されたポンペイウス[43]の首が汝の前に持ってこられたときに顔をそむけたり、報復の女神ネメシスのために神殿を建てたりしても無駄なのだ。汝はルビコンを越えたのと同じように、幸運の境界線をも越えているのだ。この女神が汝の背後にいるからには、汝の血なまぐさい肉体はあのポンペイウスの立像のもとで地面にくずおれるだろう[44]。あらゆる国々の制度もこれと同じだ。というのも、相変わらずどの国も、その支配者、あるいは支配者と称するわずかな人間の分別、もしくは無分別に左右されているからである。何世紀にもわたって人類に最も有益な果実をもたらすと約束したどれほど素晴らしい施設でさえ、枝を曲げるどころか木全体を倒すたった一人の人間の無分別のために台無しにされることも稀ではない。個々の人間と同じように、どの国も、たとえ君主や専制君主あるいは元老院や国民の誰が統治したところで、自らの幸運をこれっぽっちも持ちこたえることができなかった。国民にも専制君主にも、運命の女神の発する警告の合図がまったく分からないのだ。そればかりか、名声の響きや空虚な栄誉の輝きに幻惑された彼らが、フマニテートと叡智の限界を超えて堕落し、自らの無分別の結果に気づくときには完全に手遅れなのだ。これがローマやアテナイ、それに多くの国民の運命であり、同じくまたアレクサンドロスや、世界を動乱に陥れたほとんどの征服者の運命であった。なぜなら、不正はすべての国々を堕落させ、無分別は人間のあらゆる仕事を台無しにするからである。不正と無分別は運命の復讐の女神フリアであり、不幸はその妹、すなわち不正と無分別と手を結んで運命を弄ぶ第三の仲間にすぎない。

人類の偉大なる父よ、汝は何と簡単かつ困難な課題を地上の人間に対してその全日課として与えたことか！　人間は理性と公正だけを学べばよいのだ。これらを実践すれば、一歩ずつ光が人間の魂に、善意が心に、完全性が国家に、幸福が生活に入ってくる。これらの贈り物を授かって誠実に適用すれば、黒人もギリシア人のように、穴居人も中国人のように自らの社会を建設できるのだ。経験は各人をさらに導き、理性のみならず公正も各人の仕事に持続性と美しさと均整を与えるだろう。しかし各人が自らの生に不可欠な導き手である理性と公正を蔑ろにするならば、いったい何が各人の幸福を恒久のものとし、フマニテートに敵対する復讐の女神たちからこの者を救い出すことができるだろうか？

第三。同時に明らかになるのは、人類において理性とフマニテートの均整が崩された場合、この均整への立ち返りは、一つの極端から他の極端への力ずくによるさまざまな揺れ動きを通じてしか、ほとんど実現されないだろうということである。理性の均衡を崩した情念もあれば、理性に向かって突き進む情念もあり、こうして歴史においては何年も、あるいは何世紀も経過して、ようやくふたたび落ち着いた日々が訪れることも稀ではない。事実、アレクサンドロスは広大な地域の均衡を崩したため、彼の死後もずっと嵐が吹きまくった。またローマは世界から一〇〇〇年以上にわたって平和を奪ったため、未開民族の世界の半分は、諸勢力の均衡が徐々に回復される過程で犠牲となった。漸近線の示す落ち着いた歩みというものは、これらの地域や民族の激動にあってはまず考えられなかった。そもそもわれわれの地球上における文化の歩みが、その数々の引き裂かれた隅や凹凸の多い角によって全体として示すものは穏やかな潮流などではまったくなく、むしろ山中から流れ出て林間を滝のように落下する急流なのだ。文化の歩みをこのようなものにするのは特に人間の情念である。またわれわれ人類が全体として秩序あるまとまりへと整えられ勘案されてきたのも、明らかにこのように交互の幅の大きな揺れ動きに依拠しているからなのだ。われわれ人間は右や左へと絶えず倒れそうになりながら、それでも一歩ずつ前に進むが、さまざまな部族や民族全体における文化もこれと同じような形で前に進む。振り子が両側に揺れ動くのと同じように、われわれもしばしば両様の極端を別々に考察しながら、落ち着いた中心に到達するようにしたいと思う。絶えず交替しながら世代は新しくなる。そしてそれぞれの世代の息子は、伝承をすべて一本の直線として受け継ぐよう指示されているにもかかわらず、それでも自分なりの方法で書き継いでゆく。アリストテレスがプラトンから、エピクロス(45)がゼノン(46)から、意識して自己を区別してくれたおかげで、より落ち着いた後世の者たちは、このような両極端をどうにか公平に利用することができた。こうしてわれわれの身体機構においてと同じように、諸時代の作業は、必然的な対立関係を通じて人類の幸福のために先へと進み、人類の健康を恒常的に維持する。他方また人間理性という流れは、たとえどのような傾斜や角度に曲がりくねったり折れ曲がったりしても、それが真理という永遠の流れから生れ出たものである以上、自らの本性のゆえに、その途上で自分を見失うことは決してありえない。この流れから汲む者は、持続と生命を汲むのだ。

　ちなみに理性も公正も同一の自然法則に依拠しており、われわれという存在の恒常性もこの法則から生れる。理性は事物の連関を測り、かつ比較することによって、持続する均整へと事物を整えることを目的としている。公正は理性の道徳上の均整であり、対立しながら活動する諸力の均衡が定式化されたものと言ってよく、世界の構造全体はその調和の上に成り立っている。このように同一の法則が、太陽から、それも宇宙のすべての太陽から、人間のどんな小さな行動にまでも及んでいる。すべての存在とその体系を維持しているものはたった一つ、すなわち**それらの存在の有する諸力の周期的な落ち着きと、秩序に対するこれら諸力の比例関係**である。

四　理性も公正もそれぞれに内在する本性の諸法則に従って、時代の経過とともに人類のもとでさらに多くの場所を獲得し、いっそう持続するフマニテートを促進しなければならない

歴史における善の混乱、および善のほとんど目につかない進展に関して人間がいだくすべての疑問と嘆きは、この人間という悲しげな旅人が自分の歩む道のあまりにも短い部分にしか目を向けないことに起因している。この旅人がもし自分の視野を広げ、歴史からかなり精確に知られている時代を相互に公平に比較しさえすれば、そしてさらに人間の本性の奥深くに入り込み、理性と真理の何たるかを思い量るならば、この旅人は最も確実な自然真理に対するのと同じように、理性と真理、ひいては善の進展に対してもほとんど疑いをいだかないだろう。われわれは何千年ものあいだ太陽と恒星は静止しているものと考えてきた。だが幸いなことに、望遠鏡のおかげで今やわれわれはこれらが

動いていることをもはや疑ったりはしない。それと同じように、いつか人類の歴史においても種々の年代がより精確に比較対照されることによって、この希望に満ちた真理、すなわち歴史も動いているという真理が外面的に明らかにされるだけでなく、外からはどれほど無秩序に見えようとも、次のような諸法則も、つまり歴史のこうした動きが人間本性に基づいて生じるさいに依拠する諸法則も勘案されうるだろう。古代の歴史についての考察を終えるにあたって、私はあたかも自分を中心に置いて、とりあえず若干の普遍的原則だけを強調しておきたい。それらはわれわれのこれから辿る道を照らす導きの星として役立つであろう。

第一。**それぞれの時代は、その本性によって相互に連鎖をなす。それゆえ、それらの時代の子である人類も、それぞれの活動と産物を携えて相互に連鎖をなす。**

たとえどんな詭弁を弄しても否定できないのは、われわれの地球が数千年の歳月を経るあいだにいっそう歳をとったことと、太陽の周りを回るこの地球という旅人がその誕生から今日に至るまで非常に変化してきたことである。地球の内奥でわれわれが目にするのは地球のかつての状態である。それゆえ、地球の現状を知るためには、われわれ自身の周囲を眺めさえすればよい。大海原はもはや轟々と沸き立つこともなく、静かに海底に収まっている。方向の定まらなかった河川にもそれぞれ岸ができたし、植物にしても動物にしても、それぞれの種属に分かれる中で、創造に関して作用を及ぼす一連の年代は過ぎ去った。われわれの地球が創られてから今日に至るまで、地球に向かう太陽光線の一筋たりとも空しく失われたことがないのと同じように、枯れて木から落ちる一枚の葉も、植物から飛び散った一粒の種子も、生命を失った動物の腐敗した一個の死体も、ましてや生きているものによる一つの行為も、作用を及ぼさずに終わったものは何一つない。たとえば植物は増加し、できるかぎり植生の範囲を広げた。どの種の生きものも、自然がそれらに他の生きものを通じて規定した限界のなかで生長し続け、さらには人間の営為のみならず人間による破壊という愚行でさえも、時代の手の中では活動を促す道具となった。人間によって破壊された都市の廃墟の上には新たな野原が花を咲かせる。四大がその廃墟に忘却の塵を撒(ま)いたのだ。すると間もなく新たな世代がやって来て、古代の廃墟に依りながら、その上で建設を行った。全能の力でさえ、結果を結果でないものに変えることはできない。つまりこの全能の力は、地球を数千年前の状態に戻して、これら数千年がそのすべての活動もろともに存在しなかったようにすることなどできはしないのだ。

　それゆえ人類の進展も、地球と時との子たちの列に人類が属するかぎり、すでに時代の進展のうちに含まれている。もし今ここに人間の父祖が現れて、その子孫を見たならば、どんなに驚くことか！　父祖の身体はまだ若かった地球に適するように形成されていたのであり、その体格、思考の流れ、生活方法も四大の当時の性質に順応せざるをえなかった。六〇〇〇年、あるいはそれ以上の年月のあいだに、これらについても非常に多くの変化が生じた。アメリカはすでにその多くの地域において、もはや発見された当時のものではない。数世紀もすれば人々はアメリカの古代の歴史を作りものの物語のように読むだろう。実際われわれは今、トロイア征服の歴史をこのような物語として読むのであり、この都市の所在地は言うにおよばず、アキレウスの墓を、あるいは神のごときこの英雄自身をも徒に探し求める。古代人の形姿や大きさ、食物や食事の分量、日々の仕事や娯楽の種類、恋愛や結婚、情念や徳性、生活習慣と死後の存在。これらについての考え方に関するあらゆる報告が、地域と時代ごとにそれぞれきちんと区別されながら蒐集されるならば、それは人間史に対する素晴らしい貢献となろう。また古代という短い期間においてさえ人類の進展は確実に見られるだろうし、それにこうした進展は、まさに永遠に若い自然の恒常性のみならず、われわれの古くからの母である地球にあって作用を及ぼしつづける諸変革をも明らかにしてくれるだろう。この母は人類だけの世話をするのではなく、自分のすべての子を一人で膝の上に抱く。それゆえ一つのものが変化すれば、すべてのものが変化せざるをえない。

時代のこうした進展が人類の思考様式にも影響を与えたことは否定できない。今もし誰かが『イーリアス』を創作して歌おうとしても、あるいはまたアイスキュロスやソフォクレスやプラトン[47]のように書こうとしても、それは不可能である。つまり子どもの素朴な感覚や、世界を見つめる無心な様子、つまりギリシア人に見られる青少年期は過ぎ去った。同様のことはヘブライ人もローマ人も知らなかった多くの事象に通暁している。これに対してわれわれはヘブライ人やローマ人についても言える。或る日は他の日を、或る世紀は他の世紀を教え、伝承はますます豊かになった。時代のムーサである歴史自身が無数の声をもって語り、無数の笛を吹いて歌う[48]。巨大な雪だるまの中に、それもさまざまな時代がわれわれ目がけて一つになって転がってくる巨大な雪だるまの中に、たとえどれほど多くの汚物や混乱があろうとも、こうした混乱でさえもが何世紀にも及ぶ時代の産物であり、同一の事象が休むことなく転がり続けたからこそできたものなのだ。それゆえ古代へと立ち返ることも、また有名なプラトンの年[49]でさえもみな虚構であり、世界および時代という概念に従えば不可能なことである。われわれは泳ぎ続けるが、しかし流れは、あたかもそれが流れ出さなかったかのように源泉に戻ることは決してない。

第二。**人間の住居は人類の進展をさらに明確に示している。**

諸民族が穴居人のように、あちらこちらの洞窟の中で防御壁のうしろに座って、他所(よそ)

者をすべて敵と見なした時代はどこに行ってしまったのか？　そのうちいかなる洞窟も、いかなる壁も、たんに時の経過とともに、まったく役に立たなくなった。人間は互いに知り合いにならざるをえなかった。なぜなら、人間は全体として見れば一つのさして大きくもない惑星に住む一種属にすぎないからである。ただ人間がほとんどいたるところで最初は敵として互いを知り、まるでオオカミを見るかのように驚いて顔を見合わせたのはとても悲しいことだった。しかしこれもまた自然の秩序であった。弱者は強者を恐れ、欺かれた者は欺く者を、追放された者は自分を再び追放しかねない者を、そして何よりも経験のない子どもはすべての見知らぬ者を恐れた。しかしこうした子どもっぽい恐れの気持ちも、それによるあらゆる弊害も、自然の歩みを変えることはできなかった。すなわち、いくつもの民族のあいだで、たとえ人間が粗野な状態にあったため最初は冷酷な仕方で結ばれたにせよ、一つにまとまるための絆が結ばれたのだ。次第に知恵がついても、また結び目が切れても、絆は解けない。ましてや一度なされた発見をすべてなされなかったことにするなどできるはずがない。モーゼやオルフェウス、ホメロスやヘロドトス、ストラボンやプリニウスらによる地球史を、われわれの手になる地球史と比べるとどうだろうか？　フェニキア人やギリシア人やローマ人による交易を、現今のヨーロッパの交易と比べるとどうだろうか？　いずれにせよ、われわれにはこれまで起こったことによって、これから起こるであろうことの迷路を歩むための導きの糸が手渡されている。人間は自分が人間であるあいだは、自分の住む惑星のことを知り尽くすまで、この惑星の遍歴をやめないだろう。海が荒れようと、船が難破しようと、北極や南極で巨大な氷山やいくつもの危険に遭遇しようと、人間はこうした遍歴をやめないだろう。なぜなら、従来このように不利な条件も、拙劣このうえない航海術の時代にあってさえ、人間に最初のきわめて困難な試みをやめさせることができなかったからである。人間をこれらすべての企てに向かわせる火花は彼の胸のうちに、すなわち人間本性の中にある。好奇心および富、名誉、発見、より大きな力に対する飽くことのない欲望、それに現在も行われている事象の成り行きの中に抗しがたく存在する新たな欲求や不満さえもが人間をこうした試みへと駆り立てるだろうし、危険を克服した過去の人物や、成功を収めた著名な先駆者もいっそう人間を鼓舞するだろう。このようにして摂理の意志は善悪さまざまの原動力によって促進され、ついに人間は人類全体を知り、これに作用を及ぼすに至る。人間にこそ地球は与えられているのであり、それゆえ人間は地球が少なくとも知性と有用性の点で完全に自分のものになるまではこうした試みをやめないだろう。いったいわれわれの地球の半分が、まるでそれが月の裏側であるかのように、かくも長いあいだ未知のままであったのは、今にして思えば恥ずかしいことではないだろうか？

第三。人間精神がこれまで行ってきたすべての活動は、それらに内在する本性によって人類のフマニテートと文化にいっそう深い基盤を与え、この二つをさらに普及させるための手段であることだけを目ざしてきた。

水をかぶった最初の筏（いかだ）からヨーロッパ人の船に至る進展は何と大きなものか！　筏の案出者も、航海に必要な多種多様な技術や学問を案出した多数の者たちも、自分の発見したものを組み合わせると、何が生れるかを考えもしなかった。皆それぞれ自分の必要、もしくは好奇心という本能に従ったのであり、またどの試みも無駄になることがなかったのは、ひとえに人間の知性、および万物の連関の本性に起因するものであった。一度もヨーロッパ人の船を見たことのなかった島国の住民たちは、この巨大なものを目にして別世界の奇蹟であるかのように驚嘆し、これを自分たちと同じ人間が荒々しい大海を越えて自在に操るのを見てさらに目を丸くした。もしこれらの住民たちの驚きが理性に即した熟考に変わって、航海術というこの浮かんでいる技術の世界においてはどんなに大きな目的にもあらゆる小さな手段が用いられるというところにまで考えを及ぼすことができたならば、人間の知性に対する彼らの賛嘆はどれほど高まったことか。船という この一つの道具だけをとってみても、ヨーロッパ人の手の及ばないところが今も、そしてまた将来もあるだろうか？

しかも人類は航海術と同じく、わずかの年月のあいだに実に多くの技術を案出し、それらは大気、水、天と地へと力を広げた。それどころか、精神活動のこうした葛藤のうちにあったのはごくわずかの民族であるのに対して、他の大部分の民族は古来の慣習を枕にしてまどろんでいたことをわれわれが考慮するとき、また人類の案出のほとんどすべてがごく新しい時代に属するものでありながらそこには古い建造物あるいは古い制度の痕跡や残骸でわれわれの新しい歴史と結びついていないようなものは一つもないことをよく考えてみるとき、歴史に即して実証された人間精神のこうした活動性は、将来の無限の時代に向けて何と素晴らしい展望を与えてくれることか！　ギリシアが花咲いたわずか数世紀のあいだに、またわれわれの新しい文化のわずか数世紀のあいだに、世界のきわめて小さな一部分にすぎないヨーロッパにおいて、それもこのヨーロッパのきわめて小さな一部分において何と多くのことが考え出され、発明され、実行され、整えられ、来たる時代のために保存されてきたことか！　豊かな実りを約束する種子のように種々の学問や技術が一挙に芽を出し、或るものは他のものを養い、励まし、覚醒させた。ちょうど一本の弦に触れると音を出すものすべてがこの弦に共鳴するのみならず、その弦に共鳴したすべての音が最初に鳴り始めた音の余韻となってついには聴き分けられなくなるように、人間の精神もその内奥で共鳴する部分に一箇所でも触れられると、案出や創作に駆り立てられた。この精神が新たに響き合う箇所に遭遇したその瞬間に、すべてが関連している創造界においては、無数の新たな結びつきが生れざるをえなかった。

しかし、と誰もが言うのは、これらすべての技術や発明はどのようにして適用されてきたのか？　ということと、それによって実践的な理性と公正、したがってまた人類の真の文化と幸福もどのようにして高められてきたのか？　ということであろう。私の拠り所とするのは、少し前に創造の全領域における無秩序の進行について私が述べたこと、すなわち、内在する自然法則に従えば、あらゆる事物が自己に本質的なものとして求めようと努めるどのような持続も、秩序なしには維持されえないということである。子どもの手に握られた鋭利なナイフは子ども自身を傷つける。しかし、だからといってこうしたナイフを案出し、鋭利なものにした技術が最も不可欠な技術の一つであることに変わりはない。このような道具を使用する者のすべてが子どもであるわけでもないし、子どももまた痛みを通じてこれをもっと上手に使用することを学ぶ。専制君主の手に渡った技術上の優位や、秩序をもたらす法を持たない民族のもとでの不相応な奢侈(しゃし)も、同じように人を殺す道具となる。しかし、こうした危害それ自体が人間をいっそう賢いものにするのであり、奢侈のみならず専制政治をも創り出した技術も、遅かれ早かれこれら自体にまず制限を加え、それから本当に善いものに変えずにはいない。鈍い鋤刃(すきば)は長く使用していると自ずと研磨されるし、新しい車輪や駆動装置は動きが硬いものだが、回転しているだけでもいっそう快調で精巧な循環運動を行うようになる。同じように人間の諸力においても、度を超えた濫用は時とともに有益な使用へと変わる。両極端へ揺れ動くことを通じて、必然的に最後には規則正しい運動の中で持続する幸福の美しい中心が見出されるに至る。ただし人間界において起こるべきことだけは人間を通じて惹き起こされねばならない。神性による奇蹟を期待しえないわれわれは、われわれの諸力のより良い使用を自分で学ぶまでは、ずっと自業自得で苦しむ。

それゆえまたわれわれとしても、人間知性の良い活動はどれも必ずいつかはフマニテートを促進せざるをえず、実際に促進するだろうということを疑う必要はない。人間は農耕を始めてからは人間を喰べたり、どんぐりの実を食べることをしなくなった。人間は自分が同胞の肉や、どんぐりの実よりも、農耕の女神から与えられる甘美な贈り物によってのほうがいっそう人間らしく善良に立派に生きられることに気がつき、自分より賢い人間の定める掟によって、このように暮らすことを余儀なくされた。人間は家屋や都市を建設することを学んでから洞窟にはもはや住まなくなり、共同体の掟のもとでは哀れな他所者をもはや打ち殺さなくなった。同じように交易はさまざまな民族を互いに近づけた。そして交易の利点が広く理解されればされるほど、いつも交易における無分別のしるしでしかなかった殺人や抑圧や詐欺の類いは、それだけいっそう必然的に減少せざるをえない。有用な技術が増大するごとに人間の財産は確保され、苦労も軽減され、活動は拡大され、したがってまた必然的にさらに広範な文化とフマニテートへの基盤が置かれた。たとえば印刷術の案出ひとつで、どれほどの労力が軽減されたことか！　この案出によって人間の思想と技術と学問のいっそう大きな普及がどれほど促進されたことか！　たとえ今、ヨーロッパの始皇帝なる人物が現れて、この大陸の文献を根絶やしにしようとしても断じて不可能である[51]。もしフェニキア人、カルタゴ人、ギリシア人、ローマ人が印刷術を持っていたら、彼らの文献を消滅させることは、これらの民族を荒廃させた者たちにとってもそれほど容易ではなかったろうし、それどころか、ほとんど不可能だったであろう。野蛮な民族にヨーロッパを襲撃させるがよい。彼らはわれわれの戦争術には歯が立たないだろうし、アッティラといえども、黒海やカスピ海からカタラウヌム平原[52]まではもはや到達しないだろう。愚かな聖職者、臆病者、狂信者、暴君らがどれだけ出てきたところで、彼らは中世の闇を二度ともたらすことはない。そして人間的にして神的な技術がわれわれに光と秩序を与えてくれるだけでなく、この技術の本性に従って光を拡大し、確固としたものにすること以上にこの技術の大きな利益は考えられないとすれば、われわれとしては創造主が人類にとっては**知性**を、そしてこの知性にとっては技術をそれぞれの本質としてくれたことを感謝しようではないか。この二つのもの、つまり知性と技術の中にこそわれわれを護ってくれる世界秩序の秘訣と手段があるのだから。

道徳までも含めて、的確に考え出された多くの理論が、人類にあってきわめて長い時期にわたり相変わらず理論だけにとどまっていることについても心配する必要はない。子どもが学ぶのは大人になって適用できる分だけのものだ。しかし、だからといって子どもがこのようなものを学んでも無駄であったということにはならない。青年は自分が軽率にも忘れたことでも、いつかは苦労して思い出すだろう。さもなければ青年はそれを二度も学ばねばならないことになる。それゆえ、常に新たなものにされる人類にあっても、保持されてきた真理、そればかりか案出された真理でさえも、まったく無駄であるというわけではない。今は蔑ろにされていることでも、後に時代状況が変われば必要なものになるし、無限に存在する事象のどれもが何らかの方法で人類を訓練することにならざるをえない。そこでわれわれとしては、創造に際して混沌を創り出した力をまず思い起こし、次にその混沌の中で秩序を打ち建てる叡智と、調和のとれた慈悲を思い浮かべてみよう。そうすれば人類の自然秩序もこれと同じように、まず粗野な諸力を展開させることが分かる。混乱でさえもこれらの諸力を知性の軌道へと導かざるをえない。

そして知性が自らの作業を遂行すればするほど、それだけいっそう知性は次のことを、すなわち、慈悲のみがこの作業に持続性と完全性と美しさを与えてくれることを理解するのだ。

五　人間の運命においては賢い慈悲が支配している。それゆえこの慈悲の助言に従って活動することほど美しい品位と持続的で純粋な幸福はない(53)

歴史を具象的に考察する者が不幸にも歴史の中で神を見失い、摂理にも疑いをいだきはじめたのは、ひとえにこの考察者があまりにも歴史の表面しか見なかったか、あるいは摂理を正しく理解していなかったことに原因がある。もし実際このような考察者が摂理を次のように、すなわち、どの道を通っても出会うような幽霊、それも自分の空想や恣意のあれやこれやの特定の目的を達成するために人間のさまざまな行為の歩みを絶えず遮るべく定められた幽霊のように考えているならば、私も歴史がこのような摂理の墓であると認めはする。しかしそれはあくまでも真理のための墓なのだ。事実また、誰もが事物の秩序を乱す幽霊として、自分の狭隘(きょうあい)な企図の結託者として、取るに足らない自分の愚行を庇(かば)ってくれる仲間として利用できるような摂理とは、しかもついには世界全体が一人の支配者も持たないままでいるような結果をもたらす摂理とは、いったいどのようなものなのか？　私が歴史の中に探し求める神は、自然の中にいる神と同じ神でなければならない。なぜなら、人間は世界全体の一つの小さな部分にすぎず、人間の歴史は虫けらの歴史と同じように、自分の住む巣と内在的に織り合わされているからである。それゆえ、人間の歴史においても自然の諸法則が妥当しなければならない。すなわち、それらの法則は事物の本質のうちに含まれ、神性もほとんどそれらから逃れられないものである。したがって神性は、自ら基礎を置いたまさにこれらの法則において、摂理という形で、不変で賢く慈悲深い美しさをもって自己を開示する。地球上で起こりうるすべてのことは、それらのことが、自らの完全性をそれ自身のうちに持っている規則に従って生じるやいなや、地球上で起こらざるをえない。人間史に関わる範囲で本書がこれまで詳述してきたこうした規則を、繰り返し見ておくことにしよう。それらはどれもみな賢い慈悲、高次の美しさ、さらには内在する必然性そのものの特徴を有している。

1　われわれの地球上では、そこで生きることのできるすべてのものが生きていた。なぜなら、どの有機体もその存在自身の中で多様な諸力が結合し、これらの力は互いに制約しあい、こうした制約の中で持続のための最大値を得ることができたからである。これらの力が最大値を得なかった場合、それらは分散し、別の結びつき方をした。

2　このような有機体の中から地球創造の極致である人間もまた立ち現れた。無数の力が人間の中で結びつき、最大値である知性を獲得した。同じように、これらの力の物質である人間の身体も、最も美しい均整と秩序の法則に従って重心を獲得した。こうして人間の特性の中には自己の持続と幸福の土台、ならびに使命の刻印、そして地球上での使命の歩み全体が与えられていた。

3　理性とは人間のこのような特性のことをいう。なぜなら人間は神の言葉を創造のうちに聞きとるからである[54]。すなわち、人間は秩序の規則を探し求めるが、それは事物がこの規則に従って互いに関連しあいながら、それぞれの存在の上に基礎づけられているからである。それゆえ、人間の最も内奥にある法とは、存在と真理の二つを認識することであり、言ってみれば、さまざまな被造物の連関、それも被造物相互の関係と特性に従った連関を認識することなのだ。人間は神性の似姿である。なぜなら人間は自然の諸法則を探究するからである。これらの法則は、創造主が被造物を結びつけたときに拠り所とした思想であり、こうした思想を創造主は被造物の本質をなすものとした。したがって神性自身が恣意的に考えることがほとんどなかったのと同じように、人間の理性が恣意的に行動することもほとんどできない。

4　人間はきわめて切実な欲求から自然諸力の認識と検証を始めた。ただそのさい人間が目標としたのは自らの幸福、すなわち自己の諸力を落ち着きと訓練の中で均整を保ちながら使用すること以上のものではなかった。人間は他の存在物と調和のとれた関係に入った。そして今また人間という固有の存在は、このような関係の尺度となった。公正の規則が人間に迫ってきた。なぜなら、この規則は実践的な理性、つまり同種の存在物がともに存続することに向けられた作用と反作用の尺度にほかならないからである。

5　人間の本性はこのような原理に基づいているのだから、いかなる個人も他の個人あるいは子孫のために存在していると考える必要はない。最も低い次元にいる人間でさえも、自分の中にある理性と公正の法則に従うならば、この人間は一貫性を有している。すなわち彼は幸福と持続性を享受しているし、理性的で公正で幸福なのだ。彼がこのように存在できるのは、他の被造物、もしくは創造主の恣意によるからではなく、普遍的でそれ自身のうちに根拠を有する自然秩序の諸法則に従っているからである。もし彼が正義の規則を逸脱するならば、彼の誤り自体が罰として彼を混乱させざるをえず、それによって彼を自己の存在と幸福の法則としての理性と公正に立ち戻るように仕向けざるをえない。

6　人間の本性はきわめて多様な要素が組み合わされてできているため、人間が最短の道を通って理性と公正に立ち戻ることは稀である。人間は両極端のあいだを揺れ動いたあげく、自分自身でいわば自己の存在と折り合いをつけ、何とか我慢できる中心点に到達し、そこに自らの幸福があると考える。これに失敗すると、人間はその過失をひそかに意識し、かつその過失の結果を自ら引き受けざるをえない。しかし人間がこの結果を引き受けるのは、或る程度までにすぎない。というのも、運命が人間自身の努力によって好転するか、あるいは人間の存在がそれ以上は内在的に持続されなくなるかのいずれかだからである。最高の叡智といえども、人間の幸福のためにその身体的苦痛や道徳上の悪をこれ以上に利用することはできなかったし、事実また、それ以上の利益が人間にもたらされることも考えられない。

7　もし人間がたった一人で地球上に姿を現したとしても、この人間において人間存在の目的(55)は達成されていただろう。それはちょうどこの目的が、人類全体の連鎖から切り離された非常に多くの個人や民族にあっても、場所と時代に規定されて満たされていると見なさねばならないのと同じことだからである。地球上で生きることのできるすべてのものは、地球自身が持続状態にあるかぎり存続する。こうして人類もあらゆる類の生きものと同じように、自己を次の世代に植えつける諸力を自らのうちに有していた。これらの力は類全体に即してそれぞれ均整と秩序を見出すことができたし、実際そうしたのだ。したがって、人間の本質である理性とその器官である伝承は、何世代にもわたって受け継がれた。地球は次第に満たされ、人間はまさにこうした時期に地球上でなりえたすべてのものになった。

8　さまざまな部族と伝承が世代から世代へと自己を植えつけることによって、人間の理性も相互に結びつけられた。しかもこのように結びつけられたのは、あたかも人間の理性が、どの個人においても全体の一断片にすぎないかのように見なされたからではない。つまり全体なるものが一主体のどこにも存在しないので、人間の理性も創造主の目的でありえなかったからではなく、この個人という断片が人類全体の素質と連鎖を具備していたからである。人間が自己を次の世代に植えつけるのと同じように、動物もまた子孫を増やすが、動物のさまざまな種属から普遍的な動物理性が生れることはない。これに対して、人間の持続状態は理性によってのみ形成されるため、理性は人類の特性として次の世代へと植えつけられざるをえなかった。事実また理性を持たなかったら、人類はもはや存在しなかった。

9　理性が人類全体において有していた運命は、人類が個々の成員において有していた運命とまったく同じものであった。なぜなら、人類の全体とは実質的に個々の成員のうちにしか存しないからである。理性は人間の荒々しい情念によって、それも他の人間と結びついていっそう激烈なものとなった情念によってしばしば妨害され、自分の進むべき道から何百年にもわたって逸脱させられ、灰に埋もれたようになって、まどろんだままだった。このようなあらゆる無秩序に対して摂理が適用した手段とは、個人に与えた手段、すなわち誤りには禍が続き、どのような怠惰、愚行、悪意、無分別、不正もそれ自身が罰せられるという手段にほかならなかった。そして実際に人類はとにかくこれらの害悪に満ちた状態の中で大挙して姿を現すため、子どもは子どもでまた両親の罪を、国民は指導者の無分別を、子孫は祖先の怠惰を償わねばならない。そして人類がこれらの害悪を矯正しようとしなかったり、あるいは矯正できなかったりすると、人類はいくつもの時代にわたってこうした害悪のもとで苦しむことになりかねない。

10　それゆえ、人類全体の幸福が個々の成員自身にとっても最善のものとなる。[56] なぜなら、全体の有するさまざまな害悪のもとで苦しむ者は、こうした害悪を自身から遠ざけるとともに、これらを自分の同胞のために軽減させる権利と義務を自ら有しているからである。自然が頼りにしたのは統治者や国家ではなく、それぞれの領域における人間の幸福な状態であった。統治者や国家が自らの悪事や無分別を償うのは、個人がそうするよりも時間がかかる。というのも、前者はつねに全体しか考慮せず、しかもそこでは個々の貧しい者の悲惨さがずっと隠蔽されるからである。しかし最後には国家がこうした悲惨さを償うのであり、しかも国家の悪事や無分別は、それだけいっそう危険な崩壊でもって償われる。これらすべてに見られる因果応報の法則は、最小の物体の衝突における運動の法則と何ら変わるものではない。実際またヨーロッパの最高位の統治者も自分が治める国民の最下層の者と同じように、人類の自然法則の支配下にある。彼の身分が彼にこうした自然法則の管理人たることを義務づけたのであり、そのために彼はもっぱら他の人間から得たにすぎない権力によって、やはりまた他の人間のために賢くて慈悲深い人間神となることまでをも義務づけられたのである。

11　したがって放蕩な個人の生におけるのと同じように、歴史全般においても人類のありとあらゆる愚行や悪徳が出尽くすと、人間は最後にやむにやまれず理性と公正を学ぶに至る。何らかの形で起こりうることは実際に起こり、その本性に従って産み出しえたものを産み出す。この自然法則はいかなる力に対しても、たとえそれがどれほど常軌を逸したものであっても、作用を及ぼすことを妨げない。しかしこの法則は万物を次の規則のうちに、すなわち、一つの対抗する作用は相手の作用を無効にし、けっきょく有益なものだけがずっと存続するという規則のうちに万物を制限した。他のものを破滅させる悪は秩序に服従するか、さもなければ自ら破滅せざるをえない。実際また理性や徳性の備わった人間は、神の国のいかなるところにおいても幸福なのだ。なぜなら、理性は外面的な報酬をほとんど要求しないし、内面的な徳性もまたほとんどそうしたものを求めないからである。理性の仕事がたとえ外面的に失敗したとしても、それによって被害を受けるのは理性そのものではなく、その時代なのだ。しかし人間の無分別や確執が常に理性の仕事を阻害できるわけではなく、時節が来れば理性の仕事も成功を収めるだろう。

12　とにかく人間の理性は人類全体において歩みを続ける。この理性はまだ適用されえなくとも案出を行い、たとえ邪悪な手が長らくその案出を濫用しても案出を行う。濫用は自ずと罰せられるだろうし、無秩序も、まさにたえず成長する理性のたゆまぬ努力によって時とともに秩序へと姿を変えるだろう。この理性は情念と闘いながら自己を強化し、浄化する。そして一方で抑圧されると、他方へと逃れて地球全体に自己の支配圏を拡大する。それゆえ、いずれにしても次のように望むこと、すなわち、人間の住むところでは、いつかまた理性的で公正で幸福な人間が住むようになるだろうと望むことは決して妄想ではない。これらの人間が幸福なのは、自分自身の理性だけでなく、同胞たる人類全体に共通する理性によっているからである。

*

われわれ人類全体に関する普遍的な自然叡智のこうした高次の構想が自然全体の計画

であることを理解すればするほど、私はそれだけいっそう進んでこれに恭順の意を表する。世界の諸体系を維持し、どの結晶、どの虫けら、どの雪片をも形成する規則がわれわれ人類をも形成したのであり、今も維持している。この規則は人間が存在するであろうかぎり、人類自身の本性を人類の持続とさらなる活動の基礎とした。神のあらゆる活動はそれ自身のうちに持続性を有し、それ自身との美しい連関を持っている。なぜなら、これらの活動はどれも一定の限度内にあって、相互に対立する諸力の均衡に依拠しており、しかもこの均衡はこうした諸力を秩序づける内在的な力によっているからである。このような導きの糸を頼りにして私は歴史の迷路をくまなく歩き回っているが、いたるところで目にするのは調和のとれた神的な秩序である。なぜなら、何らかの形で起こりうることは実際に起こり、作用を及ぼしうるものは実際に作用を及ぼすからだ。しかし持続するのは理性と公正だけであり、これに対して愚かな考えと愚かな行為はそれ自身と地球を荒廃させるばかりである。

それゆえ、かの寓話[57]の伝えるように、ブルトゥスのような人間が短刀を手にしながら、ピリッピの夜空を仰いで「おお、徳よ、私はおまえが何がしかのものであると信じていたが、今となってはおまえが夢にすぎないことが分かった」と言うのを聞くと、私はこの最後の嘆きからして、彼が心の平静を保った賢者だとは思えないのだ。しかし彼は真の徳性を持っていた。だからこそこの徳性は彼の理性と同じようにそれまでつねに彼に報いてきたし、前述の瞬間にあっても彼に報いざるをえなかった。それに彼の徳性がたんにローマ人の愛国心にすぎなかったとしても、弱者が強者に、怠惰な者が活動的な者に譲歩せざるをえなかったことに何の不思議があろうか？　アントニウスの勝利も、そのあらゆる結果とともに、世界の秩序とローマの自然な運命にとって不可欠のものだったのだから。

同様に、われわれのもとでも有徳者がたえず次のように嘆くならば、すなわち、仕事がうまくいかないとか、地球上には暴力と抑圧がはびこり、人類はもっぱら無分別と情念の餌食にされているようだと嘆くならば、この有徳者の理性を司るゲーニウスよ、この有徳者に歩み寄り、やさしくこう尋ねるがよい。汝の徳性は真正なもので、知性および真に徳性の名に値する活動と結びついているか？(58)と。もちろんどんな仕事もいつも成功するとはかぎらない。しかしそれだからこそ仕事がうまくいくように、つまりその時間と場所に、そしてその仕事に内在する持続性を促進することで、仕事において真に善なるものだけがそのまま存続するよう努めるべきなのだ。粗野な諸力は理性によってのみ統御されうる。しかしこれらの力を秩序のもとに置き、その中で有効な力によって維持するためには、真の対抗力、すなわち賢明さと真剣さ、それに善意の十分な力が必要とされる。

かつて人類のために働き、努力が成就したことによる甘美な報酬を携えて、高次の国へと足を踏み入れたすべての賢者や善意ある人たちと親しく交際することを享受しながら、未来の生について考えるのは夢のように素晴らしいことだ。しかも歴史は、過去の非常に多くの時代における知性と公正を備えた人たちとの対話や交際というこの楽しい園亭の扉を、或る程度すでにわれわれのために開けてくれている。私の前にはプラトンが立っているし、向こうからはソクラテスが親しげに質問をしているのが聞こえる。と同時に私は彼の最後の運命に関わるのだ。マルクス・アウレリウス[59]が密かに自らの心と語るとき、彼は私の心と語ってもいる。そして哀れなエピクテトスの与える命令は、一介の国王のそれよりも強大なものだ。苦痛に満ちたキケロ[60]、不幸なボエティウス[61]は、私を信頼して自分の生の状況、それに魂の痛みや慰めを語りかけてくる。人間の心というものは何と広大で、また何と狭いものか！　人間のすべての苦悩と願望、弱点と欠点、享受と希望といったものも何とみな同じようなもので、かつ繰り返し現れることか！フマニテートの問題は私の周辺では多種多様に解決されているが、人間の努力の成果はどこにおいても同じであり、それは「人類の本質と目的と運命は、知性と誠実さに依拠すべし」というものだ。実際この成果以上に人間史の高貴な利用法はない。こうした利用法は、われわれをいわば運命の助言に耳を傾けるよう導くとともに、われわれ人間に、この取るに足らない形姿のままで神の永遠の自然法則に従って行動することを教えてくれる。またこうした利用法はあらゆる無分別の欠点と結果をわれわれに明らかにすることによって、最終的には次のような大きな連関、すなわち、その中では理性と善意が長いあいだ粗暴な諸力と闘っているが、それでもつねに自らの本性に従って秩序を創り出し、勝利の軌道にとどまっている大きな連関において、われわれに小さくも落ち着いた領域を割り当ててくれる。

これまでわれわれは古代の諸民族の薄暗い領野を苦労して歩き回ってきた。これからは喜び勇んでわれわれにずっと近い時代に向かい、古代の蒔(ま)いた種子から、それに続く時代のどのような収穫物が芽吹いているかを見ることにしよう。ローマは諸民族間の均衡を破った。このローマのもとで一つの世界が血を流して衰滅した。こうして破壊された均衡から、どのような新しい状態が、そしてまた、かくも多くの民族の灰燼(かいじん)から、どのような新しい被造物が姿を現すのだろうか?

第四部

ゲルマンの族(うから)を打ち建てるは、かほどに困難な大きい事業でこそあった。[1]

第十六巻

ここからわれわれは北方の古代世界の諸民族に目を向ける。これらの一部はわれわれの祖先であり、彼らからわれわれは習俗や体制を受け継いだ。したがって私はまず真理のために弁明する必要はないと思う。事実、アジアやアフリカの住民について書くことが許されても、アルプスやトロス山脈(2)の向こうでとうの昔に塵(ちり)に埋もれたすべてのものについてはもちろんのこと、それ以上にわれわれに関係の深い民族や時代についての考えを覆い隠さねばならないとすれば、いったいそれは何の役に立つだろうか？　歴史は真理を欲する。なかでも人類の歴史のための哲学は、少なくとも公平な真理愛を欲する。

すでに自然は地球のこの北方地域を、ムスターグ(3)、アルタイ(4)、キッツィヒターク(5)、ウラル、コーカサス、トロス、ヘームス(6)、さらにはカルパチア(7)、大アルプス(8)、ピレネーの名のもとに知られる一連の山脈によって仕切った(9)。これらの北側では天空も土地もその反対の南側とまったく異なるため、必然的に住民も南方の諸民族とは異なる形姿や生活様式を自分のものとせざるをえなかった。なぜなら、自然は地球全体において山脈以外の手段を通じてこれほど恒久的な差異を設けたことがなかったからである。これらの山脈にあって自然は永遠の玉座につき、そこから河川を送り出し、さまざまな気候をもたらし、風土のみならず諸民族の気質、さらには運命までをも配分する。それゆえわれわれが次のこと、すなわち、これらの山脈の彼方(かなた)の諸民族が、広大なタタール地方の塩や砂の湖(10)や乾燥大草原の周囲に、あるいは北方ヨーロッパの森や荒れ地に何百年、何千年と住みながら、ローマやギリシアの領土の最も美しい緑野にヴァンダル人(11)、ゴート人、スキタイ人、タタール人の生活様式を持ち込んだことと、こうした生活様式の特徴をヨーロッパが今なお多くの点で保持していることを耳にするとしても、それに驚いたり、文明化という偽りの外見によってわれわれ自身を欺いたりしないで、リナルドのように真理の鏡を覗き(12)、その中にわれわれの形姿を認めようではないか。そしてもしわれわれが父祖たちの野蛮さという仰々しい装飾品を今なお体のあちこちにつけているようならば、それらを人類唯一の真の装飾品である本物の文化とフマニテートと気高く取り替えようではないか。

そこでわれわれとしては、ヨーロッパ共和国(13)と呼ばれて名を馳(は)せ、また地球全体に対するさまざまな影響によって注目あるいは畏怖の的となった構築物へと歩みを運ぶに先立ち、積極的にせよ、消極的にせよ、この途方もなく大きな殿堂の建築に寄与した諸民族についてまず学び知ることにしよう。もちろん本書の扱う北方史の範囲はそれほど広くない。最も名の知られた民族にしてもローマ人までしか及ばないし、それに個人でも自分の誕生や幼年期の記録のことはほとんど知らないのと同じように、これらの民族、とりわけ野蛮で流浪を重ねた民族はそうしたものをほとんど知らない。われわれがいくつかのきわめて古い民族の生き残りに出会うのは、たいていまだ山地か僻地、または人跡未踏の地か荒涼とした土地においてのみだろう。しかもそのようなところでは、彼らの昔からの言語にせよ、あるいは残存するいくつかの古い習俗にせよ、彼らの起源を示すものはほとんどない。それに比べて彼らを征服した者たちは、いたるところ広大で美しい地域を占領した。そしてこれら征服者が他の民族によって追い払われなかった場合は、彼らはその地域を祖先の戦時法を盾に所有しつづけ、タタール風のいくらか野蛮なやり方で統治するか、あるいは時間をかけて手にした公正と知恵を駆使して統治する。さあ、汝ら山脈の彼方の温和な地域、インドとアジア、ギリシアとイタリアの沿岸地域よ、汝らとはここでひとまず別れるとしよう。今度われわれが汝らの大部分と会うとき、われわれはこれまでとは異なる形姿をとって、**北方からの征服者**(14)として現れるだろう。

一　バスク人[15]、ゲール人[16]、キムリ人[17]

かつてスペイン半島に住んでいた数多くの民族のうち、最古の時代から生き残っているのはバスク人だけである。彼らはスペインやフランスでピレネー山脈の周囲に今なお住みながら、世界最古の言語の一つである彼らの古い言語[18]を保持してきた。おそらくこの言語は、そのあらゆる変遷にもかかわらず、現在なおこの地域の都市や河川の多くの名称が示すように、かつてはスペインのほぼ全土に広がっていた。*1 鉄とならんでヨーロッパと全世界に最大の変革を惹き起こした銀(Silber)という金属の名称でさえ、彼らの言語に由来するとされる。[19] しかも伝承によれば、スペインはヨーロッパで最初に鉱山を開拓した国であった。なぜならスペインは、このヨーロッパという地域における最初の交易民族であるフェニキア人とカルタゴ人とも近くて好都合な位置にあったからだ。[20] すなわち、彼らにとってスペインは最初のペルーであった。バスク人やカンタブリア人という名で大変よく知られた民族でさえ、古代史においては敏捷軽快、かつ勇敢にして自由を愛する民族として姿を現していた。ハンニバルに従ってイタリアに向かった彼らは、ローマの詩人たちのあいだでは恐れられた名の一つだ。というのも、ローマ人がイタリアを征服するにあたって最も悩まされたのはスペインのケルト人とならんで、これらの民族だったからである。なるほど、アウグストゥスこそが彼らに対して最初に勝利を収めたことになっているが、おそらくそれは外見上のことにすぎなかった。ローマ人に仕えることを潔しとしなかった者たちは、山中に引きこもったのだから。ヴァンダル人、アラン人[21]、スエビ人[22]、ゴート人、それに他のテウトネス諸族[23]がピレネー山脈を荒々しく突破して、これらの民族のいくつかがその近辺に国を築いたとき、バスク人はまだ勇敢で血気にはやる民族であり、ローマ人のもとにあっても勇気を失わなかった。そしてカール大帝[24]がスペインのサラセン人[25]に対して勝利を収め、自分たちの国土を通って帰還したときも、彼らはまさに巧みな攻撃を仕掛け、あの古代の長編物語[26]で有名なロンスヴォー[27]での敗北、すなわち、あの偉大なローラン[28]も不帰の客となった敗北のきっかけを作った。後に彼らはスペインとアキテーヌ[29]において、かつてスエビ人やゴート人に対して行ったのと同じようにフランク人を苦しめた。またサラセン人の手から国土を奪い返したときも、彼らは大いに働いた。それどころか、修道僧による何世紀にも及ぶきわめて苛酷で野蛮な抑圧の時代にあってさえ、彼らは自らの性格を失わなかった。長かった夜が終わり、学問の曙光がヨーロッパを照らしはじめたとき、この曙光はプロヴァンス人の悦(よろこ)ばしき詩歌(30)を通じて、その近隣地方で、そしてまた一部は彼らの住んだ諸地域で堰(せき)を切ったように広まった。しかもこれらの地域は、後にフランスに多くの快活で明敏な頭脳の持ち主を産み与えた。われわれとしてはバスク人というこの敏捷で陽気な民族の言語や習俗や歴史について、もっと多くのことを知りたいと思うし、ゲール人にとってのマクファーソン(31)のように、彼らにも第二のラメンディが現れて、古代バスク人の国民としての精神の残骸をいくらかでも探究してもらいたいものだ。[*2] おそらくかの有名なローランの戦いの伝承(32)、すなわち伝説上の大司教チュルパン(33)によって修道僧叙事詩という形で中世のきわめて多くの長編物語や英雄叙事詩を産み出すきっかけとなった伝承は、バスク人のもとでも保持されてきたのだろう。たとえそうでなかったとしても、彼らの国土は少なくともトロイアに入る門(34)であった。そしてこの門はトロイアで起こったとされる波瀾に富んだ数々の出来事とともに、ヨーロッパ諸民族の想像力を長いあいだ豊かなものにしてきた。

*

ガリア人、もしくはケルト人という名前で最もよく知られたゲール人は、最終的にはバスク人と同じ運命を辿った。スペインでのゲール人は広大で美しい土地を所有し、そこでローマ人に対して名誉ある抵抗を行った。ゲール人という名前に由来するガリアの地で、彼らはカエサルに対しては一〇年におよぶ労苦を、またブリタニアでは彼の後継者たちに対してそれ以上の、しかも無益な労苦を嘗(な)めさせた。そのためついにはローマ人もこの島自体をあきらめざるをえなかった。そのほかイタリアの北部とドイツの南部、すなわちドナウ[35]河に沿ってパンノニア[36]やイリュリクム[37]にまで達するヘルヴェティア[38]も、たとえ全土にわたってびっしりとではないにせよ、ゲール人を母胎とする部族や移民たちによって占拠されていた。しかもこれより古い時代にあっては、あらゆる民族の中でゲール人がローマ人にとって最も恐るべき敵だった。ゲール人のブレンヌス王はローマを灰燼(かいじん)に帰せしめ、この将来の世界支配者をほとんど完膚なきまでに叩きのめした。ゲール人の進撃はトラキア、ギリシア、小アジアにまで達し、それぞれの地域でガラティア人[39]の名でしばしば恐れられた。しかし彼らが部族として最も永続的に、かつ何らかの文化を伴って定住した地域はガリアとブリタニア諸島だった。これらの地域で彼らはドルイド僧[40]による注目すべき宗教を有し、またブリタニアにおいては自らのドルイド大僧正を持っていた。これらの地域で彼らはあの注目すべき体制を整えたのであり、それはブリタニア、アイルランド、さらにはいくつかの島々に今なお存在する非常に多くの、そして一部は巨大な石造建築物や、(41)積み重ねられた石造物からも明らかである。これらの記念碑はピラミッドと同じように多分これからまだ何千年も残存するだろうが、おそらくずっと謎のままだろう。或る種の国家体制と軍事体制は彼らに特有のものだったが、けっきょくそれもローマ人の手に落ちた。というのも、ガリアの領主たちの足並みの不一致が、こうした体制それ自体を腐敗させたからである。他方また彼らは、自らを取り巻く状況の範囲内ではあったが、自然についての知識や種々の技術に欠けることがなかった。そして何よりも、どのような未開人にあっても民族の魂である歌謡にも彼らはまったく欠けていなかった。彼らの吟唱詩人の口から出るこれらの歌謡は、もっぱら父祖たちの武勇に捧げられ、その英雄的行為が歌い上げられた。*3 カエサルのような人物や、ローマ式戦術で完全武装したその軍隊に比べれば、もちろん彼らはなかば未開人のように見える。しかし他の北方諸民族や、いくつものゲルマン系の部族と比べるとそうは見えない。なぜなら、彼らは器用さや性格の快活さ、それにまた技術上の熱心さや文化や政治制度の点でも明らかにこれらの民族や部族を凌駕していたからである。事実、ゲルマン人の性格が今なお多くの基本的特徴においてタキトゥスの描くそれと似ているように、(42)すでに古代のガリア人のうちにも、たとえ時代がどのような変化をもたらしたとしても、近代のガリア人が見てとれる。とはいえ、ゲール人というこの民族からかくも大きく広がったさまざまな部族が地域、時代、状況、多様な形成段階に応じて、きわめて多種多様であったのも必然の成り行きだった。その結果、スコットランド、あるいはアイルランドの沿岸に住むゲール人は、ガリア人、あるいはケルティベリア人と、それも文明化した諸民族、もしくは諸都市の近くに位置することを享受してきたガリア人、あるいはケルティベリア人と、ほとんど共通点を持てなかったのだろう。

広大な地域に及んだゲール人の運命は悲しい結末を告げた(43)。われわれが彼らの最初期について有している報告(44)によれば、海峡のこちら側でも向こう側でもベルガエ人(45)、あるいはキムリ人と境を接していた彼らは、四方八方からこれらの民族に追い立てられているように見える。海峡のこちら側でも向こう側でも最初にゲール人を征服したのはローマ人であり、これにいくつかのテウトネス諸族が続いた。われわれは、これら征服者がゲール人をしばしば非常に残虐なやり方で抑圧し、衰弱させ、あるいは完全に根絶やしにし、追い払うのを目にするだろう。そのため今やわれわれがゲール人の言語に出会えるのは、彼らの領地の最も周縁に位置するアイルランド、ヘブリディーズ諸島、それにスコットランドの荒涼とした高地においてだけなのだ。ゴート人、フランク人、ブルグント人(46)、アレマン人(47)、ザクセン人(48)、ノルマン人(49)、それに他のゲルマン諸民族がさまざまに混じり合いながらゲール人の他の土地を占領し、彼らの言語を駆逐し、ゲール人という名称までをも呑み込んだ。

しかし、さすがにこうした抑圧によっても、種々の生きた文化遺産に見られるゲール人の内面の性格を、地球上から完全に抹殺することはできなかった。墳墓から響く優しくも悲しげな声が、すなわちフィンガル(50)の息子オシアンと、その何人かの仲間の声が竪琴の音のように穏やかにこうした抑圧から逃れ出たのだ。このような声は魔法の鏡のように昔の出来事や習俗をわれわれの眼前に描き出してくれるだけではない。そのような地域、そのような習俗におけるまさにそうした段階の文化を有する民族の考え方や感じ方の全体が、このような声を通じてわれわれの心や魂にも響いてくる。オシアンや彼の仲間は、古代のゲール人の内面状態について、歴史記述者が語りうる以上のものをわれわれに語りかけてくる。しかしそれだけではない。彼らはフマニテートを、それも人間社会の最も単純な結びつきの中でまだ生きているフマニテートを、いわば感動とともにわれわれに説き伝える者となる。いくつもの繊細な絆がこうしたフマニテートにおいても心から心へとつながっている。だが彼らの弦の一つ一つが奏でるのは悲しみなのだ。もしもゲール人がギリシア人で、オシアンがホメロスであったならば、ゲール人であるオシアンは自分の同胞にとって、ホメロスがギリシア人にとってなったものになりえただろう。しかしオシアンは、もっぱら追い払われた民族の最後の声として、荒涼とした霧深い断崖で歌うことによって父祖たちの墳墓の上で炎のように煌(きら)めき出る。これに対してイオニアに生れたホメロスは、多くの咲き誇る部族や島嶼(とうしょ)のあいだで生成しつつある民族のもと、その曙光の輝きの中で、オシアンとはまったく異なる土地で、まったく別の言語によって、自分の眼前にくっきりと明瞭に広々と展開されるものを描いている。しかもこれは後世の何人もの才人によって、さまざまな形で応用された。それゆえ、もしわれわれがカレドニアの山地にギリシア人のホメロスを探し求めるならば、それは明らかに間違っている。(51) だが汝、オシアンの霧の竪琴よ、いつまでも響き続けるがよい。汝の穏やかな響きに耳を傾ける者は、いつの時代においても幸福なのだ。[*4]

＊

キムリ人はその名称からして山地住民である。(52) しかし彼らがベルガエ人と同一民族であるとすれば、われわれが彼らに遭遇するのはアルプスからライン河の西岸に沿って河口に達する地域においてであり、さらにひょっとしたら彼らは、かつてはユトランド半島、それも太古の時代にはおそらくずっと広大な土地であったユトランド半島にまで達していたのかもしれない。キムリ人の一部は、自分たちのすぐそばに居住していたいくつかのゲルマン人部族によって、海の向こう側へと追いやられた。その結果キムリ人はブリタニアにおいてゲール人を圧迫し、間もなくこの地の東南沿岸を占領した。しかもキムリ人諸部族は海を挟んでつながっていたばかりか、多くの技術においてゲール人よりも熟達していたので、こうした状況からしても海賊行為を行うことほど容易なことはなかった。キムリ人はゲール人よりも野蛮な民族だったように思われるし、それにローマ人のもとにあっても風紀の点ではそれほど向上しなかった。そしてゲール人がキムリ人の土地から去ってしまうと、後者は野蛮と放埓との救いようのない状態に落ち込んだため、自らを救う民族としてローマ人を、あるいは不幸なことにザクセン人を国内に呼び込まざるをえなかった。事実、このドイツからの救援者のもとでキムリ人は非常な苦難を体験した。大群でやって来たザクセン人は火と剣を振りかざし、あっという間に荒廃をもたらした。人間はおろか種々の施設も容赦なく壊滅させられ[53]、国土は荒れ放題となった。こうして結局われわれが目にするのは、イングランドの西の端へ、ウェールズの山地へ[54]、コーンウォール[55]の片隅に追いやられるか、あるいはブルターニュ[56]へと逃げるか、あるいは根絶やしにされる哀れなキムリ人なのだ。彼らがその不実な友人ザクセン人に対して抱いた憎悪の念ほど激しいものはない。彼らはこの憎悪の念を何百年にもわたって、それも彼らが草木の一本も生えない山中に閉じ込められた後も、つい昨日のことのように心に抱いていた。彼らは長いあいだ孤立して生活していたが、そのことは彼らの言語、統治方法、習俗のあらゆる特性のうちに見てとれる。これらについては彼らの王室や侍従の服務規則の中に今なお注目に値する記述が見出される。[*5] しかしキムリ人にも**自分たちの**最後の時が訪れた。ウェールズの地は征服され、イングランドに併合されたのだ。ただキムリ人の言語だけはウェールズの地でもブルターニュでも保持され、現在でも保持されている。もっともそれは漠然とした残滓として保持されているにすぎない。それゆえ、彼らの言語の特性が数々の書物に書き留められていたのは幸運である。[*6] というのも、彼らの言語だけでなく、彼らと同じように追い払われた諸民族の言語も、いずれみな滅びてしまうことは避けられないだろうし、ブルターニュにおけるキムリ人の言語がその最初の事例となるかもしれないからである。事物の普遍的な歩みからすれば、民族のそれぞれの性格というものは次第に消滅していくものなのだ。

キムリ人がわれわれに残し、それによって人間の想像力に素晴らしい影響を及ぼしたものの中で最も注目に値するのは、彼らの王アーサーと円卓の騎士である。もちろんアーサー王についての伝承が書物に取り入れられたのは、ずっと後になってからのことであり、しかもこの伝承が物語文学風の装飾を身につけたのは、ようやく十字軍以後のことだ。元来この伝承はキムリ人のものであった。事実、アーサー王が支配していたのはコーンウォールであり、同地やウェールズにおける民間伝承では数多くの地名が今でもアーサー王の名を残している。キムリ人の移住先だったブルターニュにおいて、それも空想的な作り話を好むノルマン人の精神に刺激されて、この説話はおそらく初めて創られたのであり、それからいろいろな要素が付け加えられてイングランド、フランス、イタリア、スペイン、ドイツへと広がり、それどころか後には宮廷文学の中にまで入っていった。これに東方からの説話が加わり、種々の聖人伝はこれらすべてに神聖さと祝福とを与えねばならなかった。こうして騎士、巨人、魔術師マーリン[57]（これもウェールズの人）、妖精、竜、冒険家たちが寄り集まり、何百年にもわたって宮廷の騎士や貴婦人を楽しませた。アーサー王が実際いつごろ生きていたかを厳密に調べても無意味だろう。

しかしこの伝承と、そのさまざまな文学作品の根拠や歴史や影響を、これらの作品が隆盛を見たあらゆる国民や世紀を通じて探究し、人類の一現象として明らかにすることは、これらに関する立派な先行研究をふまえて行うならば[*7][58]、それは称賛に値する勇気ある行為であり、楽しいばかりでなく、有益でもあるだろう。

＊1　モレ[59]『ナバーラ[60]古代の歴史研究』（パンプローナ、一六六五年）第一巻。オイエナール[61]『両バスク地方[62]に関する報告』（パリ、一六三八年）第一巻。特にララメンディ[63]『三カ国語辞典』、『バスク語の完全性について』第二部を参照。

＊2　バスク語の完全性についての前述の広範な考察の一八節二〇におけるララメンディは、このようなものに思いを致すことができなかった。彼が『バスク語習得の技術』(64)においてこうしたものに何一つ言及しなかったことは、ディーツェ(65)による『スペイン文学史』の一一一頁以下から見てとれる。多分こうしたものへの記憶全体が失われているのだろう。

＊3　比較的古い著作において、たとえばルペルティエ(66)、ペズロン(67)、マルタン(68)、ピカール(69)らがそれぞれの著作においてケルト人について蒐集し、夢想したこと、またイギリス、スコットランド、アイルランドの学者であるバリントン(70)、コーディナー(71)、ヘンリー(72)、ジョーンズ(73)、マクファーソン(74)、メイトランド(75)、ロイド(76)、オーウェン(77)、ショー(78)、ヴァランシー(79)、ホイッテーカー(80)らが古代ブリタニアの住民の起源と社会構造について述べたことに加えて、われわれが挙げてもよい著作、それもこれらすべての学者の背後にあって批判的に言及されねばならない著作は、ドイツ人のシュプレンゲル(81)による『グレート・ブリテン史』(82)(『一般的世界史続編』第四十七部)であろう。ゲール人とキムリ人に関する冒頭の部分では、それ以前の多量の誤りがひそかに訂正されている。ブリトン人の残存する記念碑についても、著者のいつものやり方で簡潔な言葉による確実な報告が付されている。

＊4　奇妙に思われるのは、フィンガルとオシアンをめぐって本家争いをしているスコットランド人(83)とアイルランド人(84)という二つの民族のいずれもが自己の正当性を主張できていないことだ。なぜなら、彼らはオシアンの最も美しい歌謡を、今なお伝来のままであるはずのその

原初の歌い方を伴わずに編纂しているからである。この歌い方を捏造するのはほとんど困難だろう。それに原典における歌謡自体の構造も、これに語釈と適切な注釈が付されれば、その正当性が主張されるのみならず、ゲール人のアリストテレスであるブレア[85]以上に彼らの言語、音楽、詩歌に関して多くのことを教えてもくれるだろう。この種のゲール詩文選は、これらの詩が生れた国の人々にとって一種の規範的著作となるべきものであろう。というのも、こうした著作を通じてその言語の最も美しいところが永遠に保存されるだろうからだ。しかしそれだけでなく外国人にとっても、多くのことがそこから引き出されるだろうし、まさにそれによってこの種の書物は人類の歴史にとってずっと重要なものであり続けるだろう。

＊5　シュプレンゲル[86]による『グレート・ブリテン史』三七九―三九二頁。

＊6　ボーアレイズ、ビュレ[87]、ロイド、ロストルナン[88]、ル・ブリギャン[89]、および聖書翻訳[90]においてて。しかしアーサー王とその従者についての文学伝承[91]はその元来の姿ではまだ十分に研究されていない。

＊7　『イギリス文学史』に所収の、ヨーロッパにおける空想的文学の起源に関するトマス・ウォートン[92]の論文、および『イギリス文芸』(第三巻―第五巻)に所収のエッシェンブルク[93]によるドイツ語訳は、この点についても有益な抜粋集となっている。しかしこの論文は明らかに誤った体系に従っているため、全体としてはおそらく別の形態をとる必要があろう。パーセル[94]による著作と『物語叢書』、それにチョーサー[95]、スペンサー[96]、シェイクスピアなどに関

するイギリス人学者による考古学の著作、デュフレーン[97]などによる何人もの古代の歴史家に関する注釈の中には、さまざまな資料が十分に含まれている。シュプレンゲルによる『グレート・ブリテン史』は、この混沌に秩序をもたらし、教示に満ちた光をあててくれるだろう。

二　フィン人[98]、レット人[99]、プロイセン人[100]

　フィン人の部族は（この部族の一系統であるラップ人[101]の場合と同じように、名称の由来はほとんど知られておらず、彼らは自らを**スオミ**と称している）、現在もなおヨーロッパの最北端に及び、さらにはバルト海沿岸からアジアにまで達している。それ以前の時期にはフィン人は、きっともっと南方にまで広がっていたことだろう。ラップ人とフィン人のほかにヨーロッパでこの部族に属するのは、イングリア人[102]、エストニア人[103]、リーヴ人[104]である。これに加えてコミ人[105]、ペルミャク人[106]、ヴォグル人[107]、ヴォチャーク人[108]、チェレミス人[109]、モルドヴィン人[110]、ハンティ人[111]、オスチャーク人などがこの部族と同系統である。同じくハンガリー人[112]あるいはマジャール人[113]も、それぞれの言語を比較してみると同じ系統の民族であることが分かる。*8 かつてラップ人とフィン人がノルウェーやスウェーデンにおいて、どの程度まで南方におりてきて生活していたかは定かではない。しかし確実なのは、彼らがスカンジナビアのゲルマン人[114]によって北へ北へと追いやられ、ついには現在彼らの居住している北端の地にまで至ったことだ。彼らの部族が最も活動していたのはバルト海沿岸と白海沿岸[115]においてであったように思われる。この地域で彼らはいくらかの交易のほかに海賊行為も行っていた。ペルミ[116]あるいはビャルマランド[117]においては彼らの偶像神ユマラ[118]が野蛮で壮麗な神殿に祀られていた。それゆえ、ここにはとりわけ北方ドイツの野心家たちがやって来て、交易や略奪を行い、多大の犠牲を強いた。しかしフィン人自身は、どこにあっても独自の文化を形成するほどの成熟に達することはできなかった。それはおそらく彼らの能力が足りなかったのではなく、その恵まれない位置のせいであった。彼らはゲルマン人のような好戦的な民族ではなかった。事実また何世紀にもわたる抑圧を経た現在においても、ラップ人、フィン人、エストニア人の民間伝承や歌謡[119]は、どれもみな彼らが心やさしい民族であることを示している。しかもこれらの民族は互いにほとんど結びつきがなく、多くは政治体制を持たないまま暮らしていたので、他の民族が攻め寄せてきたときには実際になるようにしかならざるをえなかった。すなわち、ラップ人は北極まで追いやられ、フィン人、イングリア人、エストニア人は征服されて奴隷となり、リーヴ人に至っては、ほとんどまったく根絶やしにされた。概してバルト海沿岸の諸民族が辿った運命は、人類の歴史に悲しい一頁を綴っている。

フィン人の部族から出て、征服者の仲間入りをした唯一の民族は、ハンガリー人あるいはマジャール人である。最初のうち彼らはヴォルガ河[120]とヤイク河[121]のあいだのバシキール人[122]の土地に居住していたと思われる。それから彼らは黒海とヴォルガ河のあいだに、一つのハンガリー王国[123]を建設したが、分裂した。それで彼らはハザール人[124]の中に入ったものの、ペチェネグ人[125]によって分割されたため、一部はペルシアとの国境にマジャール帝国[126]を建設し、また一部は七つの集団となってヨーロッパに向かい、ブルガール人[127]と激しい戦いを繰り広げた。ブルガール人によって奥深くにまで攻め込まれていた皇帝アルヌルフ[128]が、当面の敵であるモラヴィア人[129]との戦いに専念できるようにとハンガリー人を呼んだのだ。こうしてハンガリー人はパンノニアを出て、モラヴィア、バイエルン[130]、北部イタリア[131]へと押し寄せ、恐ろしいまでの略奪を行った。火と剣を手にした彼らはテューリンゲン[132]、ザクセン[133]、フランケン[134]、ヘッセン[135]、シュヴァーベン[136]、エルザス[137]からフランスに至るまで荒し回り、再びイタリアに入り、ドイツ皇帝[138]から、屈辱となるような貢ぎ物を巻き上げた。しかしペストによって、あるいはザクセン、シュヴァーベン、ヴェストファーレン[139]においてハンガリー人の軍勢は無残このうえない敗北を喫し、その結果ドイツ王国[140]は彼らの攻撃を免れたばかりか、彼らのハンガリー自体がローマ教皇の領地となった。現在の彼らはスラヴ人、ゲルマン人[141]、トラキア人[142]その他の民族に混じって、それぞれの国の少数住民となっているが、数世紀もすれば彼らの言語はおそらくほとんど見られなくなるだろう。

＊

バルト海沿岸に住むリトアニア人(143)、クール人(144)、レット人の起源は明らかでない。それでも彼らがこれ以上は先がないところまで追いやられたことは確かだろう。彼らの言語は他の諸言語との混淆(こんこう)にもかかわらず、独自の特性を有しており、おそらくは遠方の地域に由来するきわめて古い言語の一分派だと思われる。平和を好むレット人は、ゲルマン人、スラヴ人、フィン人といった民族のあいだにあって、どこにも広がることも、ましてや自己を洗練することもできなかった。けっきょくレット人が最も注目を集めたのは、隣人のプロイセン人の場合と同じく、これら沿岸住民すべてに加えられた暴力行為、それも新たに改宗させられたポーランド人(145)、あるいはドイツ騎士団(146)と、これに加勢した者たちによって加えられた暴力行為を通じてであった。＊9 このような長期に及ぶ残忍な戦争において流された血に対して、人間たるものは戦慄を禁じえない。こうして古代プロイセン人(147)はほとんど根絶やしにされた一方で、クール人とレット人は奴隷にされ、今なおその軛(くびき)のもとに喘(あえ)いでいる。彼らから軛が取り外されるまでには、そしてまたこれらの温和な民族から土地や自由を奪った残虐行為に代えて、彼らが人間としていっそうの自由を享受し、かつ自らこれを行使できるように新たに自己を形成するまでには、おそらく何百年という年月を要するだろう。

追い払われ、征服され、根絶やしにされた民族について、われわれは十分に目を向けてきた。そこで今度はこれらの民族を追い払い、征服した民族について見ることにしよう。

＊8　**ビュットナー**による『文字種類の比較一覧表』[148]、**ガッテラー**による『普遍史序論』[149]、**シュレーツァー**による『一般北方史』[150]などを参照。なかでも、この『北方史』(『一般的世界史続編』第三十一部)は、諸部族と北方諸民族の古代史に関する国内外の研究の貴重な集成であり、**イーレ**[151]、**ズーム**[152]、**ラーゲルブリング**[153]らの研究を、このような方法で集成してほしいという思いを強くしてくれる。

＊9　プロイセン民族については、**ハルトクノッホ**[154]、**プレトリウス**[155]、**リーリエンタール**[156]などによる有益な準備作業や集成をもとに、簡潔な歴史が書かれることが望ましい。しかし、ひょっとしたらそれは私の知らないうちに、もう刊行されているかもしれない。地球のこの小さな一隅は、激励されることもなく、自分の歴史と近隣諸民族の歴史のために大いに貢献してきた。**バイエル**[157]という名前一つだけでも多くの名前にまさっている。とりわけヴァイクセル

河畔[158]の古代プロイセンの社会体制、それもヴィーデヴート[159]のような人物を創設者と呼び、クリーヴェと呼ばれるプロイセン人の最高位のドルイド僧のもとでの体制は、この民族の全部族も含めて依然として研究に値する。リーフラント[160]の歴史については、アルント、[161]フーペル[162]などが注目すべき名前である。

三　ゲルマン諸民族(163)

われわれが踏み入る民族や部族は、他のどんな民族にもましてヨーロッパ大陸の幸福ならびに不幸に寄与してきた。その原因は、彼らの体格と体力、その進取的で大胆で不撓不屈の戦闘心、たとえどこであれ一団となって指揮官に従い、征服した土地を獲物として仲間で分けるという奉仕的英雄精神、それゆえまた広範囲にわたる侵略とその周囲のいたるところでゲルマン風のやり方によって樹立した体制にある。黒海からヨーロッパ全土にわたってゲルマン人の剣は恐怖を呼び起こした。かつてゴート人の国はヴォルガ河からバルト海にまで及んでいた。トラキア、モエシア(164)、パンノニア、イタリア、ガリア、スペイン、それにアフリカにおいてさえも、さまざまな時代に、さまざまなゲルマン民族が居住し、国を建設した。ローマ人、サラセン人、ゲール人、キムリ人、ラップ人、フィン人、エストニア人、スラヴ人、クール人、プロイセン人を追い払ったのはまさにこれらゲルマン民族であり、そればかりか、彼らは自らも互いに駆逐し合った。

こうして彼らはヨーロッパに今日のすべての王国を建設し、自分たちの身分関係を持ち込み、法を制定した。[165]彼らは一度ならずローマを占領し、征服し、略奪した。さらにはコンスタンティノープルを何度も攻囲し、自ら同地を支配し、エルサレムではキリスト教の王国を建設した。そして彼らは現在もなお、一部は彼らがヨーロッパのすべての玉座に送った君主を通じて、また一部はこれらの君主自身が樹立した王位そのものを通じて、所有者として、あるいは商工業によって、多かれ少なかれ地球の四大陸すべてを支配している。ちなみに原因なくして結果はないのだから、一連のこうした途方もない結果にもそれぞれ原因があるにちがいない。

1　**こうした原因は、おそらくこの民族の性格だけにあるのではない。彼らの置かれた自然上および政治上の位置、さらには他の北方民族にあっては決してこのようには出揃わなかった無数の状況も、この民族による所業の進展に影響を及ぼした。**彼らの大きく強健で立派な体格と、その恐ろしく碧い目は、忠誠と節制の精神によって生命を吹き込まれた。そしてこの忠誠と節制こそが彼らをして、上司に対しては従順に、攻撃においては大胆に、危険に際しては粘り強くするとともに、他の民族、とりわけ無節制なローマ人にとっては、味方としては好ましい存在に、敵としては恐ろしい存在にした。古くはローマの軍隊に仕えていたゲルマン人は、特に選ばれて皇帝護衛の任にあたっていた。しかもローマ帝国が危急に瀕して自らを救うことができなくなったとき、傭兵として誰とでも、つまり自分の同胞とさえも戦ったのはゲルマン人の軍隊であった。何世紀も続いたこの傭兵制度によって、ゲルマン民族の多くは、他の野蛮な民族には未知のものであらざるをえなかった戦争術や軍律を手に入れただけでなく、ローマ人という実例を通じて、そしてまた彼らの弱点を知ることによって次第に自分たちの力で征服を行い、ゲルマン民族として遠征を行うことに味をしめるようになった。今はこうも堕落したローマも、かつては諸民族を征服し、厚かましくも世界の支配者と名乗ったのだから、いったいゲルマン人がそうしてはならない理由があろうか？　それに彼らの手助けなしにはローマとて何一つ権力を振るうことができなかったというのに。こうしてローマ人の諸国に対する最初の攻撃は、テウトネス人[166]やキンブリ人[167]による古代における侵攻を別にして、アリオヴィスト[168]、マルボド[169]、ヘルマン[170]といった進取の気性に富んだ者たちを嚆矢とするならば、国境の諸民族、あるいはローマ帝国の戦術に通じ、自らもしばしばローマ軍に雇われていた指揮官たちによるものだった。というのも、彼らはローマのみならず、後にはコンスタンティノープルの弱点をも十分に知るようになっていたからである。そのうえこれらの民族のいくつかは、自分たちが救ってきたものを自分自身のために保持したほうがよいと考えた時点で、まさにローマ帝国の救い主ともなった。ところで、弱い富者が強い貧者と隣接していて、しかも前者にとって後者が不可欠なものである場合は、必然的に後者が優勢となり、支配権を得るに至る。事実またここでもローマ人はゲルマン人に、すなわちヨーロッパの中央において、まさにローマ人の鼻先に居を定め、やがて切羽詰まったローマ人が自らの国家あるいは軍隊の中に受け入れたゲルマン人に主権そのものを譲渡した。

2　**われわれドイツのいくつもの民族が、ローマ人に対して長期にわたって行わざるをえなかった抵抗は、自ずとこれら民族の力と、この不倶戴天の敵に対する憎悪を強め、そしてゲルマン諸民族はローマ人に対する勝利を、他のどのような敵に対する勝利よりも誇りとした。**ライン河のみならず、ドナウ河沿岸においても、ローマ人はゲルマン人にとって危険な存在であった。ゲルマン人はガリア人や他の民族と戦うことによってローマ人に喜んで仕えてはいたが、それでも自ら敗北者となってローマ人に仕えることを潔しとしなかった。こうして今やアウグストゥスから始まる長い戦争は、ローマ人の帝国が衰弱するにしたがって、ますます侵略や略奪へと姿を変え、帝国の滅亡をもって終わらざるをえなかった。いくつもの民族がローマ人に対抗すべく結んだ**マルコマンニ連合やシュヴァーベン連合**(171)、遠隔地の部族も含めてすべてのゲルマン人部族が従った**総動員令**、すなわちそれぞれの成員を**抗戦**に向けて共闘する戦士にした**総動員令**、およびその他の多くの制度が、ゲルマン民族全体にゲルマン人、あるいはアレマン人、すなわち団結した戦士たちという名称だけでなく、体制をも与えた。これは数世紀後にヨーロッパのすべての国民に広められた制度の荒々しい前奏曲であった。[*10]

3　このような軍事体制がずっと続いたため、ゲルマン人には当然いくつもの他の徳性が不足せざるをえなかった。というのも、彼らは他の徳性をも自分たちの主要な傾向、もしくは主要な欲求である戦争に捧げることに必ずしも消極的ではなかったからだ。彼らは農耕をそれほど一生懸命に行わなかったばかりか、多くの部族においては耕地が年ごとに新たに配分されるために、土地の所有や耕地の改良に結びつきうるような満足感が与えられないままであった。[(172)] いくつかの部族、なかでも東方の部族は長いあいだタタール風の狩猟および牧畜民族のままであった。共有の牧草地とか、全体の所有物とかいう粗雑な観念は、これら遊牧民族の好んだものであり、彼らはそれを自分たちの征服した土地や国の制度の中にまで持ち込んだ。こうしてゲルマーニアの地は、ずっと草原や湿地や沼地の多い森林のままであり、そこにはオーロックスと呼ばれたウシや大シカ、それに今は絶滅したゲルマーニアの雄々しい動物たちがゲルマン人の英雄とともに棲んでいた。学問は彼らの関知しないところであり、わずかではあっても彼らに不可欠だった技術は、女性ならびに大部分が略奪されてきた奴隷たちの手になるものだった。このような民族にとっては報復、困窮、退屈、群れること、あるいは他の要求に駆られて自分たちの不毛な森を見捨て、よりよい土地を探すか、傭兵となることが自らの意志に適うことであったにちがいない。そのため、少なからぬ部族は協力して同盟を結ぶか、あるいは相争うか、とにかく絶えず動乱の中にあった。いかなる民族も(ごく少数の定住した部族を除いて)ゲルマン人ほどあちらこちらと移動して回った民族はない。それも一つの部族が移動を始めると、多くの部族がこれに続くことがほとんどであり、その結果、このような一群はたちまち一大軍勢となった。ヴァンダル人やスエビ人など多くのゲルマン民族は、あちらこちらと放浪し、移動して回ることからその名称を得ている。こうして陸路を進む民族もあれば、海路を進む民族もあった。それはほとんどタタール風の生活であった。

*

それゆえゲルマン人の最古の歴史においては、われわれの近代的体制が好みそうな場所にあえてこだわらないように注意しなければならない。古代のゲルマン人はこのような体制とは無関係であり、彼らは他の諸民族の流れに従っただけなのだ。西に向かってはベルガエ人やゲール人のところまで押し寄せ、ついには多くの部族の真っ只中に定住するに至った。彼らは東に向かってはバルト海まで達したが、海上では略奪することも、先へ進むこともできず、さりとて砂浜では生活を維持するわけにもいかなかったので、とにかく機会をとらえて自然に南へと向きを変えて、誰もいない土地に移り住んだ。ローマ帝国に侵入した民族の多くが最初はバルト海沿岸に居住していたのは、このような理由からである。しかしこれらは比較的まだ未開の民族にすぎず、彼らがバルト海沿岸に居住していたからといって、そのことがローマ帝国滅亡[173]の原因となったわけでは決してなかった。その原因は遠く隔たった**アジアのモンゴル**にあった。というのも、同地では西方のフン族[174]がウイグル人[175]や他の民族によって押し出されたからである[176]。ヴォルガ河を越えたフン族は、ドン河[177]でアラン人と、また黒海ではゴート人の大王国と遭遇し、これらと戦った。そして今やもっぱら南方にいたゲルマン諸民族、すなわち西ゴート人と東ゴート人[178]、ヴァンダル人、アラン人、スエビ人が移動を始め、これらにフン族が続いた。ザクセン人、フランク人、ブルグント人、ヘルール人[179]についてはまたこれとは別の事情があった。たとえばヘルール人は、自らの血を売った戦士として、ずっと以前からローマの傭兵になっていた。

われわれはまた、これらの民族がすべて同一の習俗、もしくは同一の文化を有していたなどと言わないよう注意しなければならない。このことは、彼らが征服した諸民族に対する彼ら自身の種々異なった振舞いからも明らかである。ブリタニアにおける粗暴なザクセン人、スペインにおいて略奪を行うアラン人やスエビ人は、イタリアにおける東ゴート人、あるいはガリアにおけるブルグント人とは違う振舞いに及んだ。ローマとの境界付近に位置する自分たちの植住地や交易地に隣接しながら、つまり西方もしくは南方に住んでいた部族は、北方の森や荒涼とした海岸地方からやって来た部族よりも温和で柔軟な性格だった。したがって、たとえばゲルマン人のそれぞれの集団が、スカンジナビアのゴート人の神話[180]を自分の創意になるものだと主張するならば、それは思いありというものだろう。いったいこれらゴート人の行かなかった場所があろうか？　しかも彼らの神話は、後に洗練されるにあたって、どれほど多くの道を歩んだろうか？　それゆえ、おそらく太古の勇敢なゲルマン人に固有のものとしては、父、英雄、大地、そして最高指揮官を意味するトイトもしくはトゥイスト、マン、ヘルタ、ヴォーダン[181]よりほかには何もない。

しかしそれでもわれわれは、少なくともゴート人の同胞として、ゲルマンの物語体系[182]という太古の財宝を持っていることを喜んでよい。この財宝とは北方のエッダのことであり、人の住む世界の果てにあるアイスランドにおいて保存もしくは蒐集され、ノルマン人やキリスト教徒の学者たちのさまざまな伝承によって、著しく豊富なものにされた。

これはゲルマン民族の一部族の言語と思考様式が記録されたものの集成として、もちろんわれわれにとっても大いに注目に値するものである。これら北方人の神話をギリシア神話と比較することは、研究の方法次第で有益なものにもなりうるし、また無益なものにもなりかねない。そして何よりも無意味なのは、これらの吟唱詩人の中にホメロスあるいはオシアンを期待することだろう。そもそも大地がいたるところ同一の果実を産み出すことがあろうか？　この種の非常に高貴な果実は、それぞれの民族や時代が長い時間をかけて準備した稀有な状態の産物ではないだろうか？　だからわれわれは、これらの詩や伝承にあっては、その中に見出されるものを、つまり粗削りで大胆な詩作や、強固で純粋で誠実な感情に固有の精神を、われわれの言語の核心が技巧的にすぎるほどに使用されている[183]点も含めて大切にしようではないか。そしてこれらの国民的財宝の保存、ならびに伝達に携わるそれぞれの人に感謝しようではないか。というのも、彼らはこうした財宝のいっそう普遍的で有効な使用に貢献しているからである。古今の時代において、これに輝かしい貢献をした人たち*11[184]に、私としては今の時代からズームを人類史のためにも感謝と尊敬の念をもって加えたいと思う。彼こそがアイスランドからこの美しい北極光に新たな輝きを添えて、煌めかせて見せてくれているのだから。彼自身はもちろん、他の人たちもこの光をわれわれの知識圏に導き入れ、正しく使用できるように努めている。ただ残念ながら、われわれドイツ人は自分たちの古代の言語財宝をあまり多く提示することができない。[*12] われわれの吟唱詩人が口にした歌は失われてしまった。

ゲルマン諸民族がキリスト教を受け入れたとき、彼らはあたかも自分たちの王や貴族のために戦うように、この宗教のために戦った。事実またアレマン人、テューリンゲン人、[185] バイエルン人、[186] ザクセン人といった民族が自身の剣にかける真の忠誠心を経験したのみならず、哀れなスラヴ人、プロイセン人、クール人、リーヴ人、エストニア人までがこの忠誠心をいやというほど経験させられた。ゲルマン諸民族の誇りとなったのは、後に侵攻してくる野蛮人たちに対して、生きた壁として立ちはだかったことである。というのも、この壁によってフン族、ハンガリー人、モンゴル人、トルコ人[187]の凶暴な振舞いが粉砕されたからだ。このようにゲルマン諸民族は、なるほどヨーロッパの大部分を征服し、植民地とし、自分たちのやり方で組織したが、これを保護し、防御してきたのも彼らであった。もしそうでなかったら、ヨーロッパで現実に起こったことは起こりえなかっただろう。このように、他の諸民族の中でのゲルマン諸民族の位置、戦時同盟、[188] 部族の性格は、ヨーロッパの文化と自由と安全の基盤となった。しかしゲルマン諸民族の政治上の位置が、ヨーロッパ文化の歩みを遅らせる原因とはならなかったのか？　これについては歴史という非の打ち所のない証人が報告してくれるだろう。

＊10　時代や部族や地域によって大きく異なっていたゲルマン人の諸制度を詳細に描くことは、ここでは意味のないことだろう。というのも、それらの制度で諸民族の歴史に移し入れられたものは、時期が来れば十分に明らかにされるだろうからである。メーザー[189]はタキトゥスによるきわめて多数の説明に従って、それらの制度について自分の地域をもとに記述しているが、それは美しい調和を保ったほとんど理想的な体系であるとともに、個々の点でもまったく真実であるように見える。メーザーによる『オスナブリュック史』第一巻、および『愛国的夢想』のあちらこちらを参照。

＊11　ザイムンド[190]、スノッリ[191]、レゼニウス[192]、ヴォルミウス[193]、トルフェーウス[194]、シュテファニウス[195]、バルトリン[196]、カイスラー[197]、イーレ[198]、ゲーランソン[199]、トルケリン[200]、エリクソン[201]、マグヌスソン[202]、アンケルセン[203]、エッガース[204]など。

＊12　シルター[205]による『古代ゲルマン語彙集』においては、あちこちに見られるわずかなものに現今のものを加えたとしても、それほど多くのものは見られない。

四　スラヴ諸民族[206]

スラヴの諸民族が歴史において果たした役割は、彼らが地球上において占める国土に比べるとずっと小さい。その最も大きな原因は、彼らがローマ人から遠く離れて暮らしていた点にある[207]。われわれが彼らの存在を最初に知るのはドン河の流域においてであり、後にはドナウ河流域においてである。前者において彼らはゴート人に混じって、また後者においてはフン族やブルガール人に混じって暮らしていた。彼らはしばしばフン族やブルガール人とともにローマ帝国をひどく脅かしたが、ほとんどの場合それはただ引き連れられて、援助あるいは奉仕する集団としてであった。彼らは時としてこのような所業を演じたけれども、ゲルマン人のように貪欲で、戦争や冒険を好む民族では決してなかった。むしろ彼らはゲルマン人の後にこっそり続き、ゲルマン人が見捨てていった土地や国土を占領し、そしてついに一方ではドン河からエルベ河[208]に至り、他方ではバルト海からアドリア海[209]に至る広大な領地を獲得した。彼らの居住地は、リューネブルク[210]からメクレンブルク[211]、ポンメルン[212]、ブランデンブルク[213]、ザクセン、ラウジッツ[214]、ボヘミア[215]、メーレン[216]、シュレージエン[217]、ポーランド、ロシアを経て、カルパチア山脈のこちら側へと広がってきた。ちなみに彼らはこの山脈の向こう側では、すでに早くからワラキア[218]やモルダヴィア[219]に居住していたが、さまざまな偶然に支えられてどんどん遠くへと居住地を拡大し、ついには皇帝へラクレイオス[220]によってダルマチア[221]においても受け入れられるに至った。こうして次第にスラヴォニア[222]、ボスニア[223]、セルビア[224]、ダルマチアといった王国が彼らによって建設された。パンノニアにおいても同じように数を増していった彼らは、フリウーリ[225]からドイツの東南端にも移り住んだため、彼らの居住地域はシュタイアーマルク[226]、ケールンテン[227]、クライン[228]ともしっかりと結びつくことになった。これはヨーロッパにおいて一つの民族の大部分が今なお居住している最も巨大な地域である。彼らはいたるところに居を定めるが、それは他の民族が見捨てた土地を所有し、これを入植者、牧羊者あるいは農耕者として耕作し、利用する形で行われた。それゆえ、ありとあらゆる略奪、侵攻、引き揚げを経験したこれらの土地にとって、彼らの物静かで勤勉な存在は有益なものであった。彼らは農業を愛し、好んで家畜の群れや穀物を蓄え、屋内でのさまざまな手工業を大切にするとともに、どのような土地にあっても自らの勤勉の産物によって有用な交易を始めた。彼らはリューベック[229]からバルト海に沿って、いくつもの港湾都市を築き、なかでもリューゲン島[230]のヴィネータ[231]はスラヴ民族のアムステルダムだった。こうして彼らはプロイセン人、クール人、レット人とも結びつくようになったが、それはこれらの民族の言語が示すとおりである。彼らはドニエプル河畔[232]にキーウ[233]を、ヴォルホフ河畔[234]にノヴゴロド[235]を建設した。これらの都市は黒海をバルト海と結びつけ、東洋世界の産物を北方ヨーロッパや西方ヨーロッパに運ぶことによって間もなく活気ある商業都市となった。ドイツでの彼らは鉱業を営み、金属の溶解と鋳造に熟達し、塩を製造し、亜麻布を作り、蜂蜜酒を醸造し、果樹を栽培し、自分たちなりのやり方で快活で音楽に満ちた生活を送った。彼らは慈善心に富み、気前がよすぎるくらい客に寛大で、質素な自由を愛するが、従順でおとなしく、強奪や略奪を憎んでいた。しかしこのような気質は抑圧に抵抗するには何の役にも立たなかったどころか、抑圧を招き寄せる原因となった。実際また彼らは世界の支配権など求めなかったし、好戦的な世襲君主も自ら持たなかったばかりか、とにかく自分の土地で平和に暮らせさえすれば、喜んで徴税にも従うという具合だった。そのためこれをいいことに多くの民族が彼らに対してひどい蛮行に及んだが、なかでもゲルマン人部族が最も悪辣(あくらつ)であった。

　すでにカール大帝のもとで抑圧のための戦争が始まっていた。これらの戦争はキリスト教のためと称して遂行されたが、実際は明らかに交易上の利益に起因していた。なぜなら、英雄気取りのフランク人にとっては、農業と交易を営むこの勤勉な民族を奴隷として扱う方が、自らこうした営みを行うよりもずっと好都合だったにちがいないからだ。フランク人が始めたことをザクセン人が成し遂げた。つまり、すべての地域でスラヴ人は根絶やしにされるか奴隷にされ、彼らの土地も司教や貴族に分配された。バルト海での彼らの交易は北方のゲルマン人によって壊滅させられ、彼らのヴィネータはデーン人によって悲惨な結末を迎えた。またドイツに残ったスラヴ人も、スペイン人がペルー人に加えた仕打ちと同様の仕打ちを受けている。それゆえ、彼らがキリスト教徒である支配者と略奪者に対して心の底から憤りを感じても、抑圧が何百年も続けば、彼らの柔和な性格が奴隷のように邪悪で、ぞっとするほど怠惰なものになり下がったとしても何の不思議があろうか？　しかしそれでも至るところで、とりわけ彼らがいくばくかの自由を享受している土地では、彼らの古来の特色がまだ見てとれる。この民族が不幸に見舞われたのは、彼らが激しく抵抗する勇敢さを十分に備えていたにもかかわらず、平和と穏やかな勤勉さを好むあまり、持続的な戦争体制を作りえなかったからである。さらに不幸なことに、他の地球諸民族のもとでの彼らの位置が、一方ではゲルマン人に近すぎ、他方では東方のタタール人によるあらゆる襲撃に対して背後を空けたものになっていた。こうして彼らはタタール人の中でも、モンゴル人の襲撃にひどく苦しめられ、幾多の屈辱を耐え忍んだ。しかしすべてを変化させる時代の車輪は回り続ける。そしてこれらスラヴ民族の大部分は、ヨーロッパの最も美しい地域に住んでいる。それゆえ、この地域がすっかり耕作され、そこから交易が開始されるようになれば、誰が考えても明らかなように、ヨーロッパにおいては立法と政治が好戦的な精神に取って代わり、静かな勤勉と諸民族相互の平和な交流をますます促進するにちがいないし、実際に促進するだろう。今でこそひどく淪落(りんらく)しているが、かつては勤勉で幸福であったスラヴ民族よ、そうなれば汝らもついにいつかは奮起して、その長い眠りから目を覚まし、奴隷の鎖から解放され、アドリア海からカルパチア山脈、ドン河からムルデ河(236)に至る汝らの美しい土地を領土として利用し、勤勉と交易の往古の平和な祝祭をそこで催すことができるのだ。

われわれはこの民族の歴史について、種々の地方から貴重で有益な資料を集めている。*13 それゆえ望まれるのは、足りない部分を他の地方からの資料で補い、次々と散逸しつつある彼らの習俗や歌謡や伝承の残存物を蒐集し、最終的には人類の姿をくまなく描くために必要な、このスラヴ系民族の全歴史を記述し刊行することであろう。

*13　フリッシュ(237)、ポポヴィッチュ(238)、ミュラー(239)、ヨルダン(240)、シュトリッター(241)、ゲルケン(242)、メー

ゼン[243]、アントン[244]、ドープナー[245]、タウベ[246]、フォルティス[247]、ズルツァー[248]、ロッシニョーリ[249]、ドブロフスキー[250]、フォークト[251]、ペルツル[252]など。

五　ヨーロッパにおける外来民族

これまで考察を加えてきた民族は、唯一ハンガリー人を除いて、どれもみな大昔からヨーロッパに居住している基幹民族と考えられる。それにまたこれらの民族は、いくつもの言語のあいだに見られる類似から推測されうるように、かつてはアジアに居住していたのかもしれない。しかしこのような研究は、彼らがノアの箱舟の時代から辿ってきた道に関する研究も含めて、われわれの歴史記述の範囲を超えている。

とはいえ、彼ら以外にもまだ多くの外来民族がいる。これらの民族は、ヨーロッパでかつて一度は自らの役割を演じてこの地域の幸不幸の一翼を担ったか、もしくは今なおこうした役割を演じている。

かつてアッティラ王のもとで広大無辺の地域を駆け回り、征服し、荒廃させたフン族はその一例である。おそらく彼らはアンミアヌス(253)の記すところによれば、モンゴル系の一民族だろう。もしあの偉大なアッティラ王がローマから撤退してほしいという懇願を聞きいれず、この世界の首都を自らの帝国の首都にしていたら、ヨーロッパ全体の歴史は何と恐ろしいものに変わっていたことか！　しかし彼の軍勢は打ち負かされて自分たちの乾燥大草原へと帰り、ありがたいことに神聖ローマ・カルムイク帝国[254]をヨーロッパに残しはしなかった。

フン族に続いてはブルガール人が東部ヨーロッパにおいて、これまた恐ろしい役割を演じたが、ハンガリー人の場合と同じように、キリスト教を受け容れさせられるまでに牙を抜かれ、ついにはスラヴ人の言語にさえ吸収された。ブルガール人がワラキア人[255]とともにハイモス山[256]から出てきて築いた新王国も崩壊した。こうしてブルガール人は、ダキア[257]、イリュリア、トラキアといった地域の諸民族が混淆した大集団の中に埋没していった。なるほど、まだトルコ帝国の一地方[258]だけは彼らの名前をとどめているが、それとて彼らの民族としての特性を明瞭に示すものではない。

他の多くの民族、たとえばハザール人、アヴァール人[259]、ペチェネグ人などには言及しないでおこう。というのも、これらの民族は東方のローマ帝国を、また一部は西方のローマ帝国を、そしてさらにはゴート人、スラヴ人など他の民族をも随分と苦しめたが、けっきょくはその名を永遠に留めるような功績は残さずにアジアに帰ったか、もしくは民族集団の中に消え失せたからである。

ましてや古代のイリュリア人、[260] トラキア人、マケドニア人の後裔であるアルバニア人、[261] ワラキア人、アルナウト人[262]について立ち入って論究するには及ばない。彼らは外来民族ではなく、古代ヨーロッパ民族の一系統であり、かつてはそれぞれ主要な民族であったが、今はいくつもの民族や言語の錯綜する廃墟の中にいる。

チンギス・カンとその後継者たちに率いられてヨーロッパを略奪した第二のフン族[263]もまた、われわれにとってはまったく外来の民族である。最初の侵略者は一気にドニエプル河まで押し寄せてきたが、急に考えを翻し、退却した。その後継者は火と剣を手にドイツ内部にまで侵攻したが、これもまた追い返された。チンギス・カンの孫に征服されたロシアは、その後も一五〇年にわたってモンゴル人に税を納め続けたが、ついにこの軛[264]を払いのけ、その後は逆にモンゴル人を支配するに至った。アジアの高地で略奪を働くオオカミともいうべきこのモンゴル人が、ヨーロッパ世界を荒廃させたのは一度だけではなかった。しかし彼らは一度たりともヨーロッパを自分の乾燥大草原にできなかった。実際また彼らも決してそうしたいと思ったことはなく、ただ獲物が欲しかったのだ。

＊

それゆえわれわれとしては、期間の長短こそあれ、ヨーロッパにおいて領土所有者、または共住者として活動した幾つかの民族にだけ言及することにしよう。

1　最初は**アラブ人**である。この民族は、三つの大陸にまたがる東方の帝国[265]に最初の大打撃を与えた。しかしそれだけでなく、彼らがスペインの一部を七七〇年間にわたって占領し、そのほかシチリア、サルディニア、コルシカ、ナポリ[266]をも全部、あるいは一部をずっと支配した後に、たいていはただ少しずつこれらの領地を失っていったときも、そこでの言語や思考様式、施設や制度のあらゆるところに彼らの痕跡は残っていた。それらの或るものはまだ消滅していないし、また或るものは、彼らの当時の隣人たちや、共住者たちの精神に大きな影響を与えた。彼らの居住した少なからぬ地域で、当時の野蛮なヨーロッパに学問の光明がもたらされた。また十字軍の遠征に際して、東方における彼らの同胞とも相知るようになったことはヨーロッパにとって有益だった。それどころか、彼らの多くが自らの住んだ土地でキリスト教に宗旨変えしたからこそ、彼らはスペイン、シチリアおよび他の土地においてヨーロッパ自身に合体されたのだ。

2　**トルコ人**はトルキスタン[267]出身の民族で、三〇〇年以上もヨーロッパに居住しているにもかかわらず、この大陸にとっては今なお外来の民族である。一〇〇〇年以上もそれ自身と地球にとって重荷となっていた東の帝国[268]に終焉をもたらしたのは彼らであり、これによって彼らは自ら意識せず、またその意志もなく東方のさまざまな技術を西方のヨーロッパへと移動させた。また彼らはヨーロッパの諸強国を襲撃することによって、これらの国々の勇気を何世紀にもわたって目覚めさせた。そのため、これら強国の領土は外来の民族によるあらゆる単独支配を免れた。とはいえ、これとて彼らの手になる前代未聞の災禍、すなわちヨーロッパの最も美しい地域を荒廃させ、かつては最も才知に長けたギリシア人を不実な奴隷や自堕落な野蛮人にしてしまうという災禍に比べれば、わずかな善行でしかない。どれほど多くの芸術品がこの無知な民族によって破壊されたことか！　何と多くのものが彼らのせいで姿を消し、二度と再興できなくなっていることか。彼らの帝国は、そこに暮らすヨーロッパ人全体にとって大きな監獄なのだ。この帝国は、いずれ時がくれば没落するだろう。いったい何千年後もアジアの蛮族であろうとするこの外来民族は、ヨーロッパで何の為すべきことがあろうか？

3　**ユダヤ人**はここでは寄生植物(269)としてしか見なされないが、それは彼らがヨーロッパのほとんどすべての国民に寄りかかり、多かれ少なかれ、その養分を吸ってきたからである。古代ローマ滅亡後のヨーロッパにおいて、彼らは比較的少数にすぎなかった。アラブ人に迫害されることによって彼らは大挙してヨーロッパに押し寄せ、それぞれ各国に分散した。彼らがヨーロッパ大陸に癩病を持ち込んだというのは本当とは思えない。しかしこれに比べて彼らの持ち込んだこと、すなわち、彼らがまったく無知蒙昧な時代に両替商、交渉人およびローマ帝国の奴隷として高利の賤しい道具となり、自分たちの利益を守るべく、交易におけるヨーロッパ人の野蛮で誇り高い無知を増大させたことは、さらにたちの悪い疫病だった。そのため彼らは残酷な仕打ちを受けることも稀でなく、自分たちが強欲非道の振舞い、あるいは勤勉、知恵、秩序によって手に入れたものを、暴力まがいの方法でゆすり取られた。しかし彼らはこうした扱いに慣れ、自らもそれを予期せざるをえなかったため、それだけいよいよその上をいく奸計をめぐらし、逆にゆすり取るようになった。とはいえ、やはり彼らはその当時のみならず現在においても、多くの地域にとって不可欠な存在である。事実また否定できないのは、彼らによってヘブライの文学が保存され、暗黒の時代にアラブ人から継承された科学と薬学と世界知も彼らを通じて普及し、ひとりユダヤ人にしかできないような多くの有用な事柄が遂行されたことである。いずれヨーロッパにおいては、誰がユダヤ人で誰がキリスト教徒であるかなど、もはや問われない時代が来るだろう。なぜなら、ユダヤ人もヨーロッパの法に従って生活し、国家のために貢献するだろうからだ[270]。これを妨げ、彼らの能力を有害なものにしようとしたのはヨーロッパ人の野蛮な体制だけであった[271]。

4　**アルメニア人**[272]については言及しないが、それは私が彼らをヨーロッパ大陸では旅人としてしか見ていないからだ。これに対してここで考察の対象とするのは、ヨーロッパのほとんどすべての地域で無数に、それも地下に潜むように在住する外来の異教民族、すなわちロマ(273)である。彼らはどうしてヨーロッパにやって来るのか？　最近の歴史家が数えるように[*14]、七、八〇万人ものロマがどうしてヨーロッパにやって来るのか？　彼らはインドのカースト、すなわち神聖で礼儀に即し、かつ市民たるにふさわしいと呼ばれるすべてのものから、その生れによって遠ざけられているインドのカーストの一階級であり、しかも自尊心を傷つける以外の何ものでもないこうした規定に何百年たってもなお忠実なのだ。いったいこのような民族がヨーロッパにおいては、万事をとにかく最も迅速に規律に服させる軍事教練以外の何に役立つのだろうか？

＊14　グレルマン(274)の『ロマに関する歴史的試論』八七頁、およびリューディガー(275)の『言語学の発展』八二頁。

六　一般的考察と結論

ヨーロッパの諸民族の描写はおよそ以上であると思われるが、われわれの知っている時代を下ってくるだけでも、多彩な組合せがさらに何と混沌とした様相を呈することか。日本や中国やインドはこうではなかったし、またその位置、もしくは体制の点から閉鎖的な国においてもこうはならない。ところがヨーロッパはアルプスの北方には大きな海を持たないため、われわれとしても次のように、すなわち、ヨーロッパ大陸の民族は互いに城壁のように並び立っていたのかもしれないと考えるより仕方がないのだろうか？だがこの大陸の特性や位置、および諸国民の性格や出来事を少し詳しく見れば、それとは違った説明が得られる。

1　ヨーロッパ大陸に向かって右側、つまり東方にあって**アジアのタタールと呼ばれる巨大な高地**(276)を見るがよい。そして汝が中世ヨーロッパの混沌とした歴史を読めば、トリストラムのように「これがわれわれの不幸の原因なのだ！」とため息をつくかもしれない[277]。私としては、北方のヨーロッパ人のすべてがこの高地に住んでいたかどうか、あるいは、どのくらいのあいだそこに住んでいたのかを探究するには及ばない。というのも、かつて北ヨーロッパ全体は、遊牧民族群の母たるシベリアやモンゴルと何ら変わるところがなかったからである。それゆえ、北方ヨーロッパでも、シベリアやモンゴルでも、遊牧民族にとってはのんびりと放浪することが、またタタールの巨頭たちのもとではカン[278]による統治が世襲的かつ独自のものとなっていた。それにアルプス北方のヨーロッパは明らかに傾斜した平原であり、この平原は諸民族の群がるタタールの高地から西方に向かって海にまで達している。したがってこのヨーロッパ平原では、タタールの高地において野蛮な民族群のあいだで押し合いが始まると、西方にいた民族は高地を落ちるように下り、他の民族をさらに追い立てざるをえなかった。ヨーロッパにおいてタタールのような状態が長く続いたのは、いわばこうした地理的条件に起因している。この受け入れがたいような光景は、今や一〇〇〇年を超えてヨーロッパの歴史を満たし、しかもその歴史においてはどの国も、どの民族も、決して安定した状態に到達しない。なぜなら、どの民族も放浪することに慣れていたか、あるいは他の民族によって押しやられてきたからである。このように古代世界にあっては、ヨーロッパにまで手足を伸ばしているアジアの大山脈が、南北両半球の風土や特性を絶妙に分け隔てていることは否定できない。そこでアルプスの北方に居住するわれわれとしては、ヨーロッパにおけるわれわれの祖国について次のことを、すなわち、われわれは習俗や体制の点ではヨーロッパにまで延びたタタールに属するだけであって、元来のアジアのタタールには決して属するものでないということを、せめてもの慰めにしようではないか。

2　ヨーロッパは特に北方アジアと比べると、**河川、海岸、曲浦、入江に満ちた温和な土地**である。このことだけでもヨーロッパ諸民族の運命は、北方アジア諸民族のそれと比べても有利なものだった。アゾフ海[279]、ならびに黒海沿岸に住んでいたヨーロッパ諸民族は、ギリシアの植民市や当時の世界交易における最大の繁栄地域に近接していた。ここに居住するか、あるいは王国まで建設した民族はみな多くの民族と交流するようになり、学問や技術にもいくらか通暁するようにさえなった。しかし特にバルト海は北方のヨーロッパ人にとっては、南方ヨーロッパにとっての地中海のようなものとなった[280]。プロイセンの沿岸地域は、琥珀の取引を通じてすでにギリシア人とローマ人の知るところとなっていた。この地域に住んでいた民族は、その系統はともあれ、例外なく何らかの交易に関わっており、それがやがて黒海での交易と結びつき、ついには白海にまで広がった。こうして南アジアと東方ヨーロッパとのあいだ、アジアの北方とヨーロッパの北方のあいだに民族同士の一種の共同関係が築かれ、これにはまたきわめて野蛮な諸民族も加わった。[*15] スカンジナビアの海岸や北海[281]には、やがてあらゆる商人、海賊、航海者、冒険者たちが群がり、これらの者たちは、さらに大胆にもヨーロッパのありとあらゆる海やヨーロッパのあらゆる民族の海岸や土地に押し寄せ、驚天動地の所業を演じた。ガリアとブリタニアはベルガエ人によって併合され、地中海も野蛮な諸民族の遠征による被害を免れることはできなかった。彼らはローマにまで押し寄せ、コンスタンティノープルではしっかりと稼ぎ、交易を行った。これらすべてのことに加えて、陸では諸民族が長期にわたって移動したので、ついにはこの狭小な大陸で壮大な**諸民族連合**[282]の素地が作られた。もっともこれにはローマ人が自分たちの行った数々の征服によって、それと知らずに手を貸していたし、またこの大陸以外の土地ではこうした連合の実現は困難であった。実際ヨーロッパほどさまざまな民族が混じり合っている地域はないし、またヨーロッパほどさまざまな民族が大規模かつ頻繁に居住地を変え、それとともに自らの生活様式や習俗を変えた地域はない。ヨーロッパの多くの地域にあって、現在の住民、なかでも家族や個人にとって把握しがたいのは次のこと、すなわち、自分がどの部族や民族の出身であるのか？　自分の祖先はゴート人、ムーア人、ユダヤ人、カルタゴ人、ローマ人なのか？　それともゲール人、キムリ人、ブルグント人、フランク人、ノルマン人、ザクセン人、スラヴ人、フィン人、イリュリア人なのか？　あるいは自分の血は祖先たちの中でどのように混じり合ってきたのか？　ということだろう。無数の原因によって、そしてまた何百年もの歳月が過ぎる中で、いくつものヨーロッパ民族が古代から有していた部族としての形態的特徴は弱められ、かつ変化した。しかし逆にこのような混淆がなければ、ヨーロッパの普遍精神[283]は、とても呼び起こされえなかっただろう。

3　**このヨーロッパ大陸の最古の居住者が、今や山の中、もしくは極北の沿岸や辺地に追いやられた形でしか見出されない**のは自然の成り行きであって、そうした実例はアジアの島嶼に至るまで世界のあらゆる地域に見られる。アジアのいくつもの島嶼においては、固有の民族や部族、それも大部分は未開の部族は山地に住んでいた。おそらく彼らはその地域の古い住民だったが、後から来た豪胆な新参者のせいで、山地に退却せざるをえなくなったのだろう。とすれば、他のどこにもまして種々の民族が押し寄せたり、互いに追い払ったりしてきたヨーロッパで、そうならないことがあったろうか？　それでも相当数の民族は、ごく少数の主要な名称に集約される。しかも注目すべきは、それぞれ異なる地域においても、いくつもの同じ民族が、それも時間的に相前後してやって来たように見える民族が、たいていの場合は集まって住んでいることだ。こうしてキムリ人はゲール人の後に、ゲルマン諸民族はこれら両民族の後に、そしてスラヴ諸民族はゲルマン諸民族の後に続き、その土地を占有するに至った。われわれの大地における地層と同じように、ヨーロッパ大陸においても民族のさまざまな層が相互に重なって続き、しかも互いに入り組んで混沌となっていることも稀ではない。だがそれでもまだ原始の層は識別できる。こうした諸民族の習俗や言語を研究する者は、これらの習俗や言語がまだ区別できる時代をとらえなければならない。なぜなら、ヨーロッパではすべてが民族のさまざまな性格を次第に消し去ろうとする傾向にあるからだ。[284] それゆえ、とにかく人類の歴史記述者が注意すべきは、自分の好みで特定の民族や部族だけを選ばないようにすることと、逆にまた、その周囲を取り巻く事情のために幸福や名声に恵まれなかった部族を軽視しないようにすることである。[285] スラヴ諸民族からもゲルマン諸民族は学んできた。キムリ人やレット人も、諸民族のあいだに違った形で置かれていたならば、ひょっとしたらギリシア人になれたかもしれない。たとえばフン族やブルガール人ではなく、ゲルマン諸民族のように強健で美しく気高い形姿を持ち、貞潔な習俗や誠実な分別、それに実直な心情を有する諸民族がローマ世界を支配していたことは、われわれの非常に満足できるところだ。しかしだからといって、これらの民族をヨーロッパにおける神に選ばれた民族と見なし、それもこの民族に生れつきの高貴さのゆえに、世界はこの民族のもので、こうした優越性のゆえに他の民族は自分に隷属するべく定められていると考えるようならば、それは野蛮人の賤しい驕慢(きょうまん)であろう。野蛮人は支配し、教養ある征服者は教化する。[286]

4　ヨーロッパにおいては、どの民族として独自の力で文化の域に達したものはない。むしろどの民族も、できるかぎり自己の古くからの習俗を保持しようと努めた。しかし実際にはヨーロッパでは貧弱で荒れた風土と粗野な軍国体制が必然だったことが、こうした文化の形成に大きく作用した。たとえば、いかなるヨーロッパ民族も自分の文字を持っていなかったり、あるいは自ら案出することもなかった。スペイン、ならびに北方のルーン文字[287]は他の民族の文字に由来している。北方および東方、そして西方に至るヨーロッパの文化全体がローマ、ギリシア、アラビアという種子から生長したものなのだ。この植物がヨーロッパという苛酷な土壌で生育し、初めはとても酸っぱくはあったものの、ついには独自の果実を産み出すことができるまでには長い年月を必要とした。しかしこれにはまた外来の宗教という特別の手段[288]が必要であった。そしてこれをローマ人は武力上の征服によってではなく、宗教上の征服によって実現した。それゆえ、われわれとしては何にもまして、この教化の新しい手段について考察を行わねばならない。事実この手段は、すべての民族を一つの民となし、現世においても来世においても幸福になるために教化するという目的しか持たず、しかも、ほかならぬヨーロッパにおいて最も大きな効果を挙げたのだ。

しるしは今や壮麗に打ち建てられた。
全世界の人々はこれに慰めと希望を求め
幾千もの精神がこれに忠誠を誓い
幾千もの心がこれに懇願する。
このしるしは辛い死の力を打ち絶やし
幾多の勝利の旗となって翻る。
戦慄が荒くれた戦士の全身をつらぬき
十字架を見れば武器を捨てる。[(289)]

＊15　フィッシャー[(290)]の『ドイツの交易史』第一部には、この点に関して非常に有益な抜粋が集められている。

第十七巻

ユダヤの国が滅亡する七〇年前に、[1]一人の男がこの国に生れた。彼は人間の思想界のみならず、習俗や体制においても予期せぬ変革を惹き起こした。それがイエスである。彼はユダヤ民族の古い王家の出であったが、貧困のうちに生れ、国土の最も荒れた地域で、しかもこの極度に堕落した民族の学問から遠く離れたところで育てられた。その短い生涯の大部分を彼は人に知られることなく過ごしていたが、ついにヨルダン河畔[2]で聖別されることによって神々しい姿を現した。それから彼は自分と同じ境遇の一二人を弟子としてそばに置き、彼らとユダヤの一部を歴遊し、間もなく彼らを、近づきつつある新しい国の使徒として諸方に送り出した。彼は自らがその到来を告知した国を神の国と呼んだが、これは天の国であって、そこには選ばれた者だけが到達できるとされた。それゆえまた彼は、表面的な義務や慣習を課することで人々をこの国へ招いたのではなく、むしろそれにもまして、純粋な精神ならびに心情の徳へと人々を促すことによって招いた。彼がわれわれに残した少ない言葉には、**最も純粋なフマニテート**[3]が含まれている。このフマニテートこそは彼がその生涯という形で実証し、自らの死によって裏づけたものである。それはまた、彼が好んで自分を**人の子**と呼んでいたことからも明らかだ。彼は自分の民族の中で、それも特に貧しい者たちや虐げられた者たちの間で多くの帰依者を見出した。しかしまた次の二つのこと、すなわち、聖人ぶって民衆を抑圧した者たちによって彼がただちに排除されたことと、そのためわれわれが彼の世に出た時期をほとんど明示できないことは、彼が生きていた状況からすれば当然の結果であった。

さてイエスがその到来を告知し、それを希求することを勧め、自らこれをもたらそうと努めた**天の国**とは何だったのか？[4] それが世俗の権力でなかったことは、彼が裁判官の前で行った最後の断固とした告白に至るまでのすべての言行に示されている。人類の精神上の救済者として、彼は**神の人間**を形成したいと思った。つまりそれは、たとえ人類がどのような法のもとにあろうとも、純粋な原理に基づいて他人の幸福を促進し、自分は苦難に耐えながら、真理と善の国で王として君臨するような人間である。このような意図こそが、人類に関する摂理の唯一の目的たりうるものであった。地上の賢人と善人は、みな自ら純粋に考え、努力すればするほど、またこの目的に向かって共に活動しなければならないし、実際にそうするであろう。このことは自ずと明らかである。いったい人間たるもの、地上における自己の完全性と幸福の理想として、このように普遍的に活動を行うフマニテート以外に、どのような理想を持ちうるだろうか？

王国の領主にして創設者よ、私は崇敬の念をもって、汝の高貴な形姿の前に身をかがめる。汝の創った王国は、この地上での生活領域自体がそれに比べてあまりにも狭く見えるくらいに、壮大な目的、永続する範囲、単純にして生きた原則、活発な原動力を有している。歴史においてこれほど短期間のうちに、かくも静かに惹き起こされ、ひ弱な道具によって、あれほど風変わりな方法で、今なお見極めがたいほどの効果を地球上の至るところに植えつけた変革はどこにも見られない。しかもこれは汝の宗教の名のもとにではなく、すなわち、人間を幸福にしようとする汝自らの示す構想の名のもとにではなく、大部分が汝に向かっての宗教として、つまり汝の人格および汝の十字架を一心に崇敬することとの名のもとに諸民族に伝えられたものとして、優しくかつ厳しく育てられた宗教なのだ。汝の聡明な精神は、このことを自ら予見していた。それゆえ、もし汝の名を呼んで、常にこれを汝の純粋な源泉から発する濁流と敢えて見なす者があれば、それは汝の名を汚す者だろう。われわれとしては、できるならば汝の名を呼びたくない。汝に由来する歴史全体の前には、汝の静かな形姿だけが立っていることが望ましい。

一　キリスト教の起源とそこに内在した原理

　地球の一つ以上の大陸に関わった変革が、あの軽蔑されたユダヤから生れたことは非常に奇妙に思われる。しかしそれでも詳しく見ると、これには幾つもの歴史上の根拠が見出される。ここから起こった変革は、言ってみれば精神に関わるものであった。ギリシア人やローマ人がユダヤ人について、どれほど軽蔑的な考えをいだいていたにせよ、この民族の独自性は、アジアやヨーロッパの他の民族に先立って古代のさまざまな文書を所有していた点にある。しかもユダヤ人は、こうした文書に基づいて自らの法体制を築き、その結果として一種独特の学問や文学を形成せざるをえなかった。ギリシア人にしてもローマ人にしても、このような宗教上および政治上の法典を持たなかった。この法典は、それ以前に書かれた姓氏録と結びつけられて、或る固有の大氏族に委ねられ、この氏族によって迷信にも似た崇敬の念をもって保持された。この古びた文字からは、時の経過とともに一種のより洗練された意味が必然的に産み出され、これにユダヤ人は、他の民族の中へと何度も分散していく間に慣らされた。彼らの規範となる神聖な文書には歌謡や道徳上の箴言（しんげん）、それに崇高な訓話が収められていたが、それらは種々の時代にさまざまな契機によって書かれ、一つのものへと集大成された。これは間もなく一つの書き継がれてゆく体系と見なされ、そこから一つの主要な意味が引き出された。この民族の預言者たちは国法の番人に任ぜられ、各自が自分の考え方の範囲内で教えたり激励したり、また警告したり慰めたりしながら、しかし常に愛国の希望をもってこの民族に、自分たちのあるべく理想像、しかしまだそうなっていない理想像を提示した。さらに預言者たちは、自らの精神や心情のこうした果実をもって新しい理念への多種多様な種子を後世に残し、各自が自らの方法でそれを育てられるようにした。一人の王が生れるという希望が、これらすべてのものから次第に体系的に形成された。その王は、自分の堕落し隷属状態にある民族を救い出し、古代の最も偉大な王たちがなした以上に、この民族に黄金時代をもたらし、諸般の制度を刷新すると言われていた。預言者たちの言葉によれば、こうした期待はどれも神権制的なもの(5)であった。しかもそれらの期待は、救世主のあらゆる特徴と一体となることによって現実味を帯びた理想へと作り上げられ、民族の将来を確約するものと見なされるに至った。ユダヤでは、民衆のあいだで拡大しつつあった悲惨な状況が、こうした期待を確固たるものにした。これに比べて他の国、たとえばアレクサンドロスの王国が崩壊してから多くのユダヤ人が住んでいたエジプトでは、これらの理想は、むしろギリシア風に作り上げられた。先の預言を新たに叙述したさまざまな外典が流布した。しかし頂点に達したこれらの夢想にも今や終止符を打つべき時が来た。民衆の中から一人の男が現れたのだ。地上での主権という妄想を超越した彼の精神は、預言者たちの希望と願望と預言のすべてを、理想の王国の基盤に統合した。ただ彼は、この王国をユダヤ人の天国とするつもりなど全くなかった。すなわち彼は、自分の国が近く崩壊することさえをも、この高次の計画の中に予見しており、さらにはユダヤ人の華麗な神殿と、完全に迷信に堕した礼拝が、間もなく悲しい結末を迎えることを予言したのだ。すべての民族のもとに到来すべき神の国を、自分だけで独占できると信じていた民族は、彼によって腐り果てた死体と見なされた。

当時のユダヤにおいて、この種の事柄を是認し、それを口に出すには、どれほど大きな勇気が必要であったかは、イエスの教えがユダヤ民族の上層部や聖職者たちのもとで受けた敵意ある対応からも明らかである。彼らはこの教えを、神とモーゼに対する反乱と考え、またこれが民族の希望をことごとく反愛国的な形で破壊するようなものであることから、こうした屈辱を受ける民族に対する犯罪と見なした。キリスト教のこのような脱ユダヤ主義は、使徒たちにも大変に難解な教えであった。しかもこの教えをユダヤ人のキリスト教徒に、それもユダヤ以外の土地で理解させるためには、あの最も学識ある使徒のパウロでさえ、ユダヤ的な討論術の委曲を尽くして説明してみせる必要があった。幸運だったのは、摂理が自ら決定を下したことと、このいわゆる神の唯一の民族を地球のすべての民族から頑なに隔てていた古い壁が、ユダヤの国の滅亡とともに崩されたことである。自負心と迷信に満ちた個別的な民族宗教の時代は過ぎ去った。なるほど、たしかに以前の時代と同じような制度が、たとえそれぞれの民族にあって、あたかも一房のブドウが自分の木でたわわに実ったように、家族という狭い範囲で育てられ大きくなった時代にあっては必然的なものであったにせよ、しかしすでに何世紀来この地域においては、人間によるほとんどすべての努力が、さまざまな民族を戦争、交易、技術、学問、交際を通じて互いに結びつけ、それぞれの民族の果実を搾って共通の飲み物を作るまでになっていた。こうした統合の最も大きな障害となったのは、民族宗教に固有の種々の偏見であった。当時ローマ人は、その広大な帝国において普遍的な寛容精神を保持し、かつ至るところに折衷哲学(あらゆる学派と宗派の特殊な混合の哲学)を普及させていたが、今ここに、もう一つ、すべての民族をたった一つの民族にするような**民族信仰**[6]が現れた。しかもそれが、よりによって自らをかつてはすべての民族の中でも第一にして唯一のものと見なしていた、あの頑迷な民族から出てきたのだから、言うまでもなくこれは人類の歴史において、偉大であると同時に、その歩み方次第ではまた危険な一歩でもあった。この信仰は、たった一つの神と救世主を教え知らしめることによって、すべての民族を同胞たらしめたが、この信仰を軛(くびき)や鎖として、すべての民族に押しつけるその瞬間に、すべての民族を奴隷にすることもできた。現世および来世のいずれについても、天国への鍵は、それが他の民族の手に入るようなことがあると、ユダヤ人の手中にあった時よりも、いっそう危険なパリサイ主義(7)となりかねなかった。

キリスト教が早く、かつ堅固に根を張るべく最も寄与したものは、この宗教の創設者イエス自身に由来する一つの信仰であった。すなわちそれは、イエスが間もなく復活し、地上に彼の王国が姿を現すことについてのものであった。イエスはこの信仰をもって裁判官の前に立ち、生涯の最後の日々にこれを繰り返し説いた。彼を信奉する者たちは、この信仰を固持し、王国の出現を心待ちにした。精神に重きを置くキリスト教徒たちは、これによって精神の王国を思い浮かべ、肉体に重きを置くキリスト教徒たちは肉体の王国を思い浮かべた。こうして前述の地域や時代において極度に緊張した想像力は、感性を超越してまで理念化されるには至らなかったため、多種多様な預言と前兆と夢想に満ちたユダヤ的キリスト教的な黙示が生れた。そこではまず反キリスト(8)が滅亡させられることになっていた。キリストが再臨をためらっていると、最初にこの反キリストが姿を現し、それから次第に残虐な行為を増長させ、とどまるところを知らなくなってしまう。しかしついに救いがもたらされ、再臨したキリストが民を蘇生させるのであった。ただ、このような希望は、初期のキリスト教徒をさまざまに迫害する動機とならざるをえなかった。なぜなら、世界の支配者ローマにとっては、その没落が間近に迫っているとか、自分たちが反キリスト教的で残忍な、あるいは軽蔑に値する姿勢をとっているといったことを人々が信じているような状況に対して無関心ではいられなかったからである。それゆえ、このようなことを語る預言者たちは、ただちに祖国とローマ世界を軽視する非愛国者、いやそれどころか人間全体をさえ嫌悪するような罪人と見なされた。そしてキリストの再臨を待ちきれなかった人々は、自ら殉教に向かった。しかし同じように確実なのは、天国もしくは地上においてキリストの王国が近づいているというこの希望が、人々の気持ちを相互に強く結びつけ、こうした人々を現世から隔絶させたということである。彼らは現世を悪魔の手にあるものとして軽蔑する一方で、彼らにとってはすぐそこにまで近づいている王国を、すでに自らの周囲にあるものと見ていた。このことが彼らに勇気を、すなわち、時代の精神、迫害者の権勢、不信心者の嘲笑といった、それまで誰も打ち勝ちえなかったものに打ち勝つ勇気を与えた。現世では他所者(よそもの)であった彼らは、自分たちの指導者が先頭に立って進み、そこから間もなく自らを示現するであろう場所で生きていた。

　これまで挙げた歴史の主要な要素に加えて、キリスト教世界の建設に少なからず貢献した幾つかの、より精細な特徴に目を向けることが必要と思われる。

＊

1　**博愛というキリストの考え方**は、同胞としての和合と寛容を、そして困窮者や貧者に対する積極的な援助を、要するに、人間としてのあらゆる義務をキリストの信奉者たちに共通の靭帯とした。その結果、キリスト教は**友情と同胞愛の真の結合**たるべきものとなった。このフマニテートという原動力が、いつの時代においても、特に初期においてキリスト教の受け容れと拡大に大きく寄与したことは疑いない。貧者や困窮者、抑圧された者、下僕や奴隷、収税人や罪人がキリスト教に身を投じた。キリスト教の最初の信者たちが異教徒から乞食の集団と呼ばれたのは、こうした理由による。それでもこの新しい宗教は、当時の世俗的体制に基づく階級の区別を無くせなかったし、無くそうとも考えなかった。したがって、この宗教に残されたものは、裕福な者たちのキリスト教徒としての慈悲心だけであり、しかもこのような豊かな畑には、あらゆる雑草もまた芽をふいた。金持ちの未亡人たちはその贈り物をもって、いともたやすく乞食の大群を味方につけることができ、場合によっては信者全体の平穏を掻き乱すこともできた。施物は天国の真の宝として讃えられる一方で、他方では請求されることも避けられなかった。そしていずれの場合においても、自立という品位と、自己の有用な勤勉の所産である高貴な誇りのみならず、時によっては不偏不党と真理までもが、低劣な追従に屈した。殉教者は教団への施物箱を自分たちへの共有財産として受け取った。教団に対する贈物はキリスト教の精神にまで高められはしたが、キリスト教の道徳論は、これらの善行が過剰なまでに称賛されることによって腐敗していった。もっとも、キリスト教においても少なからぬことが時代の困窮に帰せられるが、それでも確かなのは、もしわれわれが人間社会を大きな病院としてしか考えず、キリスト教をこの病院の共同の施物箱と見なすならば、そこから道徳と政治に関してきわめて憂慮すべき状況が生ずるということである。(9)

2　**キリスト教は、世俗的権力を持たない指導者や教師によって統治される教団であらねばならなかった。**これらの者は牧人として信者たちを導き、争いごとを調停し、誤りを誠意と愛情をもって正し、助言、人望、教訓、手本によって信者たちを天国に導かねばならなかった。これは、もし立派に行われ、またそのための場があるならば、高貴な職務である。なぜなら、この職務は掟という棘針を打ち砕き、論争や権利という茨を根絶やしにし、司牧者と裁判官と父親とを一体のものとするからだ。しかし時の経つにつれて牧人が自分の信者たちを本当のヒツジのように扱い、もしくは役畜として重荷を負わせるとしたらどうだろうか？　あるいは、牧人の代わりに、合法的に任命されたオオカミがヒツジの群れの中に入ってきたらどうだろうか？　未成熟な従順さは、こうしてあっという間にキリスト教の徳性となった。すなわち、自らの理性の使用を放棄するばかりか、自分で納得もせずに他人の意見の威信に従うことがキリスト教の徳性となったのだ。そして実際また使徒に代わって司教が使節、証人、教師、注釈者、裁判官、決定者の位置に収まった。こうなっては信仰と忍従ほど高く評価されるものはないということになる。自分の意見を主張する者は頑迷な異端者とされ、神の国と教会から隔離された。司教とその従者はキリストの教えに反して家庭のもめごとや市井の争いごとに口をはさみ、ついには誰が他人を裁くべきかをめぐって互いに喧嘩を始めた。そして司教の格別な地位を求めて激しい争いが起こり(10)、司教の権限も次第に拡大した。こうして最後には真直ぐな王笏と曲がった司教杖のあいだで、右の腕と左の腕のあいだで、王冠と司教冠のあいだで、果てしない争いが起こった。とにかく専制政治の時代において不幸にも政治法典なしに生きねばならなかった人類にとって、公正にして敬虔な仲裁者が救助者としてどれほど不可欠であったにせよ、宗教上の権力と世俗上の権力のあいだで、かくも長きにわたって繰り広げられた争いほど歴史において腹立たしい出来事は考えられない。事実そのためにヨーロッパは、一〇〇〇年以上にもわたって安定した状態に到達できなかったのだ。塩が効かなかったところもあれば、あまりにも塩を効かせようとしたところもあった。

3　**キリスト教には信仰告白の決まり文句があり、これをもって人々は洗礼を受け、信仰に入った。**これはきわめて簡単なものだったが、時とともに、あの**父と子と聖霊**という三つの純真な言葉から、人間のこれ以外の三つの言葉からは生じえないほど多くの騒動や迫害や憤激が生じた。人々は、人間の幸福のために活動する制度として創られたキリスト教から離れれば離れるほど、それだけいっそう人間知性の限界を超えて思弁にのめり込むようになった。さまざまな神秘が見つけ出され、ついにはキリスト教の教義を伝授すること全体が神秘とされた。新約聖書の諸篇が正典として教会に導入されてからというもの、人々はこれらの諸篇から、それどころか、原語ではめったに読むことができないばかりか、その最初の意味さえもすっかり分からなくなっていたユダヤ教の法典からも、それらに基づいてはほとんど証明できないものを証明するに至った。これによってさまざまな異端や宗派が積み重ねられたが、そこから抜け出すために選ばれた最悪の手段が**教会召集と教会会議**であった。しかしこれらのいかに多くがキリスト教、ならびに健全な知性の恥とするところだろうか！　これらを召集したのは驕慢と不寛容であり、そこでは不和、党派心、厚顔、卑劣な言動が大手を振り、ついには数の優勢、恣意、傲慢、媒淫、詐欺あるいは偶然が、聖霊の名のもとに全教会に対して、それどころか時代と永遠に対して決定を下した。その結果、キリスト教に帰依した皇帝たち以上に、巧妙に信仰の教義を規定するのにふさわしい人物がいるとは誰も思わなくなった。というのも、コンスタンティヌス大帝[11]は、こうした皇帝たちに、父と子と聖霊について、ομοουσιος（ホモウーシオス）とομοιουσιος（ホモイウーシオス）について、キリストの一つもしくは二つの本性について、聖母マリアについて[12]、キリストの洗礼に際しての光明[13]が、創造されたものか、そうでないかについて、さまざまな象徴や規範を委ねるための生得の世襲権を遺贈したからである。これらの不遜な行為は、そこから生じた結果も含めて、コンスタンティノープルの玉座の恥、ならびにこの点でこれに続いたすべての玉座の恥であることは永遠に変わらないだろう。なぜなら、これらの玉座はその無知な権力をもって種々の迫害、分裂、騒動を助長し、永遠化したからである。しかもこうした出来事は、人間の精神や道徳性を高めるどころか、むしろ教会や国家およびその玉座それ自身を土台から掘り崩した。最初のキリスト教王国であったコンスタンティノープル帝国の歴史は、賤劣な裏切りや、下劣な残虐行為の悲しげな舞台であり、その恐ろしい結末に至るまで、キリスト教にまつわる論争を主体とする、あらゆる政体の反面教師となっている。

4　**キリスト教が自らのものとした聖書は、折々の使書から生れたか、あるいは少数の例外はあるが、口承の物語から生れた。**やがて聖書は信仰の基準とされた。しかし間もなくそれは、相争うすべての党派の旗印とされ、考えうるありとあらゆる方法で濫用された。どの党派も自分が証明したいことを聖書に基づいて証明し、あるいは鉄面皮にも、語句を切り刻んで聖書の全体像を歪め、使徒の名を騙(かた)って福音書や書簡や黙示録を偽造して憚(はばか)らなかった。これは**信心にかこつけた詐欺**であり、この種の事柄としては偽証よりも忌まわしい。というのも、これは人類全体を、あらゆる時代において無限に欺き続けるからである。だがそれは間もなく罪でもなくなり、かえって神の栄誉と魂の救済に対する功績となった。こうして使徒や教父のものとされる多くの偽文書が紛れ込み、さらには奇蹟、殉教者、寄贈、規約、訓令について無数の文書が偽造された。このような不確実さは、古代と中世のキリスト教史のあらゆる時期を通じて、あたかも闇に紛れて出没する泥棒のように、ほとんど宗教改革の時代にまで忍び込んでいる。教会のためであれば、信義に背いても、嘘をひねり出しても、作り話を書き記してもよいという悪しき原則が一度受け容れられてからというもの、史実に基づく信仰は損なわれ、人間の舌とペンと記憶力と想像力も、自らの規律と規矩（きく）を失った。その結果として、皮肉にもギリシア人およびカルタゴ人の誠実[14]さに代わって、**キリスト教徒の信頼性**と呼ばれるものが生れても、まったく不思議でないほどである。しかもこのことがいっそう不愉快な形で目につくのは、キリスト教の歴史が、ギリシアとローマにおいて最も傑出した歴史家たちの輩出した時代に続くために、それ以後のキリスト教の時代にあっては、突然、それも何世紀にもわたって、真の歴史が、ほとんど完全に見失われることである。そうなると歴史記述は瞬時にして司教と教会と修道士の年代記になり下がってしまう。というのも、歴史家たちは、人類の最も称賛に値する人物、あるいは世界や国家のために執筆を行うことはもはやなく、教会はまだしも、教団、修道院、宗派のためにもっぱら筆を進めたからである。そのうえ、説教に慣らされていた人々は、司教の言うことをすべて信じざるをえず、こうして世界全体も、それが歴史として書かれる中で、信仰をもつ一集団、すなわちキリスト教徒の群れと見なされるようになった。

5　**キリスト教が持っていたのは、二つのきわめて簡素にして、目的に適（かな）った神聖な慣習だけであった。**なぜならキリスト教は、創設者の意図によれば、決して儀礼的な礼拝を目ざしたものと見なされるべきではなかったからである。しかし間もなく似非（えせ）キリスト教が、国や地域や時代の相違に応じて、ユダヤ人や**異教**の慣習とひどく混淆（こんこう）したため、たとえば赤子の洗礼は悪魔祓いにされ、死にゆく友人の送別の宴(うたげ)は、一つの神の創造、無血の犠牲、罪を赦す奇蹟、来世への餞別にされた。キリスト教の盛んになった時代は、不幸にして無知と野蛮、それに本当にひどい趣味の時代でもあった。そのためキリスト教の典礼、教会の建築、祝祭や教義や壮麗な儀式の制度、歌や祈りや儀礼の中に、真に偉大で高貴なものが入り込む余地はほとんどなかった。このようにして生れた種々の儀式は、国から国へ、大陸から大陸へと雪崩を打つように広がった。元来は古い習慣であったために、まだいくらか地域的な意味を有していたものも、場所や時代が変わると、そのような意味を失った。こうしてキリスト教の礼拝精神は、ユダヤ、エジプト、ギリシア、ローマのさまざまな野蛮な慣習が奇妙に混淆したものとなり、そこでは最も威厳のあるものが、しばしば退屈な、あるいは滑稽なものにすらならざるをえなかった。祝祭、聖堂、儀礼、叙階および文書の構成における**キリスト教の嗜好の歴史**は、哲学者の目をもって考察されるならば、何らの儀式も有するべきでない事柄について、古今未(ここんみ)曾有(ぞう)にして最も多彩な絵となるだろう。しかも時とともに、このキリスト教の嗜好は、裁判や国家の慣習、家庭の制度、演劇、物語、舞踊、歌謡、競技、紋章、戦闘、凱旋およびその他の祝宴の中に紛れ込んだ。それによって人間の精神が非常に歪んだものになったことと、諸民族の上に立てられた十字架が彼らの額にも特別な刻印を与えたことは、われわれとしても認めざるをえない。キリスト教の小魚[15]は、何世紀にもわたって濁った水の中を泳いでいた。

6　キリストは独身で過ごし、彼の母は処女であった。彼はとても陽気で快活であったが、それでも時として、孤独を好み、静かに祈った。東方の人々、なかでもエジプト人の精神は、そうでなくても黙想や隠遁や神聖な徒然に惹かれていたこともあって、特に司祭階級においては、独身生活が神聖であり、処女性や孤独や瞑想生活が神慮に適うという理念が過度に強調された。そしてまたすでに以前から、とりわけエジプトではエッセネ派[16]やテラペウタエ派[17]の信徒および他の宗派の奇人たちが狂信状態にあったため、今やキリスト教によって隠遁、誓願、断食、懺悔、祈禱、そしてついには修道院生活の精神が十分に発酵するに至った。他の国々ではこの精神は、なるほど異なる形をとり、順応するにつれて利益とも弊害ともなった。しかし全体として見れば、このような生活方法は、それが最終的な掟、屈辱的な束縛、政治上の捕網となるやいなや、社会全体のみならず個々の成員にとって圧倒的に有害となることは火を見るよりも明らかである。そもそも中国やチベットからアイルランド、メキシコ、ペルーに至るまで、仏教僧とラマ僧、およびタラポワンと呼ばれる贖罪僧[18]の僧院は、キリスト教のあらゆる修道士と修道女の階級や種類によるのと同じように、宗教と国家の牢獄であり、残虐行為と悪徳と抑圧の、あるいは、ぞっとするような情欲や悪事の現場ですらあった。もちろんわれわれは、あらゆる宗教上の団体が土地の耕作、もしくは人間と学問のために果たした功績を奪おうとは思わないが、人間世界から切り離されたこれらの暗い穹窿から響いてくる密かなため息や嘆きに耳をふさぐことは決して許されない。それにまたわれわれは次のことから、すなわち、超現世的な瞑想の産み出す空虚な夢、もしくは分別を失った僧たちの狂信が産み出す陰謀が、啓蒙されたいかなる時代にもそぐわない形で何世紀にもわたって存在してきたことから目をそらすつもりも、またそれらを見逃すつもりもない。これらはキリスト教にとってまったく異質なものである。事実、キリストは修道士でなかったし、マリアも修道女ではなかった。最も古い使徒には妻もいた[19]。つまり、キリストにしても使徒たちにしても、超現世的な瞑想などまったく知らないのだ。

7　最後に、**キリスト教は、天国を地上に建設しようとしたことによって**、しかも人間に現世の無常さを確信させたことによって、なるほど、いつの時代にも純粋で平穏な魂を形成してきたし、またそれらの魂は世俗の目を求めずに神の前で善き業を行ってきた。ただ残念なことに、キリスト教は邪悪に濫用されることで誤った狂信をも育み、この狂信は、ほとんど最初から、無意味な殉教者や預言者を数多く産み出した。これらの者たちは天国を地上にもたらそうとしたが、それがどのようなもので、どこにあるのかも知らなかった。彼らは政体に反抗し、規律という絆を解体したものの、より良い秩序を世界に与えることはできなかった。それどころか、キリスト教的な狂信の覆いの下には賤民の持つ傲慢さ、卑屈なうぬぼれ、下劣な情欲、ひどい愚劣さが隠れていた。徒(あだ)な望みを抱いたユダヤ人が、偽りの救世主たちに縋(すが)ったのと同じように、キリスト教徒は一方では大胆な詐欺師たちのもとに群がったかと思えば、他方では暴君のように驕(おご)った統治者たちのきわめて劣悪な魂にすり寄り、もしこの者たちが自分たちキリスト教徒のために教会を建てるか喜捨を行ってくれるならば、あたかも彼らこそが神の国を地上にもたらすかのように語った。実際すでにこのようなキリスト教徒は、衰えたコンスタンティヌス大帝にもすり寄った。そして預言的狂信に満ちたこうした神秘的な言葉は、状況や時代に応じて、多くの男女のあいだに広まった。パラクレトス[20](慰め主)と呼ばれる聖霊が、しばしば現れた。愛に溺れた狂信者たちに、この聖霊はたびたび女性を通じて語りかけた。キリスト教世界において、至福千年説[21]の信奉者、再洗礼派[22]、ドナトゥス派[23]、モンタノス派[24]、プリスキリアヌス派[25]、キルクムケリオネス派[26]などが、どのような騒動や禍(わざわい)を惹き起こしたかということ。熱烈な空想にとらわれた他の宗派が、どれほど学問を軽蔑し、あるいは荒廃させ、文化遺産や芸術品、さまざまな制度や人間を根絶やしにしたかということ。あからさまな欺瞞、もしくはまったく取るに足らない偶然さえもが時としてどれほど国土全体を大混乱に陥れ、しかもたとえば世界の終わりが来ると信じられたために、ヨーロッパがどれほどアジアへと駆りたてられたかということ。(27) これらすべてのことは歴史の明らかにするところだ。しかしそれでもわれわれとしては、キリスト教的な狂信が、より純粋なものであれば、それに対して称賛を惜しむものではない。事実またこうした狂信は、幸運な場合には、哲学的な冷淡さや無関心がいつ達成できるか分からないことよりも、ずっと多くのことを短期間のうちに、それも幾多の世紀のために実行してきた。欺瞞の木の葉は散っても、果実は育つ。時代の焔(ほのお)は茎と刈株(かりかぶ)を焼き尽くしたが、本物の金を精錬することだけはできた。

*

私はこれらの事柄の多くを、最善の事柄の恥ずべき濫用として、悲しい気持ちで書いてきた。それでもわれわれは勇気をもって、さまざまな地域や大陸におけるキリスト教の伝播と向き合い、考察を続けよう。なぜなら、薬が毒に変えられたのであれば、毒もまた薬になりうるからである。そしてその根源にある善い事柄は、最後には必ず勝利を得るにちがいない。

二　東方諸国におけるキリスト教の伝播

ユダヤにおいてキリスト教は抑圧を受けながら成長し、ユダヤ国が存続していたあいだは、その抑圧された形態を保持していた。おそらく最初のキリスト教徒の生き残りであるナザレ派[28]やエビオン派[29]は、とうの昔に消滅した貧弱な集団だった。彼らはその考え、つまりキリストはヨゼフとマリアの息子で、ただの人間にすぎなかったという考えのために、今はもっぱら異端者の中に入れられている。ただし、できれば彼らの福音書が二度と消滅することのないよう望みたいものだ。実際もしこの福音書があれば、その中にわれわれはイエスの生涯に関する伝承、それもユダヤという最も近い地域の伝承の、たとえ純正なものでないにせよ、最古の蒐集を見出せるだろう。同じくシバ人[30]、あるいはヨハネ派[31]が所有していた古い文書も、注目に値しないことは多分ないだろう。なぜなら、たとえこのユダヤ人とキリスト教徒の混淆した宗派の語る寓話が太古の時代をその純粋な姿のうちに明らかにしてくれることは期待できないにせよ、それでもなおこの種の事柄にあっては、作り話が事象の解明に役立つことも稀ではないからだ。[*16]

エルサレムの教会が他の教団に最も大きな影響を及ぼす原因となったものは、**使徒たちの信望**であった。実際またイエスの兄弟で、分別と品格をそなえたヤコブが、何年ものあいだ教会の長を務めていたこともあって、このような教会の形が他の教団の手本となったことは明らかだろう。これは言ってみればユダヤ的な手本だった。こうして最古のキリスト教徒のいた国や地域は、ほとんど例外なく使徒によって改宗させられることを望んだので、至るところでエルサレムの教会を模倣したものが、すなわち、使徒による教団が生れた。使徒から塗油によって聖霊を授けられた司教は、使徒にとって代わり、したがってまたその信望も受け継いだ。司教は自分が受けた聖霊の力を伝え、あっという間に一種の大司教に、つまり神と人間の間に立つ人物となった。エルサレムでの最初の宗教会議[32]では、聖霊の名において発言がなされたが、他の宗教会議もこれに倣った。事実またアジアのいくつもの地域で、司教が早くから獲得した宗教上の権力は驚くべきものである。こうして司教の手にそっくりそのまま移った使徒の信望は、教会の最古の制度を貴族支配によるものにした。しかもこのような体制には、すでに将来の位階制度と教皇制度の萌芽が潜んでいた。それゆえ、教会の最初の三〇〇年は清らかで純潔なものだったと言われるのは誇張、もしくは虚構なのだ。

キリスト教の初期においては、いわゆる東方の哲学[33]が知られている。これは広く普及したが、しかし詳細に見ると、この地域と時代が産み出しえた折衷的で新プラトン主義的な哲学の若枝にほかならない。それはユダヤ教およびキリスト教に絡みついたものの、そこからは芽も出さず、何の果実も結ばなかった。他方、キリスト教の発生当初からグノーシス派[34]は異端と呼ばれた。というのも、キリスト教信者たちは、自分たちの中に詭弁家がいることに我慢がならなかったからである。それゆえグノーシス派の少なからぬ者は、もし異端者という役割を与えられなかったならば、その存在も知られないままだったろう。ただ彼らの文書は、新約聖書の正典に関して歓迎されるべきものかもしれないので、たとえ異端という形でも、保存されていることが望ましい。もっとも、現在まで保存されているこれら多数の宗派のそれぞれの思想には、次のような大ざっぱな試みしか見られない。すなわちそれは、神の本性と世界の創造を扱った東方的プラトン的詩作品を、ユダヤ教およびキリスト教に接合し、そこから形而上学的な神学を、主として寓意的な名称という形で弁神論と哲学的道徳も含めて作り出そうとする試みである。それゆえ、たしかにこの種の夢想が教会の中心的な体系に一度もならなかったことは、キリスト教史にとっては良いことだ。しかしその一方で、人類史はどのような異端者の名前も知らないため、これらの挫折した試みのどれもが人類史にとっては貴重であり、かつ注目に値するものなのだ。これらの宗派については、教会の立場から多大な努力がなされたのだから、これらの努力に基づいて純粋に哲学的な研究を行い、次のことを、すなわち、これらの宗派が自分たちの考えをどこから得てきたのか？　それらの考えで何を言おうとしたのか？　それらの考えがどのような実りをもたらしたのかということを明らかにするのは、人間知性の歴史(35)にとって決して無益ではないだろう。[*17] 完全なキリスト教を打ち建てるという大目的を持っていた**マニの教義**(36)は、従来のキリスト教をさらに超えて進もうとしたが挫折した。各地に広がっていた彼の信奉者たちは、いつの時代においても、またどこの土地においても、ひどく迫害された。そしてマニ教徒という名は、とりわけアウグスティヌスが彼らを批判する筆陣を張ってからというもの、異端者を示す最も恐ろしい名となるに至った。われわれは今も教会によるこうした迫害精神に戦慄を覚える。しかしわれわれは、これらの狂信的な異端者の多くが進取の気性に富み、思索を重視する頭脳の持ち主であったことも書き記しておきたい。事実また彼らは宗教、形而上学、道徳学、自然学を統合するのみならず、それらを現実社会の目的と、そしてさらには哲学や政治に重きをおく宗教教団としての目的とも結びつけるという大胆な試みを行った。彼らの何人かは学問を愛していた。ただ悲しいかな、彼らは自らの置かれた状況のせいもあって、より精確な知識を手に入れることができなかった。しかしいずれにせよ、もしこれらの異端者という荒々しい風がカトリック教徒を動かして、少なくとも強制的にその字義どおりの伝承を擁護せざるをえないようにしなかったならば、カトリック教徒自身が澱(よど)んだ水溜りとなっていただろう。純粋な理性の時代、およびそれに基づく政治上の道徳改善の時代はまだ到来していなかった。しかもマニ教の信者集団にとっては、ペルシアにおいてもアルメニアにおいても、また後にはブルガール人やアルビジョワ派(37)のもとにおいても、自らの活動の場はなかった。

われわれにはまだ知られていない道を経てではあれ、キリスト教のさまざまな宗派はインド、チベット、中国にまで押し寄せた。*18 実際またキリスト教暦の最初の数世紀において、アジアの最果ての地域にまでもたらされた衝撃は、キリスト教諸宗派の歴史それ自体の中でも際立っている。バクトリアから来降したとされる仏陀、すなわち仏の教えは、この時代に新たな生命を獲得した後に、セイロン島まで南下する一方、チベットや中国まで北上した。インドの仏教書は中国語に翻訳され、かくして仏教僧の大宗派が誕生した。仏教僧たちによるすべての残虐行為、あるいはラマ僧やタラポワンたちの僧院制度全体をキリスト教に帰さずに、エジプトから中国にいたる諸民族のかつての夢想を新たに発酵させ、それらを多少とも形式において区別した者は分別が足りなかったようだ。仏陀やクリシュナ神その他に関する多くの物語には、キリスト教のさまざまな概念がインド風の衣裳をまとって入り込んでいるように見える。山岳地に住むダライ・ラマはおそらく十五世紀に初めて生れたものであろうが、人格の神聖さ、厳格な教義、それに鐘と僧侶集団を有するところから見れば、チベットのラマ僧の遠縁であろう。ただ、ダライ・ラマにあっては、マニの教義とネストリウスの教義[38]がアジア的な思想や慣習に接ぎ木されているのに対して、チベットのラマ僧にあっては、正統派のキリスト教がローマ的な思想や慣習に接ぎ木されているだけのことだ。しかしこの二人の縁者は、互いに訪問し合うことがないのと同じように、互いに認め合うことも容易ではないだろう。

特に五世紀以降アジアの奥深くにまで広がり、多種多様な利益をもたらした博学なネストリウス教徒に視線を向ければ、事情はいっそう明らかになろう。[*19]キリスト教暦のほとんど最初からエデッサにある学校は、シリアの学問の中心地として栄えた。キリスト自身との往復書簡に登場するアブガル王[39]は、自身の宮殿をニシビスからエデッサに移したとき、幾多の寺院に収蔵されていた書物をエデッサに運ばせた。この時代のエデッサには、学識を得たいと思う者が、あらゆる国から旅してきた。というのも、エデッサではキリスト教神学のほかにも、自由諸学科がギリシア語やシリア語で教えられていたからである。したがってエデッサは、おそらく世界で最初のキリスト教系の大学であったと言ってよいだろう。ちなみにこの大学が栄えたのは、ネストリウス派がその教祖であるネストリウスの教義をめぐって起こした論争によって、この宗派の教師たちが追い払われ、そのうえ講堂までもが取り壊される(40)に至るまでの四〇〇年のあいだのことであった。しかしこの大学のおかげでシリアの文献はエデッサをはじめ、メソポタミア、パレスチナ、フェニキアに広まったのみならず、ペルシアにまで伝えられ、敬意をもって受け容れられた。しかもペルシアでは、ついにネストリウス派の教皇まで誕生し、この教皇はペルシア帝国のキリスト教徒はもちろん、後にはアラビア、インド、モンゴル、中国におけるキリスト教徒をも支配した。この人物が、中世において多くの物語に登場する、かの有名な**司祭ヨハネス**(41)(世界の司祭)であるかどうか、もしくは種々の教義の奇妙な混淆から、この人物がついにダライ・ラマになったのかどうかは未決定のままにしておこう。[*20] 要するに、ペルシアにおいては、ネストリウス教徒で、人気のあった者が歴代の王によって侍医、使節、大臣として利用されたのだ。聖書はペルシア語に翻訳され、シリア語はこの国の学術言語となった。ムハンマドの帝国が台頭したとき、とりわけその後継者のウマイヤ朝の時代には、ネストリウス派の人々が最高の名誉職を占め、占領地の総督となった。そしてカリフたちがバグダッド(42)に居を定めてからは、これらの者が居城をサーマッラー(43)に移さざるをえなかったこともあり、ネストリウス派の大司教が彼らを助けた。カリフのマアムーン(44)はペルシア人の教養を高め、バグダッドの大学に医者、天文学者、哲学者、自然学者、数学者、地理学者、年代記編纂者を雇い入れた。このマアムーンのもとで、シリア人はアラブ人とともに学ぶ存在であると同時にアラブ人の師でもあった。シリア人もアラブ人も、その多くがすでにシリア語に翻訳されていたギリシア人の著作を競ってアラビア語に翻訳した。後にアラビア語から学問の光が暗黒のヨーロッパに差したときも、キリスト教徒のシリア人がバグダッドの地で当初からこれに力を添えていた。彼らの言語は、この地域の東方諸言語の中では最も早く母音を獲得していたこともあって、新約聖書の最古にして最も立派な翻訳をも誇りうるものなのだ。こうして彼らの言語は、ギリシアの学問のいわばアジアにとっての架け橋となり、またアラブ人を通じて同じくギリシアの学問のヨーロッパにとっての架け橋ともなった。当時ネストリウス派の布教団は、きわめて有利な状況のもとで、いたるところに活動の場を広げ、他のキリスト教宗派を抑圧し、あるいは斥(しりぞ)けることに成功した。彼らはまたチンギス・カンによる治世のもとでも大きな勢力を保ち、彼らの大司教はカン(汗)の遠征にもしばしば随行したため、彼らの教義はモンゴル人やウイグル人[45]、ならびに他のタタール諸民族のあいだにも急速に浸透した。サマルカンドには主席大司教が、またカシュガルや他の都市[46]には司教がそれぞれ居住していた。それに、もし中国におけるキリスト教の有名な記念碑が本物だとすれば、その記念碑には大秦(だいしん)[47]から司祭たちが移住してきたことを示す年代記全体が見出されるだろう。しかもこれに次のこと、すなわち、現在のイスラム教の全体は、もしそれに先行し影響を及ぼしたキリスト教が存在しなければ生れていなかっただろうことを考え合わせるならば、キリスト教の中に一つの酵素が存在することは誰の目にも明らかである。そしてこの酵素が、程度あるいは時期の違いこそあれ、南アジア全体および北アジアの一部の思考様式に活発な動きをもたらしたのだ。

しかし読者諸賢はどうかこの動きから、たとえばギリシア人やローマ人において見出された人間精神の新たな独自の開花を期待しないでほしい。これほど大きな働きをしたにもかかわらず、ネストリウス派は民族でもなければ、母なる大地で自ら成長した部族でもなかった。彼らはキリスト教徒であり、修道士だった。彼らは自分たちの言語を教えることはできたが、しかしその言語で書くことができたものといえば、祈禱書、聖書の注釈、修道院で使う信心書、説教、論争文、年代記、それに精神の籠らない詩句であった。それゆえ、シリア語によるキリスト教文学においては、魂から燃え出て心に火をつけるような詩才の火花は生れなかった。人名索引や説教や年代記を韻文で綴るという憐れむべき技巧が彼らの文学なのだ。また彼らの研究した学問のどれにも、彼らは案出の精神をもたらさなかったし、どの学問とも独自性をもって取り組むことがなかった。これは禁欲的で論争好きな修道士精神が、政治的にはどれほど知恵が働いたにせよ、ほとんど何の業績も残せなかったことの悲しい証明なのだ。この精神はすべての大陸において、こうした実りのない姿で現れたが、チベットの山地では今なお勢力を保持している。しかもそこでは僧の掟で秩序を維持しようとすればするほど、案出をもたらす自由なゲーニウスに遭遇することはなくなる。修道院から生れるほとんどのものがまた修道院にしか適さないのだ。

このようなわけで、歴史はキリスト教の普及したアジアの各地方に、ごく短い時間しかとどまることができない。アルメニアにはキリスト教は早くに伝来し、同地の古くからの注目すべき言語に独自の文字を与え、これとともに聖書の何種類にも及ぶ翻訳とアルメニアの歴史記述をもたらした。しかしアルメニア人に文字を与えたメスロプ(48)にしても、その弟子で彼らに歴史記述をもたらしたホレン地方出身のモヴセツ*21(49)にしても、この民族に文学や国民としての憲法を与えることはできなかった。昔からアルメニアは諸民族の通行の岐路に位置していた。かつてはペルシア人、ギリシア人、ローマ人の支配下にあったかと思えば、今はアラブ人、トルコ人、タタール人、クルド人の支配下にあるという状況だ。アルメニアの住民たちは現在もなお古くからの技術、すなわち交易を営んでいるが、学問あるいは国家という構築物は、キリスト教の有無にかかわらず、この地域では一度として造られることがなかった。

さらに悲惨だったのは、キリスト教が普及したグルジア(50)である。教会も修道院もあり、大司教も司教も修道士もいて、女性は美しく、男性は勇敢なのだが、それでも親は子を売り飛ばし、夫は妻を、領主は臣下を、それに敬虔な信者も、必要とあれば司祭をも売り飛ばす。このように活発で不実な盗賊の群れのもとでは、さすがにキリスト教も、めったに見られない形のものになっている。

アラビア語にも福音書は早くから翻訳されており、実際またキリスト教の少なからぬ宗派がアラビアという美しい土地を得ようと苦労を重ねてきた。この地にはユダヤ人とキリスト教徒が、しばしば互いを迫害しながら存在していた。両者は時に王まで出したにもかかわらず、何か注目に値するものは、このいずれからも決して生れなかった。すべてがムハンマドにひれ伏したのだ。たしかに今でもアラビアにはユダヤ人氏族が相当数いるが、キリスト教徒の教団は存在しない。互いに子孫同士である三つの宗教は、憎しみ合いながら自らの誕生の地であるアラビアの砂漠を監視している。*22

＊

ここで一つ、キリスト教がアジア諸地域に与えた影響の結果を概観することにしよう。そのためには、われわれは何をさて措（お）いても、キリスト教、あるいはこのような宗教が大陸にもたらしえた利益という観点から比較を行わねばならないだろう。

1　地上における天国。

すなわち、キリスト教は諸民族のためを考えて諸々の事をより完全に制度化すべく、ひそかに活動してきたのかもしれないが、しかしこの活動の精華たる完全な国家は、キリスト教によってはアジアにしろヨーロッパにしろ、どこにも出現しなかった。シリア人やアラブ人、アルメニア人やペルシア人、ユダヤ人やグルジア人は、みな以前と変わるところはなかった。それにこれらの地域のどの国家体制も、たとえ隠遁生活や修道士の勤めを、もしくは、あらゆる種類の位階制度を、その倦むことのない活動とともにキリスト教国家の理想と見なそうとしても、その国家体制自身がキリスト教から生れたものであるとは、とても自慢できない。大司教や司教たちは自らの宗派、教区、権力を拡大するために各地に宣教師を派遣した。これら宣教師たちは布教活動への影響力、あるいは修道院や教団を手に入れるために王侯の恩恵を求めるが、支配権をめぐって彼らの中で宗派同士の争いが起こる。こうしてユダヤ人とキリスト教徒、ネストリウス派とキリスト単性論者(51)は互いに駆逐し合うので、どの宗派も国家、もしくは地域の幸福のために純真かつ自由に活動することなど思いもよらなくなる。常に何か修道士的な要素を持っていた東方諸国の聖職者たちは、神には仕えても、人間には仕えようとしなかった。

2　人間に働きかけるためには三つの方法、すなわち教育、信望、礼拝上の儀式があった。言うまでもなく、教育はそれが正しいものでありさえすれば、最も純粋で影響力の大きな手段である。若者や老人の教育は、それが人間の本質的な関係や義務に関わっていた場合には、多くの有益な知識を行動に移すか、あるいは行動という形で維持させずにはおかなかった。それゆえ、多くの地域において、もっぱらキリスト教に固有の名誉と長所として動かしがたいのは、こうした知識を身分の低い民衆にも、より分かりやすいものにしたことである。問答、説教、歌謡、信仰告白、祈禱を通じて、神と人倫についての知識がさまざまな民族のあいだに広められた。聖書の翻訳や解説を通じて、文字と文学がさまざまな民族のあいだに普及した。そして民族がまだ幼稚で寓話ぐらいしか理解できない場合は、少なくとも神聖な寓話が新たに語られた。しかしそこでは明らかにすべてが次のことに、すなわち、教える側の人間にその能力があるかどうか、そしてこの人間の教えたものが何であったか、ということにかかっていた。そしてこの二つの問いに対する答えは、人物、民族、時代、地域によって異なったものとなるため、最終的にはこの人間が教えるべきであったものに、つまり実際に支配権を有する教会が拠り所としたものに頼らざるをえない。しかし教会もまた自らの抱える多くの教師の無能力さや極端な言動を恐れたため、教育内容を簡潔にまとめ、狭い範囲を出ようとしなかった。そうなると、もちろん教会としても次のような危険に、すなわち、教義の内容がすぐ尽きてしまい、同じものが繰り返され、わずか数世代のうちにこの伝承宗教がその新鮮さの輝きをほとんど失い、ものを考えない教師が自分の古い信条の上に惰眠を貪るというような危険に直面した。けっきょく本当に生き生きとしていたのは、キリスト教の宣教師たちが最初に与えた衝撃だけであった。やがてすべての波は力を失い、それがさらに力のない波を産み出し、そしてついにはすべてが古いキリスト教徒の儀式という慣例の穏やかな表面に静かに吸い込まれていった。人々は、最初の儀式の魂であった教義から失われたものを、このようにして繰り返される儀式を通じて埋め合わせようとした。しかし儀式は制度化され、これが最終的には、精神を伴わない人形と化し、華麗ではあるが古い衣裳をまとったまま、触れられることも動かされることもないままに、じっと立っていた。この人形は教師と聴衆が楽をするために案出されたが、他方では教師も聴衆も、何かを考えようと思えば考えられたのだ。ただ、考えようと思わなくとも、それによって**宗教という乗り物**[52]が失われることはなかった。そのうえ教会は、最初から統一ということを非常に重んじたので、何も考えずに統一するには、信者を離散させないような儀式が最善のものであったのは言うまでもない。これらすべてのことを完全なまでに実証しているのがアジアの諸教会である。それらはほとんど二〇〇〇年前に魂を失って眠り込んでしまった身体であり、今なお眠ったたままだ。異端でさえ、それらの中では死滅しているが、実際にまた異端になろうにも、そのための力をもう有していないのだ。

しかし本当に**司教の信望**は、眠り込んだ教義から、あるいは死に絶えた活動から失われたものを埋め合わせることができるのか？　幾分はできるだろうが、全部は無理だろう。もちろん老齢の聖者は父としての経験、成熟した知恵、情念に左右されない魂の落ち着きといった穏やかな微光を体現している。非常に多くの旅行者が、東方の年老いた大司教や司教や司祭を前にして感じた崇敬の念を忘れないでいるのは、まさにこのためである。こうした聖者の身振り、衣服、態度、生き方における高貴な単純さが、それに与って力があった。そして尊敬に値する数人の隠遁者は、世間に自分の教えや警告や慰めを与えることを拒まなかったし、一〇〇人の饒舌な無為の徒が街頭や市場の喧騒の中で行うよりもずっと多くの善を行ったと言える。しかし人間の信望がどれほど高貴なものだといっても、それは**教育**、つまり経験と洞察に基づく手本にすぎず、しかもこれが視野狭窄や偏見に取って代わられると、どれほど尊敬に値する人間の信望といえども、危険かつ有害なものなのだ。

3　すべての人間生活は**共同社会の活動**と関連している。それゆえ、キリスト教においても、こうした活動から切り離されたものは遅かれ早かれ死滅せざるをえなかったか、あるいは死滅するだろう。生命を失った手は、どれも死んだものだ。その手は、生きた身体が自己の生と手を役に立たない重荷と感じとるやいなや、直ちに取り替えられる。宣教師たちはアジアで活動していた間は生を分け与え、生を受け入れた。しかしアラブ人、タタール人、トルコ人の世俗権力が彼らを締め出すと、布教活動はそれ以上には広まらなかった。彼らの修道院や司教座は、過去の時代の廃墟として一部に限定されて悲しげに生き残っている。宣教師が黙認されるのは、贈り物や貢ぎ物をする存在として、また奴隷のように使役される存在としてだけである。

4　キリスト教は主として教育を通じて働きかけるので、そこでは言うまでもなく、キリスト教が教えられる手段である**言語**に多くのことが左右される。そしてもう一つの重要なものは、こうした言語にすでに含まれ、キリスト教の正統信仰につながる文化である。洗練された言語、あるいは普遍的な言語を用いて、キリスト教はさらに伝播するのみならず、このような言語を通じて独自の文化と尊敬をも獲得する。これに対して、キリスト教の言語が次のような範囲に、すなわち、神に起源を有する神聖な言語として他の生きた諸言語から取り残され、荒廃した城にあたかも幽閉されるかのように、父祖たちの閉ざされて粗野になった方言という狭い範囲の中に追いやられるやいなや、この宗教はまさにこうして荒廃した城の中で、やがては哀れな暴君もしくは無知な囚人として惨めな生活を続けざるをえなくなる。アジアにおいてギリシア語が、そして後にはシリア語が、同地で圧倒的な力を誇るアラビア語によって駆逐されたとき、ギリシア語とシリア語に蓄えられていた種々の知識もまた流通しなくなった。それらの知識は、もっぱら典礼、告白、修道士神学という形で伝えられるにとどまった。しかも元来は宗教活動の補助手段にすぎないこれらのものが、宗教の内容すべてであると主張されるなら、それも誤りである。インドにおけるトマス派[53]や、グルジア人、アルメニア人、アビシニア人、コプト人をよく見るがよい。彼らは何者なのか？　彼らは自分たちのキリスト教によって何になったのか？　コプト人とアビシニア人は彼ら自身にも理解できない古書を所蔵しているが、それらはヨーロッパ人の手に入れば、おそらく有益なものとなろう。しかしコプト人にしてもアビシニア人にしても、それらを必要としないし、利用することもできない。彼らのキリスト教は悲惨このうえない迷信にまで堕落したのだ。

5　それゆえ私はここでもまた**ギリシア語**に讃辞を、それもこの言語が人類史において特に受けるにふさわしい讃辞を与えざるをえない。というのも、ギリシア語によってすべてのものに光が与えられ、それによってキリスト教もわれわれの大陸を照らし、あるいはこの大陸に光を投げかけたからである。もしギリシア語がアレクサンドロス大王の遠征や彼の後継者たちの王国、さらにはローマ帝国の領土によって、これほどまでに普及し、かくも長い時代にわたって保持されていなければ、アジアにおいてもキリスト教による何らかの啓蒙が行われることは困難だったであろう。なぜなら、正統信者も異端者も、まさにギリシア語によって、直接なり間接なりに自分たちに光明を与え、あるいは人を惑わす光を点じたからである。アルメニア語、シリア語、アラビア語にもギリシア語から啓蒙の火花が飛び込んできた。そもそもキリスト教の最初の正典が、ギリシア語でなく、当時のユダヤの言語で書かれていたならば、あるいは福音がギリシア語によって説かれることも広められることもできなかったならば、今でこそ諸民族の上に漲りわたる水流は、おそらくその源泉の近くで枯渇していたであろう。そうなればキリスト教徒は、かつてのエビオン派のようなものか、あるいは洗礼者ヨハネの信奉者[54]やトマス派が現在まだそうであるもの、すなわち、諸国民の精神に何らの影響も及ぼさない哀れな軽蔑された集団になっていただろう。そこでわれわれとしても、この東方の発祥地を離れ、キリスト教が最初に大きな役割を演じた舞台に目を向けることにしよう。

＊16　この宗派に関する最新にして最も確実な報告は、**ノルベルク**[55]の『シバ人の宗教と言語の研究』（一七八〇年）に見られる。この著作は**ヴァルヒ親子**[56]の論考とともに、旧来の集成の方

法に従って一緒に刊行されることが望ましい。

＊17 ボソーブル[57]、モスハイム[58]、ブルッカー[59]、ヴァルヒ、ヤブロンスキー[60]、ゼムラー[61]たちの後にいる現在のわれわれは、これらの事柄をずっと明確かつ自由に考察できる。

＊18 ケリュス[62]、サン・パレイユ[63]などの論文と同じように、ド・ギーニュ[64]の論文も、フランス文芸院の文献から集められて翻訳されることが望ましい。思うに、雑然と積み重ねられた凡庸なものの山から、注目に値する事柄を抜き出し、個々の人間による諸発見を役に立つものにすると同時に、自らの思想と一致させるには、それが最も容易な手段であろう。

＊19 アセマーヌス[65]の『東方叢書』(エアランゲン、一七七六年)からのプファイファー[66]の抜粋は、歴史のこのほとんど未知の領域に関する有益な仕事だ。さらに望まれるのは、キリスト教的東方の歴史、なかでもネストリウス派との関連における独自の歴史について書かれることであろう。

＊20 フィッシャー[67]は『シベリア史』の序論(三八節以下)においてこの考えをきわめて信憑性の高いものにした。他の著者たちはケレイト人[68]のカン(汗)であるオン・カン[69]がそれであったと考えている。コッホ[70]の『革命一覧表』第一巻、二六五頁を参照。

＊21 ホイストン[71]の『モヴセツ・ホレナツィのアルメニア史』(一七三六年)の序論、およびシュレーダー[72]の『アルメニア語辞典』六二頁。

＊22 ブルース[73]の『アビシニアへの旅』は、この地域におけるキリスト教に関する注目すべき

歴史記述を提供してくれる。全体としてそこから新たな結果が生れるかどうかは時が教えてくれるだろう。

三　ギリシア諸国におけるキリスト教の進展

これまでに見てきたように、キリスト教誕生への道を拓いたのはヘレニズム[74]、すなわち、すでに他民族のさまざまな概念と混淆したユダヤ人の比較的自由な思考様式であった。こうして生れたキリスト教は、この道をさらに進んだため、ギリシア語を話すユダヤ人の大きな居住地域は短期間のうちに新たな福音に満たされた。キリスト教徒という名称は、ギリシアの或る都市[75]において生れた。キリスト教の最初の正典が最も広く流布したのはギリシア語を通じてであった。なぜなら、この言語はほとんどインドから大西洋に至るまで、リビアからトゥーレ[76]に至るまで普及していたからである。しかも幸か不幸か、ユダヤの近くには、特にキリスト教の最初の形態に多くの影響を与えた地域、すなわちエジプトがあった。エルサレムがキリスト教の揺りかごであったとすれば、アレクサンドリアはその学校となった[77]。

プトレマイオス朝以来、エジプトには交易のために多数のユダヤ人がいた。この地で自ら独自のユダヤを創設したいと強く考えた彼らは、神殿を建て、自分たちの聖典を漸次ギリシア語に翻訳し、さらに新たな聖典を追加した。同じようにプトレマイオス・ピラデルポス(78)の時代以来、アレクサンドリアには学問のための立派な施設がいくつも存在したが、それらはアテナイも含めて他のどこにも見られないものであった。そこでは一万四〇〇〇人もの学生が、国の恩恵によって長期にわたり生活費と住居を得ていた。ここアレクサンドリアにはまた有名な博物館や巨大な図書館、あらゆる種類の古代詩人や学者の名声があった。すなわち、この世界交易の中心地には諸民族の大きな学校があった。諸民族がこうして集まることによって、そしてギリシアおよびローマ帝国においてあらゆる民族の思考様式が次第に混淆されることによって、いわゆる**新プラトン主義哲学**と、何よりもあの奇妙な**混淆主義**(79)が生れた。ちなみに後者は、あらゆる宗派の原理を統合しようと努め、短期間のうちにインド、ペルシア、ユダヤ、エチオピア、エジプト、ギリシア、ローマ、それに蛮族をも互いに考え方の点で接近させた。不思議にもこの精神はローマ帝国のほとんど至るところに広まったが、それは至るところに現れた哲学者たちが、自らの出身地の思想を、こうした概念の大集団の中に持ち込んだからである。しかしこのような状況が最も隆盛を見たのはアレクサンドリアにおいてだった。今やキリスト教という雫(しずく)もこの海に沈み、この精神は自分と融合できると思ったものを引き寄せた。すでにヨハネとパウロの書いたもの[80]の中で、プラトン的な理念はキリスト教に同化されている。最古の教父たちも哲学と関わり合うときには、一般に認められている考え方を用いないわけにはいかなかった。実際そのうちの何人かは、たとえば自分たちの言うロゴス[81]を、キリスト教よりもはるか以前のあらゆる哲学者の魂のうちに見出した。もしキリスト教の体系が、ユスティノス[82]やアレクサンドリアのクレメンス[83]などのような人物たちの考えに従って、自由な哲学のままだったら、この体系は不幸なことにはなっていなかっただろう。というのも、その哲学は、どの時代においても、またどの民族のもとでも、徳性と真理愛を非難しなかったし、後に法と見なされた狭苦しい常套句について知る由もなかったからである。なるほど、アレクサンドリアで教育を受けた初期の教父たちは、最も劣悪な教父ではなかった。あの類い稀なオリゲネス[84]は、一万人の司教や大司教に比べても、ずっと多くのことを行った。事実また彼が精力的にキリスト教の原典に向けた学識と批判なしには、キリスト教はその誕生に関して、ほとんどまったく稚拙な作り話に堕していただろう。彼の精神は何人かの弟子にも伝えられ、アレクサンドリアという学校で育った多くの教父たちは、少なくとも他の数多くの無知で狂信的な頭脳の持ち主よりも、ずっと精妙かつ精緻に思考し、また論争も行った。

しかしもちろん別の観点からすれば、エジプトのみならず、当時の流行哲学それ自体もキリスト教にとっては有害な学校だった。なぜなら、その後ほとんど二〇〇〇年の長きにわたって論争、不和、混乱、迫害、あらゆる国の崩壊を惹き起こし、そもそもキリスト教にこれとまったく異質の詭弁的な形態を与えたすべては、まさにこれらの異質でプラトン的な理念、それもギリシア流の詭弁でもって精緻なものとなった理念と不即不離のものだったからである。こうしてロゴスという言葉から、さまざまな異端や暴力行為が生れたのであり、それらを目の前にすると、われわれの中のロゴス、すなわち健全な理性は今なお戦慄を禁じえない。これらの争いの多くは、ギリシア語でなければ行われえなかったものである。それゆえこれらは、永久にギリシア語に固有のものであるべきであって、断じてすべての言語の普遍的な教育規定にまで高められるべきものではなかった。実際またこのような規定には、人間の知識を増大させ、知性に新たな力を賦与し、人間の意志に気高い原動力を与える真理も見識もない。それどころか、キリスト教徒がアリウス派[85]、フォティヌス派[86]、マケドニオス派[87]、ネストリウス派[88]、オイティケス派[89]、キリスト単性論者、三神説者[90]、一神性論者[91]などに対して行った論争全体を完全に抹殺したところで、キリスト教、あるいは人間の理性は少しの損害も受けないだろう。それゆえわれわれは、まさにこれらの論争、およびその結果として生れた無数の宮廷公会議や盗賊による公会議[92]の粗暴な教令を無視し、それらすべてを忘れ去らねばならない。そうすることによってのみ、われわれはキリスト教の原典をあらためて純粋な目で最初から見直し、公明で素直な解釈に到達できる。こう述べるのも、今なお至るところでこうした論争や教令が、多くの臆病な人々のみならず、そのために迫害された人々の前にさえ立ちふさがり、彼らを苦しめているからである。これらの宗派による無用な思弁は、どれもみなあのレルネーの九頭の怪蛇(93)か、あるいは、どんなに小さな部分でも再生するがその途中で不意に引き裂くと、その者に死をもたらす蛆虫の鎖状環にも等しい。歴史の多くの世紀は、こうした無益で、人間に有害な組織に満ちている。それによって夥しい量の血が流され、無数の、それも時には最も権威のある人々が、最も無知な悪党によって財産と名誉、友人、住居と平安、健康と生を奪われてきた。邪心のない蛮族であるブルグント人、ゴート人、ランゴバルド人(94)、フランク人、ザクセン人でさえも、アリウス派、ボゴミル派(95)、カタリ派(96)、アルビジョワ派、ヴァルド派(97)などの味方あるいは敵となって、敬虔な信心深さを見せたり、熱心な異端としての真剣さを示したりしながら、これらの血戦に加わった。ただ、争う民族として彼らが真の洗礼儀式のために敢然と刃を振るったことは無駄ではなかった。これこそ本当の争う教会だった。しかしこのキリスト教による言葉と剣の行使の歴史ほど殺伐とした文学の領域はない。実際こうした歴史は、人間の知性からは固有の思考力を、キリスト教の原典からは透徹した見解を、市民法からは原則と規範を奪った。その結果われわれは、他の蛮族やサラセン人が乱暴な侵略によって人間理性の恥辱[98]を破壊してくれたことを彼らに感謝せざるをえないありさまだ。しかし本当に感謝されるべきは、このような論争の動因となったアタナシウス、キュリロス[99]、テオフィロス[100]、コンスタンティヌス六世[101]、エイレーネ[102]のような人物たちの真の姿を明らかにしてくれる人たちである[*23]。なぜなら、キリスト教において、教父たちや彼らによる公会議の名が、今なお奴隷のように怯える信者によって口にされるかぎり、誰も聖書はもちろんのこと、自分自身の知性も活用できないからである。

キリスト教の道徳論も、エジプトをはじめ、ギリシアの他の地域ではそれほど恵まれた土壌を見出さなかった。逆にこの道徳論は濫用されることによって、これらの地域で共住修道士[103]や、他の修道士の粗雑な軍隊を創るに至った。しかもその軍隊は、たとえばテーベ[104]の砂漠における法悦だけに満足していたのではなく、傭兵集団として諸国をたびたび侵略するとともに、司教選挙や公会議を妨害し、聖霊を強制して、自らの俗霊が望むような発言をさせた。私は沈思黙考の姉妹たる孤独を敬愛する。孤独は社会の立法者であることも稀でなく、多忙な生における種々の経験や情念を、原則や栄養液に変えてくれるからだ。また孤独は同情に値するが、それは孤独が慰めを、それも他人による束縛や迫害に疲れた自分自身のうちに休息や天国を見出すことで慰めを与えてくれるからである。たしかに最初のキリスト教徒の多くは、この種の孤独を愛する者たちであった。彼らは大軍事帝国の暴政、あるいは都市の暴虐によって砂漠へと追いやられたが、そこでは世俗の欲望にほとんど囚われない彼らを、穏やかな天国がやさしく受け入れた。しかし、だからこそわれわれとしては、あの驕りと独断に満ちた隠遁を、いっそう軽蔑すべきなのだ。なぜなら隠遁は、活動的な生を嫌悪し、瞑想あるいは懺悔を尊重し、妄想をもって身を養うだけでなく、情念を鎮める代わりに最も凶暴な感情、すなわち頑固で際限のない高慢を自分の中で煽(あお)り立てるからである。残念ながら、こうした隠遁という形でのキリスト教化が、そのための幻惑的な口実となったのは、本来ならばキリスト教化のためにごくわずかな者たちに与えられるべきだった助言が、普遍的な原則とされ、天国に入るための条件にまで高められ、そのうえキリストまでもが砂漠の中に探し求められるようになって以降のことである。こうして、地上の市民であることを軽蔑し、それによって人類の最も尊重すべき天分である理性、道徳心、種々の能力、親への愛、友情、夫婦愛、子どもへの愛を放棄してしまった人間が天国を見出すことになった。聖書を誤解して、結婚もせず、無為に瞑想する生活に対して、しばしば軽率かつ存分に与えられた讃辞こそ呪われるべきものなのだ。狂信的な雄弁をもって若者の心に刻み込まれ、それによって長い時代にわたって人間の知性を歪め、麻痺させてきた誤った印象こそ呪われるべきものなのだ。いったい教父たちの著作においては、純粋な道徳が僅かにしか見られず、時として最良のものが最悪のものと、つまり黄金が屑と混じり合って見出されるのはどうしてなのか？*24 また、この時代にはまだ非常に多くのギリシアの著作家を意のままに利用できた最も傑出した人物たちから、構成や叙述はさておき、道徳の点や作品を貫く精神の点に限っても、ソクラテス学派の書物に比肩しうるような書物が一冊も挙げられないのはどうしてなのか？　教父たちの選り抜きの箴言でさえ、ギリシア人の道徳と比べると誇張や修道士臭さがあまりにも多く感じられるのはどうしてなのか？この教父たちの新しい哲学によって人間の頭脳は狂い、その結果として、人間は地上で生きることではなく、天上をさまようことを学んだ。しかも実に嘆かわしい損失であるのは、これほどひどい病気は他にありえないというのに、この病気が教義、名声、施設を通じて伝染させられ、それによって道徳の純粋な源泉が何世紀にもわたって濁ったものにされたことである。

さて、ようやくキリスト教の地位も高まり、皇帝旗(105)にもその名称が印されたた。この名称は今なおローマ皇帝の最高の宗教として、地上のあらゆる名称に君臨して吹き渡っている。しかしそこには不純な要素もあることが突如として明らかになった。つまり、国家の問題と教会の問題が奇妙な形で混ぜ合わされてしまったために、人間が扱うどの事物においても、正しい観点というものが、もはやほとんど残らなくなってしまったのだ。長いあいだ苦しんできた人々は、寛容を説く中で自らが不寛容になった。また国家に対する義務は、神に対する人間の純粋な関係と混淆され、なかばユダヤ教的な修道士宗教が、知らないうちにビザンティウムのキリスト教帝国[106]の土台とされた。だが何ということか、これによって犯罪と刑罰の関係、義務と権利の関係、そして何よりも帝国体制の階級間における真の関係それ自体が不当にも見失われざるをえなかったのだ。聖職者階級は、ローマ人のもとにおける旧来の場合とは異なり、国家の中に組み入れられ、国家に対して直接に協力を行った。この階級は修道士と乞食の階級となり、さらにこの階級のために無数の規定が作られた。これらの規定は他の階級の重荷となり、互いに相殺し合ったが、なお国家という形式だけでも残すべく、何度も手を加えられざるをえなかった。かの双頭の怪物[107]を、われわれはいずれにせよ、あの偉大にして脆弱(ぜいじゃく)なコンスタンティヌス大帝に返さねばならない。この怪物は聖俗両権力の名のもとに自分自身と他の民族を翻弄し、踏みつけにしたのだから。しかもこの怪物は、二〇〇〇年たった今もなお次のこと、すなわち、何のために宗教は、そして何のために政治は人間のもとに存在しているのか？　ということについて、ほとんど思想の一致を見ていない。また法における皇帝の敬虔な恣意と、たちまち最も恐るべき専制政治にならざるをえなかった妥協的姿勢、それもキリスト教徒の君主でありながら世俗の皇帝ではないことに由来する妥協的姿勢も、実はこの怪物のせいなのだ。[*25] ここからビザンティウムの忌まわしい歴史における数々の罪悪と残虐行為が生れた。ここからキリスト教徒の最悪の皇帝たちへの欲得ずくの追従が生れた。ここからあの呪うべき紛糾が生れ、それは聖と俗に関する事柄、異端者と正統信者、蛮族とローマ人、軍司令官と宦官(かんがん)、女性と司祭、大司教と皇帝のあいだに騒然とした混乱をもたらした。帝国は自らの原理を失っていた。つまり揺れ動く船は帆柱と舵を失っていたのだ。権力の舵をとることのできた者は、他の者が来て追い払われるまで舵をとった。汝ら古代のローマ人であるセクストゥス、[(108)] カトー、キケロ、ブルトゥス、ティトゥス、そして汝らアントニヌスたちよ、汝らならばこの新しいローマに対して、すなわちコンスタンティノープルの宮廷に対して、その草創期から没落に至るまで何と言っただろうか?

したがって、このキリスト教ローマ帝国において生れえた弁論術も、あの古代ギリシア人や古代ローマ人の弁論術とは、とうてい比較できないものであった。もちろん新しいローマでは聖職者、つまり大司教や司教や司祭が弁舌を振るっていた。しかし彼らは誰に向かって、何について語っていたのか? 彼らの最良の雄弁は、どのような実を結びえたのか? また結ぶべきだったのか? 愚かで、堕落し、放縦な大衆に対して、彼らは神の国と一人の道徳的な人物の立派な箴言を説いて聞かせなければならなかった。もっともこの人物は、自分が生きていた時代の中ですでに孤立していたし、こうした大衆にも決して属していなかった。それよりも、大衆を惹きつけたのは、雄弁を振るう聖職者が、宮廷での破廉恥な行為、異端者や司教や司祭や修道士の陰謀、あるいは劇場や競技や娯楽や女性の服装の野卑な奢侈(しゃし)を話題にするときであった。黄金の口と呼ばれる汝クリソストムスよ(109)、雄弁家としての汝の溢れ出る天分が、もっと良い時代に巡り合わなかったのは何と悲しいことか！　汝は、かつて最良の日々を過ごした孤独から歩み出て、光り輝く首都に来たものの、そこでの日々は汝には陰鬱なものとなった。牧人としての汝の熱意は、何を迷ったか、牧場から離れ、汝は廷臣や司祭の陰謀の嵐に吹き倒され、追放され、それから回復はしたものの、結局は不幸なまま息をひきとらざるをえなかった。この淫蕩(いんとう)な宮廷では何人もの誠実な人間がこれと同じ経過を辿った。しかし最も悲しむべきは、彼らの情熱でさえもが誤りを免れえなかったことである。事実また伝染病に汚染された空気の中で生活する者は、たとえいくら腫(は)れ物に用心したところで、少なくとも顔が青白くなり、体のあちこちが病むのは避けられない。これと同じように、並の用心の仕方では逃げきれないくらい、あまりにも多くの危険や誘惑がこの宮廷でも聖俗両階級を取り巻いていた。それだけにいっそう称賛に値するのは、何人かの軍司令官や皇帝、あるいは司教や大司教や政治家、それもこの硫黄のような暗澹（あんたん）たる天空に散在する星々のように輝く少数の名前である。しかしこれらの形姿とて、霧によってわれわれの視界から奪い去られる。

最後に、学問と道徳および芸術における嗜好、すなわち、この最初にして最大のキリスト教国から広まった嗜好に目を向けるならば、われわれはこれを、野蛮で派手で、しかも貧弱なものと呼ばざるをえない。テオドシウスの時代(110)にローマの元老院でユピテルとキリストが勝利の女神を前にしてローマ帝国の所有権を争い、ユピテルが敗れてからというものは、古代の偉大な嗜好の記念碑ともいうべき神殿や神々の立像が、世界の至るところで次第に、あるいは暴力によって消滅させられた。一つの国がキリスト教化されればされるほど、その国はますます熱心に古代の神々や英雄信仰の遺物を破壊した。キリスト教の教会の目的と起源は、古代の偶像神殿を建てることを禁じていたので、法廷や集会所、それにバシリカと呼ばれる公共建築物が教会建築の模範となった。コンスタンティヌス大帝の時代に由来するこうした建築物の最古のものは、異教の遺物から造られ、いくつかの最も偉大な建築遺産の真っ只中に建設されたものであるがゆえに、それらの建築物には今なお高貴な単純さ(111)が認められる。だがそれでもこの単純さは、すでにキリスト教的なものである。あちこちから略奪され、並べられている古代の神々の立像には何の美的感覚も感じられない。しかもコンスタンティノープルにおけるキリスト教芸術の奇蹟ともいうべき壮麗なソフィア教会(112)は、野蛮なまでにごてごてと飾り立てられていた。しかし古代文化の財宝が、どれほど多くバベルのようなこの大都市に寄せ集められても、ギリシアの芸術にしても文学にしても、そこではほとんど栄えることができなかった。ビザンティウムの従僕で、緋衣(ひえ)を着て生れたコンスタンティヌス自身が記述しているように、*26 十世紀にもなって、戦時はおろか平和時にも、皇帝の還幸や礼拝に供奉(ぐぶ)しなければならなかった廷臣には本当に驚くばかりだ。さらに驚くべきは、このような国が、思ったよりも早くは崩壊しなかったことである。このことは、ひとり濫用されたキリスト教にのみ帰せられるものではない。なぜなら、最初からビザンティウムは、華麗で豪奢な乞食国家として建設されていたからだ。さまざまな圧迫や闘争や危険のもとで育てられ、自力で世界の首都となったローマのようなものは、このビザンティウムからは生れなかった。この新しい都市はローマとその属州の犠牲の上に建設されたが、ただちに賤民に覆いつくされた。しかもこれらの賤民は、偽善と怠惰、称号と追従のもとに皇帝の寛容と慈悲、すなわち国の髄を食べて生きていた。この新しい都市はすべての大陸のあいだの最も美しい地域にあって、逸楽の中心地に位置していた。アジア、ペルシア、インド、エジプトから豪奢で華麗な商品がビザンティウムに集まり、それらはこの都市自身で消費されたのみならず、北西の世界にも供給された。ビザンティウムの港は、あらゆる国々の船で満ちあふれていた。そしてアラブ人がすでにこのギリシアの帝国からエジプトやアジアを略奪していた後の時代にあっても、なお世界の交易は、今や年老いたこの逸楽の都市を養うために黒海やカスピ海を越えて行われた。アレクサンドリア、スミルナ[113]、アンティオキア[114]、それに種々の施設や都市や芸術を持ち、湾も多いギリシア、無数の島嶼(とうしょ)を有する地中海、そして何よりもギリシア国民の快活な性格、これらすべてがキリスト教徒の皇帝のこの居住地を悪徳と愚行の集合地とするのに与って力があった。かつては古代のギリシアの繁栄に役立ったものが、今度はギリシアに最悪の事態をもたらした。

しかし、だからといってわれわれはこのビザンツ帝国[115]が、その特性と位置において世界にもたらした利益を否定するつもりは全くない。長らくこの国は蛮族に対して弱いながらも防波堤の役割を果たしていた。しかしこれら蛮族の多くは、この国に隣接して住むことによって、あるいはこの国で仕事をして、交易を行うことによって、粗暴さを捨て去り、道徳や芸術に対する感覚を身につけていった。たとえばゴート人の傑出した王であるテオドリック[116]は、コンスタンティノープルで育てられた。われわれは彼がイタリアに対してなした善行を、この東方のビザンツ帝国にも等しく感謝しなければならない。

コンスタンティノープルは、いくつもの野蛮な民族に文化の種子である文字とキリスト教を与えた。こうして司教ウルフィラ[117]は黒海沿岸のゴート人のためにギリシア語のアルファベットを作り変え、新約聖書をゴート語に翻訳した。ロシア人、ブルガール人、それに他のスラヴ民族は、コンスタンティノープルから文字とキリスト教と道徳を、それも西方の同胞がフランク人やザクセン人から手に入れたよりもずっと穏やかな方法で獲得した。ユスティニアヌス帝[118]の命令で始められたローマ法の集大成[119]は、たとえ不完全で断片的なものであれ、あるいはまた非常に多くの濫用がなされたにもかかわらず、今なお古代ローマ人の真の精神の不滅の記念碑であり、また活動する知性の論理であり、その後の優れたあらゆる立法の試金石であり続けている。このビザンツ帝国において、西方ヨーロッパはギリシアの言語と文学を、たとえ悪用されたにせよ、コンスタンティノープルからの逃亡者たち[120]の手から受け取れるようになったが、これらの言語や文字が、かくも長きにわたり保存されていたことは、西方の教養世界全体にとっての恩恵とも言うべきものである。中世の巡礼者や十字軍が聖地への途上でコンスタンティノープルを見つけたことが、西方ヨーロッパに、少なくとも遠方から、それまでとは異なる時代の準備をすることになった。というのも、彼らは幾多の明らかな不実行為の代償として、せめて華麗さや文化や生活様式に関する新たな印象を自分たちの洞窟や宮城や修道院に持ち帰ったからである。ヴェネツィア[121]やジェノヴァ[122]の人々は、アレクサンドリアやコンスタンティノープルで大規模な交易を学び、実際また、ほとんどこの国の没落によって自分たちの富を獲得し、そこから多くの有益なものをヨーロッパにもたらした。養蚕はペルシアからコンスタンティノープルを経てヨーロッパに伝えられた。とにかくローマ教皇の座が多くのものを東方の帝国に感謝しなければならないのと同じように、ヨーロッパはローマ教皇の座と拮抗するための、いかに多くのものを、この東方の帝国に感謝しなければならないことか！

だがバベルのように誇り高く富裕で華麗な大都市コンスタンティノープルも、ついに没落した。この都市は、あらゆる栄光と財宝ともども、粗野な征服者たちの手に落ちた。もうずっと前からこの都市は自らの領土を守ることができなくなっており、すでに五世紀にはギリシア全土がアラリックの餌食（えじき）になった。東から西から、北から南からと絶えず蛮族が押し寄せ、この都市にますます近づいてくる。そして都市の中では、凶暴な蛮族が群れをなして暴れまわることも稀でない。神殿は襲撃され、絵画や図書は焼かれ、こうして至るところでビザンツ帝国は売られ、また裏切られる。なぜならこの帝国は、その最も忠実な臣下に対してさえも、眼球をえぐり取り、耳や鼻をそぎ落とし、あるいは生き埋めにするという報酬しか与えないからだ。こうして事実また、残虐と淫蕩、追従と厚顔きわまりない傲慢、反逆と不実が、この悉くキリスト教の正統信仰によって糊塗された玉座を支配していた。皇帝のあらゆる誇りと富を有し、かつ学問や芸術においてはあらゆる豪華を極めていたにもかかわらず、ゆっくりと死の道を歩むこの帝国の歴史は、宦官や聖職者、あるいはエイレーネのような女帝による政治に対する恐ろしい警告の実例である。その瓦礫が今こうして横たわっている。地上で最も聡明な民族であるギリシア人も、この地では最も軽蔑すべき民族となった。彼らは嘘つきで、無知で、聖職者や修道士のみじめな従僕になり下がり、古代のギリシア人精神をほとんど持てなくなった。最初の壮麗きわまりない国家キリスト教は、かくして終わりを告げた。こうしたものは二度と現れてほしくないものである。*27

＊23　宗教改革者たちによる以前からの努力、それからカリクスト[123]、ダレウス[124]、デュパン[125]、ル・クレール[126]、モスハイム[127]らによる努力の後では、キリスト教の教会史をいっそう自由な見方でとらえようとする者にとって、ゼムラー[128]の名が尊敬に値するものであることは動かないだろう。このゼムラーに続くのがシュピットラー[129]の概観的で明快な講述であり、他の者たちもこれに従えば、キリスト教の教会史の各時期が正しく描かれるだろう。

＊24　バルベラック[130]、ル・クレール[131]、トマジウス[132]、ゼムラー[133]などがこのことを明らかにしてく

れた。そしてレースラー[134]の『教父叢書』は、このことを誰にでもきわめて分かりやすく示すことができる。

＊25　コンスタンティヌス大帝の改宗から、西ローマ帝国の滅亡にいたるまでの期間については、匿名のフランスの著作家による『統治、法、人間精神における変革の歴史[135]』が洞察も鋭く入念に記述されている。翻訳はライプツィヒで一七八四年に刊行された。

＊26『緋衣を着て生れたコンスタンティヌス。ビザンティウム宮廷の儀式に関する二巻の書物[136]』(ライプツィヒ、一七五一年)。

＊27　ここでわれわれは、共感と喜びをもってイギリス人の第三の模範的な歴史家の名を挙げることができる。彼はヒューム[137]やロバートソン[138]と競い合っているが、おそらくロバートソンを凌駕している。ギボン[139]の『ローマ帝国衰亡史』がそれである。これは研究の行き届いた傑作であるが、しかしおそらく素材選択の誤りからか、たとえばヒュームの歴史書が与えてくれるような、心を奪うほどの面白さには欠けるように見える。とはいえ、この博識で真に哲学的な作品に対してイギリスで立てられた悪評、それもこの作品があたかもキリスト教に敵対するかのように言う悪評は、私には不当なものに思われる。なぜなら、ギボンは自分の歴史書が扱う他の対象と同じく、キリスト教に対しても非常に寛大な評価を与えているからである。

四　ラテン属州[140]におけるキリスト教の進展

1　ローマは世界の首都であった。キリスト教を許容するか、あるいは抑圧するかについての命令はローマから発せられた。したがって、キリスト教全体の主要な活動は、必然的にこの権力と権威の中心点に働きかけることを目ざすものでなければならなかった。

ローマ人が自分の征服した民族のあらゆる宗教を許容したことには異議の唱えようがない。こうした許容と、当時のローマの体制という状況全体がなければ、キリスト教は決してこれほど早く、かつ普遍的に広まっていなかっただろう。キリスト教は遠方の地で、それも軽蔑され、迷信の諺(ことわざ)にまでなった民族[141]のもとで生れた。ローマでは邪悪で正気を失った無力な皇帝たちによる支配が続いたため、この国家には全体を見渡して統括する力が欠けていた。長らくキリスト教徒は、もっぱらユダヤ人という名のもとに包含されていた。ユダヤ人はローマのすべての属州においてと同じように、ローマにも多数住んでいた。ユダヤ人から排斥されたキリスト教徒の存在を最初にローマ人に知らせたのも、おそらくユダヤ人同士の憎悪であったろう。その後ローマ人は、キリスト教徒を、先祖の宗教から離反した無神論者と考えるか、あるいは、よく人目を忍んで集まることから、他の秘密信仰を有する者たちと同じく、迷信と凶行に汚されたエジプト人と見なすようになった。キリスト教徒は極悪な集団と見なされ、そのためネロ(142)も自分の放火殺人という凶行の罪を、まず彼らになすりつけることができた。このきわめて不当な受難は、彼らに対する世間の同情を喚起したが、これとても不当に苦しめられた奴隷に与えられる憐憫の情にすぎなかったように思われる。実際ローマ人は、キリスト教徒の教義を進んで調べようともせず、これを、ローマ帝国では何でも広められることができたのと同じように、広められるままにさせておいた。

キリスト教徒の礼拝と信仰の原則が明らかにされるにつれて、政治という宗教にしか慣れていなかったローマ人は特に感情を害された。というのも、これら不幸なキリスト教徒たちは、ローマ国家の神々を地獄の魔神であると誹謗し、ローマ人が国家の守護神のために行っている祭事を、大胆にも悪魔の授業であると言い放ったからである。またキリスト教徒が皇帝たちの立像に、ローマ人自身にとって名誉であるべき恭順の念を示さず、祖国のあらゆる義務もしくは礼拝を敬遠したこともローマ人の感情を害した。そのためキリスト教徒は当然のごとく祖国の敵と見なされ、他の人間の憎悪や嫌悪を受けても仕方ないものとされた。皇帝たちの思惑次第で、あるいはまた新たな噂が皇帝たちを宥めるか、あるいは怒らせるかによって、キリスト教徒に有利な命令、もしくは不利な命令が発布された。しかもこれらの命令は、どの属州においても総督の思惑やキリスト教徒自身の態度次第で遵守される度合いも違った。それでも後の時代に、たとえばザクセン人、アルビジョワ派、ヴァルド派、ユグノー派[143]、プロイセン人、リーヴ人に対して加えられたような迫害は、決してキリスト教徒に向けられることはなかった。この種の宗教戦争[144]は、ローマ人の考え方の中には存在しなかった。それゆえ、キリスト教の最初の三〇〇年に数え入れられる迫害の時期は、キリスト教信仰に殉じた者たちの勝利の時期となった。

自己の信念に忠実であり、その信念が本物であることを、道徳上の清廉と誠実な人格によって、死に至るまで証明することほど高貴なことはない。キリスト教徒もまた、分別のある善良な人間として道徳上の清廉や強さを示した場合は、奇蹟を起こす才能や奇蹟という出来事についてさまざまに物語ることを通じてよりも、ずっと多くの信奉者を獲得した。キリスト教徒を迫害する者の多くは、キリスト教徒の勇気に驚嘆した。それは、迫害する者も次のことを、すなわち、なぜキリスト教徒が迫害されるという危険にこうも身をさらすのかということを理解できないときでさえ、そうであった。そのうえ人間とは、心の底から真に欲するものだけは手に入れるものなのだ。それゆえ、生死に関係なく多数の人間が固守するものを抑圧するのは容易なことではない。彼らの熱意は燃え上がり、彼らが自ら示す模範は、たとえ明るく照らすことはできなくとも、人の心を熱くする。教会は組織の基盤を信者の確固とした姿勢に負っており、だからこそ、この組織は自らを著しく拡大しながら、何世紀も生き続けることができた。外皮がなければ中の液汁が流れ出してしまうのと同じように、軟弱な道徳や圧力に屈しがちな原則であれば、最初からすべてが流れ出ていただろう。

しかし個々人の場合には、人間が実際に何のために争い、また命を捨てるのかということが問題なのではないだろうか？　それは自分の内面の信念のためだろうか。真理と忠義との結合、しかもその報酬が、死後にまで及ぶ結合のためだろうか。それとも、無くてはならないほど重要な歴史的な出来事を、それも自ら体験し、われわれに打ち明けられたその真理も、われわれが存在しなければ滅びるような出来事を証（あかし）するためだろうか。よかろう！　いずれにせよ、そのような場合には、殉教者は英雄として死に赴き、彼の信念はどのような苦痛や呵責（かしゃく）にあっても自らを元気づけ、その眼前には天国の扉が開いている。こうしてキリスト教の最初のいくつかの出来事を実際に目にした者たちは、それらが真理であることを自らの死をもって実証する必要に迫られた場合でも、受難に耐えることができた。もし彼らがこれらの出来事を否定すれば、それは彼ら自身が経験した歴史を拒絶することだったであろう。それゆえ、義に忠実な人間は、必要とあらば義に自分自身を捧げる。しかしこのような本来の信奉者や殉教者は最古のキリスト教にしか見られなかったし、その数もきわめて多いというものではなかった。それにこれらの者たちの最期や、その生前の生活についてもほとんど、あるいはまったく知られていない。

これに比べると何世紀も後に、もしくは何百マイルも離れたところから証言を行った証人たちについては事情が異なっていた。すなわち、これらの者たちにとってキリスト教の歴史は、もっぱら噂として、伝承として、あるいは書かれた報告として届けられた。そもそも証拠に依拠する証人たちにとって、これらのものは価値を持ちえないにもかかわらず、彼らは他人の手になる証言だけを、あるいはむしろこうした証言に対する自らの信頼だけを血でもって確証する。これはユダヤ国外の改宗したキリスト教徒全員に言えることだった。それでわれわれとしても不思議に思わざるをえないのは、まさにこのきわめて遠隔のラテン属州において、非常に多くのものが、これらの証人の血の証言の上に、したがって彼らが遠方から得ていたために検証もほとんどできなかった伝承の上に築かれたことである。東方で起草された文書が、一世紀の末にラテン属州というこの遠隔の地域に伝えられた後でさえも、誰もがそれを原語で理解したわけではなかった。それゆえ、これを理解しようと思う者は、さらに自分の教師の証言を頼りに、翻訳の引用で満足せざるをえなかった。しかも西方の教師たちが、そもそも聖書を引き合いに出すことは何と稀であろうか。そして東方の教師たちも、公会議の場においてさえ聖書に基づかずに以前の教父たちの総括的な意見に従って決定を下したのだ！　こうして伝承と、そのために多くの者が死んだとされる信仰は、あっという間にキリスト教の最も傑出した有力な論拠となった。信者たちが貧しく、遠く離れ、無知であればあるほど、それだけいっそう彼らにとってはこうした伝承、彼らの司教や教師の言葉、血を流した証人の告白が、いわば言葉どおりに教会の証言としての価値を有せざるをえなかった。

とにかくキリスト教の起源においては、これ以外の伝播の方法は考えられない。なぜなら、歴史的出来事の上に築かれたキリスト教ではあるが、その出来事は語られ、伝承され、信じられることを欲するからだ。その出来事は口から口へと伝わり、ついには文書の形にされ、いわば確定され、書き留められた伝承となる。そうなって初めて、その出来事は多くの人々によって検討され、いくつもの伝承に従って比較されることが可能となる。しかしまたほとんどの場合、もはや目撃者は生存していない。それゆえ、伝承によって後に伝えられた目撃者の証言が、目撃者の死でもって確かなものとして保証されたのであれば、これで人間による信仰は落ち着きを見るのだ。

こうしてキリスト教徒は、確信に満ちて最初の祭壇を**墓の上に**築いた。彼らは墓のあるところに集まった。カタコンべと呼ばれる地下納骨堂にあっては、これらの墓そのものが祭壇となった。この祭壇を通じて彼らは聖餐(せいさん)を受け、信仰告白を行い、そこに埋葬されている者たちと同じように、告白に忠実たらんことを誓った。最初の教会は墓の上に建てられるか、あるいは築かれた祭壇の下に殉教者の死体が入れられるかであったが、ついにはまた殉教者のたった一本の骨でもって祭壇を聖別せざるをえなくなった。かつてはキリスト教の起源であったもの、すなわち、**キリスト教徒としての告白を行った者たちの結合**の成立と確定は、今や儀式と格式へと変わった。また告白のしるしの役割を果たす洗礼も信者の墓の上で執り行われたが、後には洗礼堂がその上に建てられるか、あるいは自分が洗礼告白を守って死んだという証拠に、信者は洗礼堂の下に埋葬された。こうして一つのものは次のものを産み出したが、西方の教会慣習の形式や体裁のほとんどすべては、この**告白と墓での礼拝**に由来していた。[*28]

たしかに墓の上での忠誠と従順のこうした結合にあっては、多くの感動的なことが見られた。プリニウスも言うように[145]、キリスト教徒が夜明け前に集まり、神としてのキリストのために賛歌を歌い、道徳を純化し、道徳上の義務を遂行するための誓約と同じように、秘蹟をもって団結するとき、同胞の無言の墓は、キリスト教徒にとって死に至るまでの信仰の不動性を雄弁に物語る象徴に、それどころか彼らの主にして師である者が殉教者としても最初に到達した復活への信仰の土台にならざるをえなかった。地上での生は彼らにとっては仮のものだが、死は主の死に倣うものとして立派で心地よいものに、また来世での生は現世のそれよりも格段に確実なものに思われたにちがいない。この種の確信は、言うまでもなくキリスト教の最古の文書の精神である。しかしこのような施設によって、殉教への愛が時ならずして覚醒させられることになったのも事実である。というのも、なかには地上で仮の生を送る代わりに、キリストの茨の冠としての血と炎の洗礼を求めて走ることに無益な情熱を捧げる者がいたからだ。さらには、埋葬された殉教者の遺骨にも、やがてほとんど神に対するような栄誉が賦与され、それらの遺骨が贖罪や病気治療や他の奇蹟のために迷信のように濫用されることも避けられなかった。そしてついには、こうしたキリスト教徒の一群の英雄は、その遺体が礼拝されながら教会の中堂へと運び込まれ、その魂は人間である他のすべての慈善家をその席から追い払った。同じようにまたこうした英雄たちは、あっという間に教会の天井を覆った。しかしこれは**新たなキリスト教神話**(146)の始まりでもあった。それはどのようなものかといえば、われわれが祭壇の上で見たり、聖人伝の中に読んだりするような神話である。

2　キリスト教においては、すべてのことが信仰告白に基づき、しかもこの告白は一つの象徴に、そしてまたこの象徴は伝承に基づいていたため、監視と秩序を維持するためには奇蹟を起こす才能、あるいは**教会規律**が特に必要とされた。この制度とともに**司教の威信**は高まった。すると次に信仰の統一、すなわち、いくつもの信者集団の連合を保持するために**司教会議**や**公会議**が必要になった。これらの会議でも意見が一致しないか、もしくは他の地方で異論が出たりすると、威信のある司教らが**仲裁者**として駆り出された。それでついには、これらの使徒貴族の中から**一人の主席貴族**が次第に台頭せざるをえなくなった。しかし誰がこの主席貴族になるべきだったのか？　また誰がこうした貴族になれたのか？　エルサレムの司教はあまりにも遠い地におり、しかも貧困だった。彼の都市はいくつもの大きな災難に見舞われ、同じく使徒である他の司教たちによって教区はきわめて狭いものにされていた。ゴルゴタの丘に腰をおろすエルサレムの司教は、いわば世界支配の圏外に置かれていた。これに対して力を顕示してきたのは、アンティオキア、アレクサンドリア、ローマ、そして何よりもコンスタンティノープルの司教たちであった。しかしその中でもローマの司教が他のすべての司教、それも最も強力な競争相手のコンスタンティノープルの司教にも勝る力を獲得したのは、諸般の情勢の然らしめるところだった。すなわち、このコンスタンティノープルの司教は皇帝の玉座のあまりにも近くにいたので、歴代の皇帝はこの司教の地位を意のままに上げたり下げたりできた。そのためこの司教は、皇帝たちの華やかな宮廷司教になるしかなかった。これに対して、皇帝たちがヨーロッパの辺境に移った後のローマでは、無数の状況が重なり合って、世界のこの以前の首都に教会の首位権が与えられた。どの民族もここ何百年のあいだローマという名を崇敬することに慣れており、実際ローマの人々は、その七つの丘の上に世界支配の永遠の精神が漂っていると思い込んでいた。教会の記録簿によれば、ローマでは非常に多くの殉教者が証をなし、最も偉大な使徒ペトロとパウロが最後の栄冠を手にしていた。それゆえ、早くからこの古い使徒教会におけるペトロの司教職にまつわる伝説が生れ、ローマの司教は彼の後継者であるという確固たる証拠もただちに実証されるに至った。ところで使徒ペトロには、特に天国への鍵が委ねられ、彼の告白の上に教会という岩のように不滅の建物が築かれた(147)のだから、ローマがアンティオキアやエルサレムに取って代わったばかりか、勢力を伸ばしつつあったキリスト教の中心教会と見なされていったのは、いかにも自然なことであった。ローマの司教は、ずっと学識があり権力もある他の司教に比べると、公会議の場でさえ早くから名誉や議長職を享受し、争い事においても温和な仲裁者の役を引き受けた。また長いあいだ司教が自由に行っていた助言のようなものも、時とともに、要求と思われるようになり、教育的発言に至っては裁決と見なされるようになった。ローマ世界の中心たるローマの位置は、その司教にも西方、南方、北方に向けてさまざまな助言を与え、制度を作るための広大な活動の余地をもたらした。なかでもギリシア皇帝の玉座はあまりにも遠いところにあり、かつあまりにも弱いものだったので、ギリシア皇帝がローマの司教をひどく圧迫することはありえなかった。ローマ帝国の美しい属州、すなわち島嶼も含めたイタリア、アフリカ、スペイン、ガリア、それに早くからキリスト教が伝来していたドイツの一部は、ローマの司教にとって自分の助言や援助を必要とする庭園として彼を取り巻いていた。これらの地域のさらに北には蛮族たちがいたが、彼らの荒廃した土地もやがてはキリスト教へと耕作された。競争の激しい東方の属州に比べると、北方ではどこを見ても、行えることも得られることも多かった。というのも、かつての司教区が散在している東方の属州は、以前こそ沃野(よくや)であったが、思弁や反駁(はんばく)や論争によって、あるいは皇帝の欲情むきだしの暴政によって、そして何よりもイスラム教徒のアラブ人や、さらに野蛮な諸民族の侵入によって破壊され、干からびたからである。ヨーロッパ人の野蛮ではあるが実直な性格は、ローマの司教にとってはギリシア人の洗練された不実さや、アジア人の熱狂よりも、ずっと役に立った。東方のあちこちで人間知性がひどい高熱を出して荒れ狂ったように見えたキリスト教は、こうしてヨーロッパという温和な地域において同地の法や処方によって熱を冷まされた。実際このような法や処方がなければ、おそらくヨーロッパにおいても、すべてが再びあの無力な状態に、つまり、われわれが努力に努力を重ねた後に最終的に東方で目にしたような状態に陥っていたことであろう。

たしかにローマの司教はキリスト教世界のために多大な貢献をなした。彼はこの都市の名に忠実に、そしてもっぱら改宗によって世界を征服したのみならず、その世界を法や道徳や慣習によって、古代のローマが自らの世界を統治したよりも長く、強固に、かつ緊密に統治した。ローマの司教座は、自ら決して学識を誇るものになろうとはせず、この特権をたとえばアレクサンドリア、ミラノ、さらにはヒッポレギウスまで含めた他の司教座[148]に、あるいはこの特権を欲しがる者なら誰にでも譲った。しかし一方では、きわめて学識のある司教座をいくつも支配下に置くこと。それも哲学によってではなく、賢明な政策と伝承と教会の法と慣習によって世界を統治すること。これがローマの司教座の仕事であり、またそうでなければならなかった。というのも、ローマの司教座そのものが、もっぱら慣習と伝承とに依拠していたからである。こうしてローマから西方教会の多くの儀式が生れた。それらは祝祭の挙行、司祭の配置、秘蹟の規定、死者のための祈りや捧げ物、あるいは祭壇、聖杯、蠟燭、断食、聖母への祈禱、司祭と修道士の独身制、聖人の呼び出し、聖像の礼拝、そして聖体行列、死者のためのミサ、鐘、列聖(149)、全実体変化(150)、聖体拝領などに関わるものだった。これらは一方では古い動機から、また時には東方の狂信的な考え方から生れた慣習である。そして他方では西方の、しかもその大部分がローマという土地環境にいわば最初から存在し、その後ゆっくりとではあるが、大規模な教会儀式に組み入れられた慣習でもある*29。このような武器が今や世界を征服した。それらは天の国と地上の国のすべてを開く鍵だった。それまでは剣をも恐れなかった民族も、これらには身を屈した。彼らには東方の思弁よりも、ローマのこうした慣習のほうが役に立った。もちろん、教会のこれらの法は、古代ローマの政治術とは真っ向から対立するものである。それでも、これらの法は、けっきょくは重い王笏を司教の柔らかな杖に、そして異教の諸民族の野蛮な風習を次第にキリスト教の温和な法に変えるに至った。苦労して成り上がったローマの大司教は、自分の同僚たちが一人で東と西で成しえた以上のことを、西方の事柄について、自らの意志に反して引き受けざるをえなかった。もっとも、キリスト教の普及それ自体が一つの功績であるとすれば、ローマの大司教こそが、ほとんど一人でこの功績を成し遂げたのだ。イギリス、ドイツの大部分、北方の諸王国、ポーランド、ハンガリーは、彼によって派遣された者たちや、さまざまな措置によってキリスト教国となっている。これらの功績に加えて、ヨーロッパがフン族、サラセン人、タタール人、トルコ人、モンゴル人によって永遠に呑み込まれなかったことも彼の功績である。もしすべてのキリスト教徒の皇帝、王、侯爵、伯爵、騎士の氏族が、かつて自分たちが諸民族を支配した功績を提示するよう求められたら、三重冠(151)を戴くローマのこの偉大なラマ僧は、戦争を好まない司祭たちの肩に担がれて、これらの者すべてを神聖な十字架で祝福しながら次のように、すなわち、**私がいなかったら、汝らは今の汝らにならなかっただろう**と言ってよいのだ。古代文化を救ったのも彼の功績である(152)。それゆえローマは、これらの救われた財宝の、物言わぬ神殿であり続けるにふさわしい。

3　**こうして教会は、東方においてと同じように、西方においても地域に根ざしたものとして形成された。**東方にもローマ化されたエジプト、すなわちキリスト教化されたアフリカ(153)が存在したが、そこではエジプトに見られるように多くのアフリカ的な教義が生れた。テルトゥリアヌス(154)が贖罪について、キプリアヌス(155)が罪人の改悛について、アウグスティヌス(156)が恩寵と人間の意志についてそれぞれ用いた激しい表現は、教会の体系の中に流れ込んだ。他方ローマの司教は、自分の出す命令においては常に中庸の道を歩んだが、それでもなお教義の大海原(おおうなばら)で教会(157)という船を操るには学識、あるいは威信(158)が欠けていた。たとえば博学で敬虔なペラギウスは、アウグスティヌスやヒエロニムスから激しい論駁を受けた。アウグスティヌスはまた非常に精緻なマニ教の教義をもって、マニ教徒たちと論争した。この傑出した人物にあってしばしば論争と想像力の火であったものは、激しい炎となって教会の体系に入り込んだ。しかし、自ら信仰の統一と呼んだもののために戦った偉大な論争者たちよ、汝らも十分に心を安んじるがよい。汝らの苦労に満ちた仕事は完成した。おそらく汝らは、あまりにも長きにわたってキリスト教のすべての時代に強大な影響を与えてきたのだ。

さらに私は、西方に移入された唯一にして最初の修道会であるベネディクト会[159]に言及しなければならない。東方の修道生活を西方に根づかせようとするあらゆる試みにもかかわらず、ヨーロッパにとっては幸運なことに風土がこれに抵抗し、この穏健な修道会は、けっきょくローマの庇護のもとにモンテ・カッシーノ[160]で活動を開始するに至った。この修道会は、他の修道会が断食をする暑い東方で許されているよりも良いものを食べ、身なりも立派だった。ただし、この修道会の規則は、元来は世俗の信徒によって世俗の信徒のために作られたこともあって、労働をも課していた。しかし特に労働によって、この修道会はヨーロッパにおける多くの荒涼とした未開の地域にとって有益なものとなった。ベネディクト会はあらゆる地域に非常に多くの美しい土地を持っているが、それらの一部は彼らが開拓したものである。文学のあらゆる領域においても、彼らは修道士として可能なかぎりの努力を行った。実際に何人かの者は、かなりの量の著作を執筆した。また修道会全体としても、とりわけ中世の数多くの作品に注釈をつけて刊行することで、文学上の荒廃地をも綺麗に開拓するという自らの義務を果たした。ベネディクト会が存在しなければ、古代文化に関する文献の大部分は、われわれの手に渡らなかったであろう。聖人となった僧院長、司教、枢機卿に目を向けると、この修道会から生れた多数の著作は、彼らが企画したものも含めれば、優に一つの図書館を満たすものである。ベネディクト会士のあの比類なき大グレゴリウス[161]は、聖俗を問わず一〇人の統治者がなしうる以上のことを行った。人間の情感に多大な影響を及ぼした古い教会音楽が保存されてきたのもこの修道会のおかげなのだ。

これ以上は進まないことにしよう[162]。蛮族のもとでキリスト教が及ぼした影響について述べるためには、われわれはまずこれらの蛮族に目を向けなければならない。すなわち、彼らがどのようにしてローマ帝国に侵入し、国を打ち建て、主にローマから堅信礼[163]を授けられたかということや、さらにこれらのことが人類史にどのような結果をもたらしたかを見なければならない。

＊28　これについてはチャンピーニ[164]、アリンゴ[165]、ビンガム[166]らの著作を参照。この告白と礼拝の

すべてを、最古の教会と文化遺産それ自体の観察から導き出し、それを一貫して教会史と結びつけて記述された当該の事柄の歴史は、これをきわめて明瞭に示してくれるだろう。

＊29 私にはローマについての精確な知識なしに、それも、この土地と民衆の性格に従わないで、これらの制度や慣習の、忠実かつ明白な歴史が書かれうるとは思われない。ローマではその外観が示すものさえもが、地面の下に探し求められることも稀ではない。

訳　注

第三部（承前）

第十四巻

（1）第八巻の冒頭（「私は自分が海上の波濤から虚空に向かって航行しなければならない」）と同じように「海」からローマに近づくヘルダーではあるが、眼前に広がるのは、その戦争や破壊行為に満ちた歴史を「悪魔の歴史」（本巻第三章）と呼ぶローマである。

（2）カルタゴの破壊（前一四六年）は北アフリカ文化の破壊の、同年のコリントスの征服は頽廃的になったギリシアの破壊の、そしてローマ皇帝ウェスパシアヌスのもとでのエルサレムの消滅はローマによる東方の征服の実例である。

（3）イベリア半島北東部の要衝。ケルティベリア人（ケルト・イベリア人＝イベリア山地の西に住んでいたケルト人とイベリア人の混合民族）が共和政ローマと戦ったヌマンティア戦争（前一五五—前一三三年）におけるケルティベリア人側の抵抗拠点。ローマ人はケルティベリア人の抵抗を打破し、スキピオ・アエミリアヌス・アフリカヌス（小スキピオ）の指揮のもとでヌマンティアを制圧した。本巻第三章を参照。

（4）スイス・アルプスから発し、ドイツを北に向かって流れ、北海に注ぐ大河。

（5）ローマの執政官で軍司令官。スッラの敵対者。

（6）皇帝アウグストゥスがユリウス・カエサルと養子縁組をする前の名。

（7）斧の周りに木の束を結びつけたもの。王政後期にエトルリアからもたらされたとされる。後注（17）を参照。

（8）原語は Etrusker.「エトルスキ人」とも訳される。第九巻第五章では「エトルリア人、ギリシア人、ローマ人」（第二分冊・二八六頁）と並べられていたように、ヘルダーにとってヨーロッパの形成はギリシアとローマの二つの大きな存在によってのみ代表されるものではない。

（9）原語は Lateiner.「ラティーニー人」とも訳される。イタリア中西部のラティウム平原に居住したイタリア人の一派。

（10）ローマ時代の呼称。ライン河、アルプス山脈、ピレネー山脈、大西洋に囲まれた地域を指す。

（11）ギリシアの北西、アドリア海に面した地方。

（12）西暦三〇〇年代から七〇〇年代にかけてヨーロッパで起こったゲルマン系民族などの大移動よりも前の時代のことが考えられている。

（13）古代ギリシアにおいて「イベリア」という名称は地中海西部沿岸を意味するものとして用いられていた。したがって「イベリア人」という名称も、フェニキアやギリシアからの文化的影響を受けていたイベリア半島の南岸および東岸に住む人々を意味しており、後にイベリア半島に住む人々全体を示すようになった。なお「イベリア人」については、第十巻第六章の「コーカサス山脈のイベリア人」への訳注(115)も参照。

(14) 古代ギリシア人が「アウソネス」と呼んだ南部イタリア地域の居住民。ローマ人と争い、前三世紀末に全滅させられた。リウィウス『ローマ建国以来の歴史』(第二巻、一六以下、および第七巻、二八以下)に言及がある。

(15) イタリア半島の南西部にあり、ティレニア海に面した地域。中心都市はナポリ。

(16) リウィウス『ローマ建国以来の歴史』(第一巻、八「ロムルスによる諸制度整備」、および第七巻、二一「平民の監察官への選出」)に言及がある。

(17) 「伝令官」とは「リクトル」と呼ばれる先導警吏のこと。この役職は王だけでなくインペリウム(命令権)を有するコーンスル(執政官)にも継承された。両刃の斧を刃とし、棒の束を柄とするファスケース(束桿)を権威の標章として捧げ持っていた。斧は生殺与奪の権利を、棒は懲罰を与える権利を象徴するとされる(リウィウス『ローマ建国以来の歴史1』岩谷智訳、京都大学学術出版会、二〇〇八年、二三頁の訳注(5)による)。

(18) エトルリアにおける宗教の教義と実践は、おそらく前二世紀頃にまとめられた『エトルスキ教典』に記されており、そこには『臓占の書』『雷電の書』『儀式の書』が収められている。

(19) ヘロドトスの『歴史』(第一巻、一六六)には「テュルセノイ人(エトルスキ人)とカルケドン人(カルタゴ人)とが協同して、それぞれ六十隻の船をもってポカイア人を攻めた」(訳文は『歴史』(上)、松平千秋訳、岩波文庫、二〇〇七年、一四五頁)という記述が見られる。

(20) ヘルダーはここでエトルリアに、ギリシアに次ぐヨーロッパ文化の第二の出発点を見出そうとしている。

(21) リウィウスの『ローマ建国以来の歴史』第十一巻から第二十巻の喪失が念頭にあるものと思われる。そこには前二九三年から前二一八年までの時期、すなわちエトルリア人が自立を求めて戦った最後の時期に関する報告が含まれていた。「敵意ある偶然」の詳細は未詳。

(22) ヘロドトスの『歴史』第一巻(九四)以来、エトルリア人は小アジアのリュディアから海路で移住してきたとする説と、エトルリア人をヨーロッパあるいはイタリアの土着の民族であるとする説の間で議論が続いたが、ヘルダーは後者の側に立っている。その背景には、ヨーロッパの歴史をギリシアとローマという二つの大きな存在に集約し絶対化させるのではなく、ヨーロッパをできるだけ個々の民族に細分化し、それらの活発な動きからヨーロッパの形成をとらえようとする視点があるものと思われる。なおエトルリア人の起源をめぐる問題については、松本宣郎編『イタリア史1　古代・初期中世』(山川出版社、二〇二一年、二八―二九頁)を参照。

(23) サムニウム(後注(90)参照)に居住していた山岳民族。ローマと覇権を争った。

(24) 王政ローマ第七代の王ルキウス・タルクィニウス・スペルブス(傲慢王)のこと。後出のルクレティアの自殺がきっかけとなってローマから追放され、その後ローマは共和政へと移行した。

(25) エトルリアの都市クルシウムの王。ローマを侵略したが、その目的は、ローマから追放された前出のタルクィニウスを連れ戻すためだったと言われている。

(26) イタリア半島中西部のトスカナ地方を流れ、地中海の一部をなすティレニア海に注ぐ。

(27) アペニン山脈からローマ市内を流れ、ティレニア海に注ぐ。現在のテヴェレ河。
(28) ギリシア・ローマ神話中の英雄。ヘラクレスが三頭三身の怪物ゲリュオンを退治し、その美しい雄ウシたちをローマの丘パラティヌスの下方に追いやった後に、アラ・マキシマ祭壇のヘラクレスの聖域を創ったとされる(リウィウス『ローマ建国以来の歴史』第一巻、七)。
(29) ホメロスの『イーリアス』に登場するトロイアの英雄。これを主人公とした物語がウェルギリウスの『アエネーイス』である。
(30) 後のローマとなる都市で、前出のエウアンデルの創設になるとされる。
(31) 後注(89)で言及されるラティウムにあったとされるラテン人の都市国家。
(32) 古代においてこう考えたのは、『アエネーイス』(第八巻、三一三―三一五)において王エウアンデルに「これらの杜にはこの土地の、ファウヌスたちやニンフらが、／自分のものとして住んで、おった」と語らせるウェルギリウスである(訳文は泉井久之助訳、『世界古典文学全集21　ウェルギリウス　ルクレティウス』筑摩書房、一九六五年、一七四頁)。
(33) 伝説によれば、双子のロムルスとレムスは大叔父にあたるアルバ・ロンガの王アムリウスに捨てられ、一匹の雌オオカミに育てられた。
(34) ラティウムにあった都市カエニナの居住民。続く「クルストゥメリウム人」「アンテムナエ人」ともども、リウィウス『ローマ建国以来の歴史』(第一巻、一〇、一一―一二)に言及がある。
(35) 後注(88)で言及されるウエイイに近い要衝クルストゥメリウムの居住民。
(36) アニオー河口の都市アンテムナエの居住民。

(37) ローマ東北部の山岳民族。ラティウムやカンパニアに進出した。
(38) イタリア中東部の町カメリヌムの居住民。
(39) ラティウムの北に位置するエトルリア人の古代都市フィデナエの居住民。
(40) 後注(88)で言及されるウエイイの居住民。
(41) 王政ローマ第二代の王ヌマ・ポンピリウスのこと。模範的な宗教上の立法者および平和の支配者とされ、後出のヤヌス神の神殿を創るとともに、忠誠の女神フィデスの崇拝を始めた。
(42) ローマ神話に登場する出入口と扉の守護神。前と後ろに反対向きの二つの顔を持つ。
(43) ローマ神話に登場する信義の女神。
(44) 王政ローマ第三代の王で、アルバ・ロンガとサビニ人を征服したとされる。
(45) ローマの北方の境界にはエトルリア人、東方の境界にはサビニ人、南方の境界にはラテン人がいた。
(46) 共和政ローマ初期の伝説的な勇士。ティベリス河の橋を一人でエトルリアのポルセンナ王の軍勢から守った。
(47) 共和政ローマの樹立に貢献し、初代の執政官を務めたルキウス・イウニウス・ブルトゥスのこと。自分の息子たちを裏切り者として処刑させた。
(48) 共和政ローマ初期の伝説的な人物。自分が殺そうとしたポルセンナ王の前で、自らの勇猛果敢さを証明するために自分の右手を、生贄を焼く火のなかに突き入れたとされる。
(49) 後注(55)で言及されるセルウィウス・トゥッリウスの娘。夫で、訳注(24)で言及された王政最後の王タルクィニウス・スペルブスに殺された父親トゥッリウスの遺骸の上に、自分の馬車を勝ち誇ったように走らせたとされる。

(50) タルクィニウス・スペルブスのこと。

(51)「この盗賊のような国家」の原語(一格)は dieser räuberische Staat. ローマ帝国時代のキリスト教の神学者アウグスティヌスの『神の国』(四二六年)第四巻第四章「正義がなければ、王国も盗賊団と異なるところはない」の冒頭をふまえた表現。そこではこう書かれている。「正義がなくなるとき、王国は大きな盗賊団以外のなにであろうか。盗賊団も小さな王国以外のなにでもないのである。盗賊団も、人間の集団であり、首領の命令によって支配され、徒党をくんではなれず、団員の一致にしたがって奪略品を分配するこの盗賊団という禍いは、不逞なやからの参加によっていちじるしく増大して、領土をつくり、住居を定め、諸国を占領し、諸民族を征服するようになるとき、ますます、おおっぴらに王国の名を僭称するのである」(訳文は『神の国』(一)、服部英次郎訳、岩波文庫、一九八二年、二七三頁)。なお、これと似た「盗賊国家」(Räuberstaat)という表現はヘーゲル『歴史哲学講義』(一八四〇年)の第三部「ローマ世界」の第一篇第一章「ローマ精神の諸要素」にも見られる。

(52) 訳注(44)で言及されたトゥッルス・ホスティリウスのこと。

(53) 王政ローマ第四代の王アンクス・マルキウスのこと。ローマで初めて水道橋を建設したとされる。

(54) 王政ローマ第五代の王ルキウス・タルクィニウス・プリスクスのこと。

(55) 王政ローマ第六代の王セルウィウス・トゥッリウスのこと。母のオクリシアは奴隷としてローマに連れてこられたとされる。
(56) タルクィニウス・スペルブスのこと。
(57) 古代ローマの建国伝説に登場する女性で、ローマの建国者ロムルスとレムスの母。
(58) 前出のロムルスとレムスのこと。
(59) 新たに建設されたローマには女性が不足していたので、ロムルスは近隣の諸民族を祝祭に招き、そこでローマ人は前出のサビニ人の女性たちを婚姻目的に略奪した。
(60) サビニ人の神で、イタリアの古い軍神と考えられる。伝説によれば、昇天後のロムルスはクイリヌス神と同一視され、ローマの守護神として崇拝された。
(61) タルクィニクス・スペルブスの息子セクストゥス・タルクィニウスに凌辱され自刃した。この恥ずべき行為がきっかけとなってタルクィニウス一族はローマから追放された。
(62) 共和政ローマ初期の政治家。執政官としてイウニウス・ブルトゥスとともに国家を導き、とりわけ民衆に高い声望があった。
(63) Dempster, Thomas（1579–1625） スコットランドの神学者。『エトルリア王室について。全七巻。（…）フィリッポ・ブオナローティによる解説付』（一七二三―二四年）。
(64) Buonaroti, Filippo（1661–1733） イタリアの古代研究者。
(65) Passeri, Giovanni Battista（1694–1780） イタリアの古代研究者。『トマス・デンプスターによるエトルリア王室についての書物への補遺』（一七六七年）。

（66）ハイネの一連の論考はエトルリア文化とギリシア文化の関係を考察している。

（67）ここでは『ティトゥス・リウィウスの最初の一〇年に関する論文』（一五三一年）のことが念頭に置かれている。

（68）Paruta, Paolo（1540-98）イタリアの歴史家。『政治論集』（一五九九年）。また「その他多くの明敏なイタリア人」については直接ここでは言及されていないが、イタリアの歴史記述に関わる十六世紀から十七世紀にかけての歴史家としては、第十八巻ではジャンノーネが、そして第十九巻ではサルピが挙げられている。

（69）元来ローマ市民は三つのトリブス、すなわち氏族制社会組織の最大単位に分けられ、それぞれのトリブスはさらに一〇のクリアという単位に分けられていた。ローマ市民の軍事的政治的区分単位である百人隊（ケントゥリア）はセルウィウス・トゥッリウスが創設したものとされる。

（70）土地を持たない入植者に富農が土地を貸すことによって保護を与える保護者と、服従を義務付けられた被保護者とのあいだには隷属にも似た依存関係が生れた。

（71）平民を商業貴族の不当な干渉や高級官吏の専横から守る義務を負う護民官の設置のことが念頭にある。

（72）ローマの全構成員を意味する Senatus Populusque Romanus の略。

（73）こうした視点はモンテスキューの『ローマ人盛衰原因論』（一七三四年）の第二章「ローマ人における戦争の技術について」にも見られる。

（74）ヘルダーはローマを軍事国家としてとらえているが、国家における好戦精神は第十三巻第六章の「5」に見られるように、すでにギリシアにおいて存在している。

(75) エトルリアの影響のもとに作られたもので、軍事上の功績のあったローマ人に与えられた花冠のこと。市民冠(corona civica)はローマ市民を救助した者に対して、城壁冠(corona muralis)は敵の都市の城壁に登った者に対して、船嘴冠(corona navalis)は敵の船に飛び移った者に対して与えられた。

(76) 平民出身の英雄で、暗殺の命令を受けた一〇〇人の兵士によって殺害された。ヘルダーはプリニウスの『博物誌』第七巻(二八、一〇一―一〇三)の記述をほぼそのまま引用している。

(77)『歴史哲学異説』第二章の「第三」においてヘルダーは近代の権力国家を機械になぞらえて次のように述べている。「生きて働く喜び、人間らしい高潔な心ばえをもって善行にはげみ、楽しく暮らそうという気持は、機械からは失われてしまった。機械はまだ生きているのだろうか。全体においても最小の部分においても、生きているのは支配者の考え一つだけである」(訳文は、小栗浩・七字慶紀訳『世界の名著　続7　ヘルダー　ゲーテ』中央公論社、一九七五年、一三一頁)。このような全体主義的な組織体に対する批判は、本書第四部第十七巻においてローマ・カトリック教会の位階制度にも向けられる。

(78)「ローマの徳」(Virtus Romana)と呼ばれる「ローマ人の名高い徳性」は、ヘルダーにとって時間や場所を超越した普遍的なものではなく、あくまでも地域と時代に即した諸条件から生まれた固有のものである。

(79) ヘルダーは共和政ローマ中期の監察官で、とりわけ道徳に厳格であったマルクス・ポルキウス・カトー（大カトー）のことを念頭に置いていると思われる。

（80）ポリュビオスの『歴史』第三十八巻（二二）によれば、スキピオ・アエミリアヌス・アフリカヌス（小スキピオ）はカルタゴを攻撃したときに、ローマも近いうちに同じ運命に見舞われるという予感を得て、これをホメロスの『イーリアス』第四歌（一六四以下）の次の詩句に読み込んだ。「聖なるイリオスにも、槍で名高きプリアモスにも、／そしてプリアモスの民にも、やがて滅びの日が来るであろう」（訳文は『歴史4』城江良和訳、京都大学学術出版会、二〇一三年、四二二頁）。

（81）これによってローマにおける宗教は国家権力の純粋な道具となり、第九巻第五章の第一段落で要請されていた「人間の生を支える優美の三女神ともいうべき理性、フマニテート、宗教」の三副対はもはや見られなくなる。

（82）前出のポリュビオス『歴史』第三巻（一一二、九）では「ローマ人というのは、危機に追い込まれると、相手が神であれ人であれ、その怒りをなだめることに全身全霊を傾ける民族であり、彼らの考えでは、危急の時にその種の祭儀を執行するについては、体面や品位など問題にならないのである」と記されている（訳文は『歴史1』城江良和訳、京都大学学術出版会、二〇〇四年、三九五頁）。また同書の第六巻（五六、六―一五）にはさらに詳しい記述がある（邦訳『歴史2』城江良和訳、京都大学学術出版会、二〇〇七年、三六三―三六四頁を参照）。

（83）二〇名の祭司から構成され、国家の委託を受けて同盟を締結し、戦争を布告した。

（84）重装備の兵士集団による接近戦の隊形。

(85) ここでは第二次ポエニ戦争で活躍したスキピオ・アフリカヌス(大スキピオ)や、第三次ポエニ戦争で活躍したスキピオ・アエミリアヌス(小スキピオ)などのことが考えられる。
(86) 「大ポンペイウス」のこと。共和政ローマの政治家で軍人。ユリウス・カエサルと後出のクラッススとともに第一回三頭政治を行ったが、ローマ内戦でカエサルに敗れた。
(87) キケロの『法律について』第一巻(一三)における「法は自然から来る」という表現をふまえている。
(88) エトルリア人の重要な古代都市で、ローマの北西にあった。
(89) イタリア中西部の地域で、ローマ帝国の首都となる都市ローマが建設された。
(90) イタリア中部、アペニン山脈南部の地域。
(91) イタリア南部、アドリア海の東南部沿岸に広がる地域。現在のターラント。
(92) イタリア南東部の港湾都市で、古代ギリシアの植民市。以下における古代ギリシアの植民市については前掲『イタリア史1　古代・初期中世』(三五―三七頁)を参照。
(93) ギリシア半島とイタリア南部に広がるイオニア海に面した植民市。
(94) ギリシアによってイタリア半島に初めて建設された植民市。ナポリの北西部に位置していた。
(95) イタリア南西端にある地域で、植民市ロクリ・エピゼピュリイのことと思われる。
(96) シュバリス近郊に位置した植民市。
(97) イタリア半島南東端、シチリア島の対岸に位置した植民市。
(98) シチリア島の北東部に位置した植民市。現在のメッシーナ。

(99) シチリア島の東部に位置した植民市。現在のカターニア。
(100) 古代ギリシアの陸上交通の要衝コリントス地峡にあったメガリス地方の中心都市。
(101) 祖国シラクサが占領されたとき、砂に幾何学図形を描いていた数学者アルキメデスは一人のローマ兵によって殺害されたと伝えられる(プルタルコス『英雄伝』「マルケルルス」一九)。
(102) グラックス兄弟の兄にあたり、護民官であったティベリウス・グラックスは、特にエトルリアにおいて農民の困窮を農制改革によって軽減しようと試みたが、元老院の保守派の反対にあって暗殺された。
(103) カンパニア地方の傭兵軍団で、第一次ポエニ戦争の時期にシチリアの一部を支配下に置いた。
(104) イタリア西方の地中海にある島で、前二二七年にシチリアと同じくローマの属州となった。現在のサルデーニャ。
(105) サルデーニャの北に位置する島で、同じく前二二七年にローマの属州となった。
(106) 訳注(79)で言及されたマルクス・ポルキウス・カトーは自分が元老院で行ったすべての演説を「カルタゴは滅ぼさなければならない」という文章で締めくくったが、それはこの最も重要なフェニキアの交易都市を破壊することなくして、世界権力を握るローマの地位は獲得されえないということを明らかにするためであった。カトーのこの有名な言葉は——字句どおりにではないが——キケロ『大カトー・老年について』(一八)、プルタルコス『英雄伝』「マルクス・カトー」に見られる。
(107) ローマ帝国の皇帝ディオクレティアヌスが、故郷のサローナ(現在のクロアチア南部の都市スプリト)に隠棲した後、自ら建てた宮殿でキャベツを栽培していたという逸話をふまえている。
(108) 前出のアウグスティヌスの『神の国』第二巻第二十五章や第二十六章に見られる「邪悪な霊」や「悪魔」という表現をふまえていると思われる。
(109) プーリア地方の村。第二次ポエニ戦争でハンニバル率いるカルタゴ軍とローマ軍がこの地で戦い、ハンニバルの勝利に終わった。
(110) カンナエの戦い(前二一六年)の後のハンニバルの振舞いに関するこの箇所は、リウィウス『ローマ建国以来の歴史』第二十三巻(一八、一三)における「カプアの冬営」についての以下の記述による。「軍事の専門家に言わせれば、このことは指揮官にとって、カンナエの戦場からすぐに軍隊を首都ローマへ向かわせなかったこと以上に大きな過ちだとされる」(訳文は『ローマ建国以来の歴史6』安井萠訳、京都大学学術出版会、二〇二〇年、四二頁)。
(111) 原語(一格)は Punische Schriften. カルタゴのように、かつてフェニキアの都市や居留地があった地中海沿岸の考古学遺跡でフェニキア文字の碑文が発見されていることからすると、フェニキア文字の一種とも考えられるが、詳細は不明。
(112) 共和政ローマ中期の執政官スキピオ・アエミリアヌス(小スキピオ)のこと。第三次ポエニ戦争でカルタゴを攻撃した。
(113) アフリカ北部の王国ヌミディアの支配者。第二次ポエニ戦争では当初カルタゴの騎兵隊を指揮してローマと戦ったが、ローマの優勢を悟り、ローマ側に転身した。カルタゴとの戦いでローマと盟友関係を結び、ヌミディアの文化を高めた。

(114) 開催地であるコリントス地峡(古代名イストモス)に因む古代ギリシア四大競技大会の一つ。ローマとの関連においては、ポリュビオス『歴史』第十八巻(四三)「ギリシア史」の箇所に言及がある。

(115) 第十三巻第六章の訳注(187)で言及されたルキウス・アエミリウス・パウッルスがマケドニアを支配下に置いた際(前一六八年)に、ギリシア西北の地域エピロスはマケドニア側についたため、ローマ軍に攻撃され、一五万人が捕虜として略奪された(前一六七年)。

(116) メテッルス・マケドニクス。共和政ローマの政治家で軍人。マケドニア人に対する勝利の後、その国をローマの属州に変えた。

(117) 共和政ローマの政治家デキムス・ユニウス・シラヌスのことと思われる。

(118) ペルセウス(マケドニア王)のこと。ピュドナの戦い(前一六八年)の後、王はローマ人に屈服せざるをえず、凱旋行進の中を引き回され、アルバ・フーケンスで捕虜のまま亡くなった。

(119) ギリシアのコリント湾北岸の山岳地方を指す。前三六七年頃にアエトリア同盟を結成した。第十三巻第六章の訳注(182)を参照。

(120) ペロポネソス半島北部に居住したギリシア人の一派。前二八〇年にアカイア同盟を結成した。

(121) 共和政ローマ末期の政治体制。共和政から帝政に移行する間に生じた三人の有力政治家による一種の寡頭政治体制。

(122) アナトリア半島の黒海南岸の特に東部の地域。

(123) コーカサス山脈の南側に位置する。アルメニア王国は三〇一年に世界で最初にキリスト教を公教として採用した国家となった。第十七巻第二章で詳述されるほか、第六巻第三章の原注23で言及されたシャルダンの『ペルシア旅行記』にも詳しい記述がある(邦訳は、佐々木康之・佐々木澄子訳、『ペルシア紀行』岩波書店、一九九三年、二八九—三一一頁)。

(124) スキピオ・アフリカヌスの弟で、スキピオ・アシアティクスのこと。前一九〇年のローマ・シリア戦争(マグネシアの戦い)でセレウコス朝の君主アンティオコス三世を打ち破った。

(125) 共和政ローマの政治家で軍人のルキウス・リキニウス・ルクッルスのこと。スッラの支援者で、アナトリア半島や黒海沿岸を征服した。

(126) 古代ギリシア・ヘブライなどの貨幣単位。このあたりのポンペイウスに関する記述の典拠は、プルタルコス『英雄伝』の「ポンペイウス」(四五)であると思われる。

(127) マルクス・リキニウス・クラッスス。共和政ローマの政治家で軍人。「スパルタクスの反乱」(第三次奴隷戦争)を平定し、ポンペイウスとカエサルとともに第一回三頭政治を行った。

(128) 第十三巻第五章の「たとえ一冊でも(…)提供しない者があろうか?」への訳注(158)を参照。

(129) カエサルによるアレクサンドリア防御の際に焼かれた蔵書の代償として、後出のアントニウスは女王クレオパトラ七世にペルガモンの蔵書を贈ったとされる。

(130) 共和政ローマの政治家で軍人。

(131) 古代エジプトのプトレマイオス朝の女王クレオパトラ七世。

(132) 「光」は「啓蒙」と結びついている。

(133) その結果として「愛国心」もひどく傷つけられる。これについては第十三巻第四章の「愛国心と啓蒙」への訳注(113)を参照。

(134) イベリア半島のアンダルシア南西部にあったローマ帝国の属州バエティカの先住民。イベリア人部族の中で最も文明化された民族とされる。

(135) 訳注(3)を参照。

(136) ローマ帝国の皇帝セルウィウス・スルピキウス・ガルバのこと。ネロ没落後に乱立した四皇帝の一人。

(137) ヒスパニアで最も重要な英雄。各地でローマ軍を打ち破り、ローマにイベリア半島西部の地方ルシタニアの独立を認めさせた。

(138) ローマのマリウス側の政治家で将軍であったが、ヒスパニアからローマに対抗した。以下におけるヘルダーの記述については、プルタルコス『英雄伝』の「セルトリウス」も参照。

(139) ヘルダーは『オデュッセイア』第一歌(二二―二五)においてアイティオピア人(エチオピア人)を世界の果てにあって二つに分割された民族とするホメロスの記述、すなわち、世の果てに、陽の神ヒュペーリオンの沈む方と昇る方に分かれて住むエチオピア人をイベリア人と結びつけている。なぜなら、イベリア人はオリエントのカルタゴに占領されるとともに、西ヨーロッパに住んでいるからである。

(140) 『ガリア戦記』の著者。前一五四年以降、ローマ人はガリアに押し寄せた。前一二五年から前一一八年にかけて地中海地域を包括する属州ガリア・ナルボネンシスが創設された。また北部フランスのガリア・コマタは前五八年から前五一年にかけてローマ帝国に併合された。

(141) この部分の典拠と考えられるプリニウスの『博物誌』第七巻(二五、九二)は「一一九二人」より一〇〇〇倍ほど多い「一一九万二千人」という数字を挙げている(邦訳は『プリニウスの博物誌』縮刷版Ⅱ、中野定雄・中野里美・中野美代訳、雄山閣、二〇一二年、三二四頁)。またプルタルコス『英雄伝』「カエサル」(一五)においても「一〇〇万」という数字が見られる。

(142) ライプニッツの『弁神論』(一七一〇年)「緒論」の最後に引用されたウェルギリウスとルカヌスの以下の二つの箇所をふまえていると推測される。一つはウェルギリウス『牧歌』(五、五六―五七)におけるメナルカスの言葉、すなわち「光輝く姿のダプニスは、初めて見る天界の門を/驚き眺め、足下に雲と星を見る」(訳文は『牧歌/農耕詩』小川正廣訳、京都大学学術出版会、二〇〇四年、三八頁)であり、もう一つはローマの詩人ルカヌスの『内乱 パルサリア』(九、一一―一四)における「ポンペイウスの霊は、その圏で、自らを真の光で満たし、/天空に鏤む惑星や恒星を眺めて賛嘆すると、下界の日の光が/いかに暗い闇に包まれているかを目にし、己の/首なき亡骸に加えられた笑い種に苦笑した」(訳文は『内乱』(下)、大西英文訳、岩波文庫、二〇一二年、一九七―一九八頁)である。

(143) 十六世紀から十八世紀まで通用したドイツ銀貨。後に三マルク銀貨となる。

(144) モンス・サケルと呼ばれるローマ郊外の丘で、前四九四年と前四四九年にプレブス(平民)たちが反乱を起こした際に立てこもった。彼らはその後、護民官制度を設けた。

(145) ヘルダーはここで特にマキァヴェッリとモンテスキューを視野に入れていると思われる。ちなみに彼らはローマの国家体制を政治的理性の模範、商業貴族と庶民のあいだの利害を調節する保証人、市民的自由の保持者として評価している（マキァヴェッリ『ティトゥス・リウィウスの最初の一〇年間』第一巻、三―七、モンテスキュー『ローマの盛衰の原因に関する考察』第一章―第八章）。前者の邦訳は『ディスコルシ「ローマ史」論』（永井三明訳、ちくま学芸文庫、二〇一一年、三九―六二頁）を、後者の邦訳は『ローマ人盛衰原因論』（田中治男・栗田伸子訳、岩波文庫、一九八九年、一三―九八頁）を参照。これに対してヘルダーにとってのローマの罪は、まさに参事会、騎士、市民、商業貴族、平民のあいだの絶え間ない階級闘争にあった。

(146) 前九一年から前八八年にかけての同盟市戦争のこと。

(147) 市民の財産の評価と検査のために監察官によって作成された一覧表。

(148) ヒスパニアのガデス出身のコルネリウス・バルブスは、ポンペイウスのセルトリウスに対する戦いにおける功績がもとでローマの市民権を獲得し、前四〇年に補充執政官となった。

(149) これ以下の数字をヘルダーは後出のマイエロットの著書から借用していると考えられる。

(150) カティリーナの陰謀（後出）を暴いたキケロはその栄誉を讃えられ、「祖国の父」という名を与えられた。

(151) 共和政ローマ末期の政治家プブリウス・クロディウス・プルケルのこと。キケロの政敵とされる。

(152) 同じく共和政ローマ末期の政治家で、共和政ローマを転覆させようとして陰謀を企てた。

(153) 訳注（79）で言及されたマルクス・ポルキウス・カトーのこと。

(154) 有徳な共和主義者の模範として称賛されるカトーの「倹約性」の社会的経済的側面について

は、プルタルコス『英雄伝』の「マルクス・カトー」を参照。

(155) トラキア出身で、イタリアで奴隷とされていたスパルタクスは、前七三年に南イタリアのカプアのローマ剣士学校から約七〇名のケルト人とトラキア人とともに逃走した後、自分のまわりに一万人以上の反乱者を集め、北および南イタリアでローマ人に戦いを挑んだが、クラッススとの戦いに倒れた。

(156) 歴代ローマ皇帝による通貨管理については、特にモンテスキューの『法の精神』(第二十二編第十三章)で言及されている。

(157) 水道橋の建設などにも見られるローマ人の高い建築技術に対するヘルダーの批判は一見したところ的外れのように思えるが、その背景にはモンテスキューの『ローマ人盛衰原因論』第二章「ローマ人における戦争の技術について」の存在がある。これについてはローマを「軍事国家」あるいは「戦争国家」としてとらえる本巻第二章を参照。またヘルダーによる「戦争術」(本巻第五章)についての低い評価は、ギボンの『ローマ帝国衰亡史』第一巻(一七七六年)における共和政時代の戦争の評価とも響き合っている。ギボンは「ローマ軍に対する恐怖ということも、皇帝たちの宥和策にとって、たしかに威厳と重さとを加えていた。つまり、たえず戦いに備えていることによって、逆に平和を守ったのである」(邦訳は『ローマ帝国衰亡史1』中野好夫訳、ちくま学芸文庫、一九九五年、四四頁)と述べたうえで、「ところが征服がすすみ、社会的自由が失われるにしたがい、戦争ということが漸次一種の専門技術となり、さらに一個の職業にまで堕落してしまった」(同四五頁)と語る。なお「屋外円形劇場」については、第十巻第二章の訳注(11)を参照。

(158) ヘルダーにとってローマの没落に至るまでの展開はローマの偉大な拡大のしるしではなく、ローマ人の思い上がりと、人類の自然諸法則の侵害に対する、報復の女神ネメシスの働きの結果でもある。これについては第十五巻第二章の「2」への訳注(22)を参照。

(159) 古代西アジアの王国で、カスピ海の南東に位置する。八度にわたるローマとの「パルティア戦争」で知られる。

(160) イタリア北東部エミリア地方の都市で、前一八三年にローマの植民市となった。

(161) 前四三年にアントニウス、レピドゥス、オクタウィアヌスは国家秩序の再建に向けて三者同盟を結んだ。これは第二回三頭政治の名で知られているが、その中で政敵の追放が行われ、その結果キケロはアントニウスの放った刺客に暗殺され、首だけでなく、右手も切り取られてしまう。

(162) 第二回三頭政治に反抗したブルトゥスが、アントニウスとオクタウィアヌスに対して前四二年にマケドニアにあるピリッピで行った戦い。ブルトゥス軍が三頭政治側に敗れた。

(163) 大ポンペイウスの次男セクストゥス・ポンペイウスのこと。ティレニア海を支配したが、オクタウィアヌスの軍略家アグリッパによって打ち負かされた。

(164) イオニア海沖の名称。オクタウィアヌス派とアントニウス派の間で戦われた海戦で有名。

(165) Meierotto, Johann Heinrich Ludwig (1742–1800) ドイツの神学者。『共和国の種々の時代におけるローマ人の習俗と生活様式について』(全二部、一七七六年)。

(166) ローマの著作家。諷刺小説『サテュリコン』で知られる。

(167)『博物誌』第三十七巻「宝石」の五「ローマ最初の宝石の収集」、六「ポンペイウスの宝石」および七「螢石の器」(邦訳は『プリニウスの博物誌』縮刷版VI、中野定雄・中野里美・中野美代訳、雄山閣、二〇一三年、一五〇〇―一五〇二頁)などを参照。

(168)『諷刺詩』で知られるローマの諷刺作家。ここでは第十一歌「質素な生き方」(邦訳は『ローマ諷刺詩集』国原吉之助訳、岩波文庫、二〇一二年、二六〇―二七二頁)が念頭にあるものと思われる。

(169)『ローマ人の習俗と国家体制の衰亡の歴史』(一七八二年)の第十五章から第十八章にかけてローマ人の「奢侈」についての記述がある。

(170)共和政ローマの将軍。

(171)ローマ皇帝ディオクレティアヌスの娘。

(172)コリオラヌスの母。

(173)古代ローマの貴族ファビウス一族の三〇六人はティベリス河の支流クレメラ河におけるウェイイ軍との戦い(前四七七年)で死を遂げた。

(174)共和政ローマ初期における伝説上の政治家で将軍。非常時に半年以内の期限つきで全権を委ねられる独裁官に任命されたとされる。

(175)共和政ローマの政治家で将軍。エトルリア人との戦いで功績を挙げた。

(176)「デキウス・ムス」という名のローマの将軍は二人いる(親子)。父は前三四三年以降ラテン人と戦い、息子は前二九六年以降ガリア人と戦った。ともに英雄的自己犠牲で名高い。

(177) 共和政ローマの政治家で、ローマ的徳性と公正を体現したとされる。
(178) 共和政ローマの政治家。カルタゴで捕虜となり、軍使として送られたローマでカルタゴの和平条件に反対したため、カルタゴに戻った後、拷問を受けて殺されたとされる。
(179) 共和政ローマの政治家でハンニバル戦争における将軍。シラクサの占領によって名声を得た。
(180) クィントゥス・ファビウス・マクシムス。共和政ローマの政治家で将軍。カンナエでの敗北後、カルタゴ人に対する戦いを再開した。
(181) コルネリアはスキピオ・アフリカヌスの娘でティベリウス・グラックスの母。一二人の子を産んだが、三人すなわち、後の護民官ティベリウス・グラックスとガイウス・グラックス、および彼らの妹のセンプロニアしか生き残らなかった。
(182) 共和政ローマの政治家で将軍。ローマ帝国初代皇帝アウグストゥスの腹心。
(183) 共和政ローマの政治家で将軍のクラウディウス・ドルススのこと。ライン河右岸のゲルマン人を制圧した。
(184) ドルススの息子で、父と同じくライン河右岸のゲルマン人を制圧した。
(185) ローマ皇帝ティトゥスはその人柄の良さで人気があった。
(186) ローマ皇帝ネルウァは倹約と謙譲の点で傑出していた。
(187) ローマ皇帝トラヤヌスは黄金時代の創設者として称賛された。
(188) ローマ帝国を強固なものとし、「旅する皇帝」として属州への巡幸を心がけた。
(189) 第十五代ローマ皇帝アントニヌス・ピウスと第十六代ローマ皇帝マルクス・アウレリウス・

アントニヌスが念頭に置かれている。前者はヌマ王と関連し、『自省録』で知られる後者は「玉座の哲学者」として芸術や学問を奨励した。

(190) 軍司令官として定評がある皇帝で、ローマ帝国の統一を促進した。

(191) アレクサンドロスとカエサルに続く「世界の再建者」として知られるローマ皇帝。

(192) この文章は「ピリッピの戦い」の前にブルトゥスが小アジアからヨーロッパに渡ろうとしていた時に、或る夜更けの陣営で彼の前に亡霊のように現れたとされる自身の悪霊についての逸話をふまえている。この逸話はプルタルコス『英雄伝』の「カエサル」(六九)と「ブルトゥス」(三六)において語られるが、ここでは後者の当該場面を引用しておきたい。「ブルトゥスは何やら考え事をして思案に沈んでいたが、誰かが入ってくるような気配を感じ、戸口の方へ視線を遣った。すると、この世にはない恐ろしげな姿をした異様で不気味なものが、黙って立っているのが眼に入った。勇をふるって「誰だ。人か、神か。何の用でここに来た」と尋ねると、その幻のようなものは低い声で「ブルトゥス、おまえの死霊だ。ピリッポイで会うことになろう」と答えた。ブルトゥスも落ち着き払って「では会おう」と返した」(訳文は、プルタルコス『英雄伝6』城江良和訳、京都大学学術出版会、二〇二一年、三五五頁)。

(193) アウグストゥスの二番目の妻。

(194) 「スキピオの娘」とはスキピオ・アフリカヌスの娘でグラックス兄弟の母でもあるコルネリアを、「カトーの娘」とは、大カトーの曾孫にあたる小カトーの娘で、ブルトゥスの二番目の妻であったポルキアを指す。

(195) 「母」はコルネリアを、「妹」は同じく訳注(181)で言及されたセンプロニアを指す。なおセンプロニアは訳注(85)で言及されたスキピオ・アエミリアヌス（小スキピオ）と結婚した。

(196) キケロの妻であったテレンティアはカティリーナの支持者に対する厳格さをいっそう強固なものにした。

(197) 共和政ローマの詩人で哲学者セネカの二番目の妻で、セネカが自殺に追い込まれたとき、その後を追おうとした。

(198) 人数はリウィウス『ローマ建国以来の歴史』第八巻（一八）による。

(199) 訳注(183)で言及されたクラウディウス・ドルススの妻。

(200) シリアの総督ピソの妻で、ゲルマニクスを毒殺したとされる。

(201) 訳注(184)で言及されたゲルマニクスの妻。皇帝カリグラの母親。

(202) 皇帝クラウディウスの三番目の妻で、放埒と強欲で悪評が高かった。

(203) 皇帝クラウディウスとメッサリーナの娘で皇帝ネロの妻。

(204) ここでヘルダーは何人かの古代の文法学者（たとえばテレンティウス・ウァッロやプリスキアヌス・カエサレア）の見解に従っているが、彼らはラテン人の言語とギリシア語のアイオリス地方（後出）の言語のあいだに観察した類似性から、ローマはアイオリス地方の飛び地であるという結論を導き出したとされる。

(205) 小アジア北西海岸のエーゲ海に面した地方。

(206) 『大編年史』(Annales maximi)と呼ばれるもので、前二世紀に全八十巻で刊行されたローマの都市年代誌。最古のローマ史に関する主要原典としてローマの詩人や歴史家によって利用された。キケロの『弁論家について』第二巻(一二、五二)や、リウィウス『ローマ建国以来の歴史』第六巻(一)に言及がある。

(207) 共和政ローマの詩人。全十八巻からなる歴史叙事詩『年代記』がある。以下、プリニウスに至るまで四〇名あまりの人名の「列挙」は、ジョナサン・スウィフトの『ガリバー旅行記』(一七二六年)第四部第十章において種々の人間が列挙される箇所を想起させる。これについては、柴田元幸訳『ガリバー旅行記』(朝日新聞出版、二〇二二年)の「解説」(四八二—四八四頁)を参照。ヘルダーがスウィフトを高く評価していたことは、ゲーテの『詩と真実』第三部(一八一四年)の第十二章にも記されている。また、人名ではないが、第十二巻の冒頭から第四段落目には四〇を超える技芸や生業が列挙されている。なお、以下に見られるような修辞疑問文の多用による近代批判については、第十三巻第五章の「たとえ一冊でも(…)提供しない者があろうか?」への訳注(158)を参照。

(208) 共和政ローマの詩人。『ポエニ戦争』は国民的叙事詩として有名。

(209) ローマ最初期の元老院議員で歴史家。リウィウスの『ローマ建国以来の歴史』第一巻(四四、二)によれば、ローマの「最初の歴史家」で、ギリシア語によるローマ史を、イタリアにおけるアエネアスの登場から自分の時代(第二次ポエニ戦争)まで記述した。

(210) ピクトルと同時代のローマ史家で、ギリシア語でローマ史を書いた。

(211) 訳注(79)などで言及された「大カトー」のこと。最古のラテン語史書『起源論』がある。

(212) 共和政ローマの年代史家。護民官を務めた。

(213) 共和政ローマの執政官。ギリシア語で歴史書を著した。

(214) 帝政ローマの監察官で年代史家。訳注(200)で言及されたシリアの総督とは別人。『年代記』。

(215) 共和政ローマの年代史家。

(216) 共和政ローマの政治家で軍人。執政官を務め、著作も行った。

(217) 共和政ローマの政治家で軍人。歴史家でもあった。

(218) 共和政ローマの年代史家トゥディタヌス・センプロニウスのことと思われる。代々執政官を輩出する家系の一人。

(219) 共和政ローマの歴史家。それまでの慣習とは異なり、伝説的な古い歴史を無視して、比較的新しい時代、つまり第二次ポエニ戦争の記述に初めて限定した。これによって彼は従来の年代史的記述とは異なる、歴史の個別研究書という形式の基礎を築いたとされる。

(220) 共和政ローマの歴史家。『歴史』。

(221) 共和政ローマの年代記作者。

(222) 共和政ローマの政治家で年代記作者。『年代記』。

(223) 共和政ローマの執政官で弁論家。共和政ローマで最も有能かつ有力な政治家の一人とされる。

(224) 共和政ローマの執政官で弁論家。回想録や歴史書を書いたとされる。

(225) 共和政ローマの執政官で歴史家。自己の職務や関わった出来事についての回想録がある。

(226) 第十三巻第六章などで言及されるスッラには二十二巻に及ぶ回想録がある。

(227)『自叙伝』は散逸したが、『神聖アウグストゥスの業績録』という碑文が伝えられている。
(228)第二代ローマ皇帝。アウグストゥスの養子。
(229)第四代ローマ皇帝。ドルススの息子。
(230)共和政ローマの政治家で大雄弁家。『年代記』を著した。
(231)共和政ローマの知識人でキケロの友人。ローマ史に関する著作がある。
(232)共和政ローマの軍人で歴史家。同時代の出来事を描いた『歴史』で有名。
(233)訳注(225)を参照。
(234)共和政ローマの政治家で歴史家。キケロの友人で義兄弟。『年代記』。
(235)共和政ローマの政治家で歴史家。キケロの友人で、同盟市戦争の歴史を書いたとされる。
(236)共和政ローマの政治家で歴史家。訳注(148)を参照。
(237)キケロの自由民で秘書。キケロの演説と書簡を刊行し、キケロの伝記も書いた。速記法を案出したとされる。
(238)共和政ローマの政治家で詩人。同時代史を書いた。
(239)帝政初期ローマの歴史家。年代記を書いた。
(240)皇帝クラウディウスおよび皇帝ネロのもとでの軍司令官。その回想録は精確な地理上の表記のためにプリニウスが『博物誌』執筆に際して何度も利用したとされる。
(241)帝政ローマの歴史家。『アレクサンドロス大王の事蹟』。
(242)共和政ローマの作家。『年代記』。

(243) 共和政ローマの政治家で軍人。歴史家としても知られる。『歴史』。

(244) 共和政末期から帝政初期のローマの歴史家。『ローマ建国以来の歴史』。

(245) 第十三巻の訳注(2)を参照。

(246) 大プリニウスのこと。『博物誌』以外にもさまざまな著作を書いたが、すべて消失したとされる。これについては甥の小プリニウスの『書簡集』第三巻「四　大プリニウスの生涯　マケル宛」に記載がある(邦訳は『プリニウス書簡集』國原吉之助訳、講談社学術文庫、一九九九年、一一四―一一九頁)。

(247) 帝政ローマの政治家で歴史家。『年代記』『ゲルマーニア』。

(248) 『弁論家について』のみならず『ブルトゥス。有名な弁論家たちについて』も参照。

(249) 訳注(79)などで言及された「大カトー」のこと。

(250) ヘルダーは論文『種々の国民における趣味の低落の原因』(一七七五年)において次のように述べている。「ローマの趣味はギリシアに由来し、ローマの地で、類似した土壌と大気と手入れが許すかぎり自己を保持した。長い時代にわたってこの趣味はしっかりとした、より堅固な形姿をとった。暴風がすぐさまこの植物を、すべてのものと同じく地面から、引き抜いた。この植物はしばらくのあいだ上方の芝に、時には恵まれた状況のもとで、そして特にローマの真に偉大な形式とその傑出した残滓として存在していた。しかし力と活動は、より少なくなっていた」(『ズプハン版全集』第五巻、六三三頁)。

(251) これらについてはリウィウスの『ローマ建国以来の歴史』第七巻(二―三)に記述がある。しかしこれらのいずれもエトルリア起源ではない。「祭式時の舞踏歌や鎮魂歌」はエトルリアではなく、ローマの踊り祭司という役職者によって毎年三月にマルスを讃える行列で歌われるものとされる。また「婚礼時の諷刺劇」とは即興の諷刺詩で、「アテッラ風の道化芝居」とはカンパニア地方の小都市アテッラに因んで名づけられた庶民による芝居のことで、「日常を描いた劇」とは庶民の日常生活を描いたギリシア・南イタリア起源の芝居のこと。

(252) 共和政ローマの喜劇作家。

(253) 第二部冒頭の訳注(1)を参照。プラウトゥスと同じく後期の古代ギリシア喜劇を翻案した。

(254) ローマの歴史家スエトニウスの『名士伝』第一巻「詩人伝」はカエサルの次の文章を伝えている。「半分のメナンドロスよ、あなたはまた最高に位置し、もっともなことだが、純粋な言葉の愛好者だ。ただ、あなたの穏やかな詩行に力が備わり、その喜劇の力がギリシア人と同じように高く評価され、この点であなたが無視されるということがなければいいのだが。テレンティウスよ、この一点があなたに欠けているのが私としては残念だ」(訳文は木村健治訳、『テレンティウス　ローマ喜劇集5』京都大学学術出版会、二〇〇二年、「総解説　古代ローマ演劇とテレンティウス」、七三六―七三七頁)。

(255) 前出のテレンティウスは特にメナンドロスを模範とした。

(256) キケロは後出のルクレティウスが自殺した後、その教訓詩『事物の本性について』の刊行に手を尽くしたとされる。

(257) ローマの詩人ウェルギリウスはギリシア旅行から戻った後に亡くなったが、遺言による規定により、ホメロスの伝承を受け継ぐ叙事詩『アエネーイス』は公刊を禁じられていた。しかも死との闘いの中でウェルギリウスは未完のこの作品を焼却しようとしたが、アウグストゥスは『アエネーイス』を詩人の意図に反して刊行させた。

(258) 共和政ローマの詩人で哲学者。『事物の本性について』。

(259) ストア学派の哲学者。彼は二八歳で死んだ弟子ペルシウス(前出)の六つの諷刺詩に手を加えた。そしてこれはカエシウス・バッススによって刊行された。

(260) 古代ローマ末期の哲学者で政治家。『哲学のなぐさめ』。

(261) ウェルギリウスの『牧歌』第四歌は「救世主の歌」と呼ばれ、ウェルギリウスが地獄と煉獄の導き手として現れるダンテの『神曲』において「正統信仰の」ウェルギリウス受容はその頂点に達する。

(262) 古代ローマの法体系。六世紀に編纂された『ローマ法大全』で有名。

(263) 『幸福な人生について』など。

(264) ギリシアの哲学者。『語録』『要録』。

(265) 共和政ローマの文法学者で博学者。その巨大な作品群は五〇〇巻を超えていたと言われるが、断片的にしか伝えられていない。

(266) 『博物誌』における皇帝ウェスパシアヌス(後出)への献辞の中でプリニウスは二〇〇〇冊の書物を読み、二万もの価値ある題材を集めたと述べている(『プリニウスの博物誌』縮刷版Ⅰ、中野定雄・中野里美・中野美代訳、雄山閣、二〇一二年、六頁)。

(267) ローマ・カトリックおよび神聖ローマ帝国の成立と展開を考察する本書第四部の第十七巻から第十九巻にかけての記述が念頭にある。

(268) 古代ローマの政務官職の一つで、主に公共建築の管理を行った。

(269) カエサルの友人クリオは折りたたみ可能な二つの木製の部分からなる屋外円形劇場を建築したとされる。これについてはプリニウス『博物誌』(第三十六巻、一一六—一二〇)を参照。

(270) ウェスパシアヌスはローマ帝国の皇帝で、円形競技場(コロッセウム)の建設を開始した。

(271) 逃走する味方の軍勢を停止させた神ユピテル・スタトルのためにパラティーノに造られた神殿は、ロムルスに遡るとされる。

(272) アウグストゥスの側近アグリッパによって建造された神殿。

(273) ヘルダーの念頭には、前三六六年に商業貴族と庶民の宥和を機にローマの政治家マルクス・フリウス・カミッルスによって建てられ、前七年に皇帝ティベリウスによって再興されたコンコルディア神殿があると思われる。

(274) 『博物誌』第三十三巻におけるローマの贅沢や頽廃についての記述を参照。

(275) ウェルギリウス『アエネーイス』第六巻、八四七—八五三(訳文は、前掲『世界古典文学全集21 ウェルギリウス ルクレティウス』一三八頁)。ヘルダーはすでに『歴史哲学異説』第一章で「汝ローマ人、ひろく諸族を統治して」の箇所を引用している(前掲『歴史哲学異説』九六頁)。

(276) Middleton, Conyers (1683-1750) イギリスの神学者。『マルクス・トゥッリウス・キケロの生涯のもとでのローマ史。英語第三版による』(全三部、一七五七—五九年)。

(277) ギリシアの哲学者で著作家。勇気と運については『ローマ人の運について』（邦訳『モラリア4』伊藤照夫訳、京都大学学術出版会、二〇一八年、二四五―二七八頁）を参照。

(278) リウィウスの『ローマ建国以来の歴史』第五巻（四七、一―五）などにおける有名な逸話によれば、ユノのガアガア鳴くガチョウたちのおかげでローマ人は、ガリア人部族の長ブレンヌスの指揮でまさにカピトル丘に迫ろうとしていたガリア人の襲来に気づいた。なおブレンヌスは本書第十六巻第一章では「ゲール人のブレンヌス王」として登場している。

(279) カルタゴからセレウコス朝の王アンティオコス三世のもとに逃れた後、ハンニバルは王を反ローマ連合とイタリア攻撃のために味方につけようとした。しかしアンティオコスはこれに従わなかった。王はギリシアでローマ人とその同盟者たちに打ち負かされ、アパメイアの和議において屈服せざるをえなかった。

(280) ローマ帝国第四代皇帝クラウディウスの息子で、一三歳でネロに暗殺された。

(281) 共和政ローマの政治家でシチリアの総督ウエッレスを弾劾するキケロの二つの演説。

(282) ここでは続いて言及される「ラテン語」とともにローマの悪しき普遍性の象徴として一方的に断罪されている。

(283) ローマ帝国の国章は単頭の鷲であった。

(284) キリスト教の問題は第四部第十七巻以降で取り上げられるが、この段落で「ローマ帝国が独力で大きくなったのと同じように、キリスト教も自分自身の力で発展した」と言われるように、ヘルダーはあくまでもローマ帝国とキリスト教をそれぞれ一個の自律的な存在として考察しようとする。ちなみにギボンは、一七七六年に刊行された『ローマ帝国衰亡史』第一巻の締めくくりとなる第十五章と第十六章においてキリスト教を取り上げている。

(285) 第十八巻で考察される神聖ローマ帝国のこと。

(286) ここでの「究極目的」とは神学的な意味で「神の意志」あるいは「摂理」のことを意味していると考えられる。ヘルダーは『神、いくつかの対話』第三の対話でフィロラウスに次のように語らせている。「彼〔=ランベルト。訳者注〕は創造における神の意図すべてをなんと厳しく否定することでしょう。神には知性も意志もないことを、なんと決然と語ることでしょう。存在しているすべてのものをあくまでも神の無限の能力から演繹し、その能力を知性や意図を超えたものと見なすばかりか、それらから完全に分断しさえするとき彼はなんと決然としていることでしょう」(訳文は『神　第一版・第二版　スピノザをめぐる対話』吉田達訳、法政大学出版局、二〇一八年、六三頁)。これはスピノザの『エチカ』第一部、定理三六、付録における次の文章をふまえていると思われる。すなわち(目的に関する)「この説は神の完全性を除去する。なぜなら、もし神が目的のために活動するのなら、神は必然的に自身に何か足りないものを欲求することになるからである」(訳文は上野修訳、『スピノザ全集Ⅲ』岩波書店、二〇二二年、五〇—五一頁)。

(287) 或る時代や民族が、それに続く他の時代や民族のために存在すると考えること。これは啓蒙主義的な進歩史観、すなわち個々の存在ではなく人類という全体だけが最後に幸福になることを絶対的な目的として措定あるいは追求する見方と何ら変わるところはなく、ヘルダーはこうした見方を否定する。

第十五巻

（1）第十五巻の序言は、最後から二つ目の段落の前までの各段落冒頭のかぎ括弧が示すとおり、それぞれの段落が、あたかも互いに対話をしているかのようにつながっていく。この形は『人類歴史哲学考』第三部と同じく一七八七年に刊行された『神、いくつかの対話』に見られるものであるが、この第十五巻では『神、いくつかの対話』のテオフロンやフィロラウスのように具体的な名前を持った人物は登場しない。いずれにしても、このような対話体は古代ギリシア劇の舞台上におけるコロス（合唱隊）による対話のようでもあり、また三人の大天使を中心に繰り広げられるゲーテの戯曲『ファウスト　第一部』の「天上の序曲」のようでもある。この第十五巻冒頭の対話風の序言で語られるのは、人間の「本性を拘束する法則」（第三段落）であり、「人類の悲しい運命」（第六段落）である。しかしヘルダーはこの序言の最後で、このような自然的な必然性に「高貴で美しい自然法則」を対置させる。この法則は「歴史においてはすべてが過ぎ去ってゆく」という冒頭の言葉にも見られる諸現象の無常性を超えて、以下の各章が示すように、自然的な必然性の内部でのフマニテートの特性を強調するものである。またこの第十五巻は、第十一巻から第十四巻までの人類史における古代世界と、それ以降の中世から近世にかけてのヨーロッパ世界の叙述のあいだに挿入された純粋に理論的な巻である。それはまたヘルダーが『民謡集』の第一部と第二部をつなぐ理論的考察として第二部の冒頭に置いた長大な「序言」のように、『人類歴史哲学考』でも第三部と第四部をつなぐと同時に、古代の歴史と中世以降の歴史を折り返す蝶番（ちょうつがい）のような役割を果たしているとも言える。

（2）人間存在の無意味さを体現するシジフォスは、常にまた深みへと転げ落ちる重い岩塊を山に向かって転がすという罪を下界で受けている。

（3）ローマ帝国の第三代皇帝。「カリグラ」は幼少時に履いていた小さな軍靴に由来する呼称で、正式の名はガイウス・ユリウス・カエサル・アウグストゥス・ゲルマニクス。

（4）ローマ帝国の第五代皇帝。暴君として知られる。

（5）たとえば第十四巻第五章で言及された哲学者ボエティウスは『哲学のなぐさめ』第一巻第五歌（四二―四五）において、万有の導きに対して次のような非難の声を上げている。「おお、いまやかえりみたまへ、悲惨な地上を、／どなたであれ、事物間の諸盟約を結ばれるかたよ。／それほどの業の、ささやかならざる一部分たる／われら人間が、運の大海原で翻弄されている」（訳文は『哲学のなぐさめ』松﨑一平訳、京都大学学術出版会、二〇二三年、四〇頁）。

（6）『人類歴史哲学考』冒頭の「序言」における「自然における神の歩み」への訳注（20）を参照。こうした『人類歴史哲学考』全体の冒頭への立ち返りによって、この思弁的な性格の強い第十五巻は、第十六巻から始まるヨーロッパ全体の歴史への「序言」ともなっている。ちなみにここでは歴史への神の介入が問題となっているが、ヘルダーの念頭にはプーフェンドルフの『自然法にもとづく人間と市民の義務』第一巻第四章の「四」における「神は宇宙全体にも人類にも統治を行っている」（訳文は前田俊文訳、京都大学学術出版会、二〇一六年、六一頁）という命題があると推測される。

（7）ヘルダーにとって人間の生来の能力は、人間が自己保存という自らに課された課題を成就するためには十分なものであり、同時にまたそれは必然的かつ実践的な知を体現している。

（8）ヘルダーは「フマニテート」の形成を自然の目的として理解している。なぜなら、自然（physis）は自然被造物としての人間において生命力の展開の最高の地点に到達したからである。また人間の本質的な特徴は、種々の本能の結合と、行為の任意性のうちにあるため、文化上の活動の展開も、自然の過程の継続にすぎない。あらゆる自然形式が汲み尽くされるに至るまでの万有の展開において、この過程は人間としての可能性のすべてを展開させる方向に向かう。それによって目ざされるのは、自然から切り離されて精神化された人間の出現ではなく、人間文化の種々の変化する可能性の全体である。なお、以下の訳注における自然と歴史の関連についての説明、なかでもランベルトとの関連についての説明は、プロスによる注釈に多くを負っていることをあらためてお断りしておきたい。

（9）第十三巻第三章の「神々とは神々に近似した高次の人間であり、英雄とは低次の神々である」（第三分冊・二五七頁）という表現にも見られるように、ギリシア神話の神々を人間の神格化と考えるエウヘメロス説的な考え。

（10）第四巻第四章を参照。

（11）これと同じ視点、すなわち、人間が隷属するのは、隷属させる側の意志というよりも、むしろ隷属する側に原因がある、という視点は、すでに第九巻第四章の「どの民族も自ら抑圧されようと望まなければ、つまり奴隷たるに値しなければ、決して抑圧されない」という文章（第二分冊・二七二―二七三頁）において見られたものである。

（12）この発言の背景にはスピノザの『神学・政治論』第十六章の記述があると思われる。その（二）では次のように述べられている。「実際、自然それ自体を端的に見た場合、自然は可能な限りのあらゆることに対する至高の権利を持っている。つまり自然の権利は、自然の力のおよぶ所までおよぶ。自然の力とは神の力そのものであり、神はあらゆることに対して至高の権利をもっているからだ。自然全体がもつ、あらゆることにおよぶ力とは、しかし、すべての個物の力をまとめたものに他ならない。ここから結論されるのは、あらゆる個物が、それぞれに可能な限りのあらゆることに対する至高の権利をもっているということである。個物の権利は、その個物の決まった力がおよぶ所までおよぶ、とも言える。（…）しかもこの点では、人間とそれ以外の自然の個物の間にも、また理性を備えた人と本当の理性を知らない人の間にも、はたまた愚かな人や錯乱した人とまともな人の間にも、何の違いも認められない。個々のものがその自然の法則によって行うことは、何であれ至高の権利をもって行われるのである」（訳文は『神学・政治論』（下）、吉田量彦訳、光文社古典新訳文庫、二〇一四年、一五〇―一五一頁）。

（13）第四巻第一章の最後から二段落目冒頭の「おお、人間よ、天空を見上げるがよい！」（第一分冊・二二七頁）以下の記述を参照。

（14）特に第四章と第六章を参照。

（15）これは第一部の最初の数巻で見られた帰結である。創造の最終目的は、生の増殖と自己保存の中にある。ここではこうした法則が歴史の過程に転用される。

(16) 創造する自然によって被造物に「植えつけられた」生命力は、自然諸界の高次の展開において、第一部の最初の五巻が示していたように、自然の過程が安定し、「創造の門」が閉じられた地点にまで到達する。第十巻は自然の過程のこうした解釈をあらためて確証していた。ヘルダーによれば、物質に内在する秩序への傾向との類比において、自然の進展は歴史においてもこれと類似した経過を辿らざるをえない。

(17) 訳注(15)を参照。

(18) 中央アジアの遊牧民フン族の王。現在のハンガリーを中心に一大帝国を築き、東西ローマ帝国を圧迫した。

(19) 十七世紀に絶滅したとされるウシの一種。

(20) ギリシア神話中の牛頭人身の怪物。クレタの迷宮に閉じ込められ、アテナイの英雄テセウスに殺された。

(21) 同じくギリシア神話中の怪物。

(22) ここでは、続く第三章の「第二」で「報復の女神」として言及されるネメシス、すなわち、ギリシア神話で人間の思い上がりに対する神々の報復を擬人化した女神ネメシスに象徴される道徳的視点が歴史に導入される。こうした視点はまた数学的な計算の結果としても提示されている。すなわちそれは自然における生の破壊と保存の合法則的な調和関係に従っているのみならず、歴史における個々の民族の内的諸力の均衡がその調和の限界を超えて破壊される点にも示されている。それによってヘルダーは、歴史において自己破壊的な諸結果をもたらす「自然真理」、それも自己の諸力の均衡の破壊のうちに存する「自然真理」を提示しようとする。これについては前掲『神、いくつかの対話』第三の対話の冒頭を参照。なお、ここで言及される「ネメシス」について ヘルダーは『人類歴史哲学考』第三部が刊行される前年の一七八六年に雑誌『みだれ草紙』第二集において『ネメシス』という題の論考を発表している。

(23) この表現は形而上学における数学上の諸概念の適用の試みであり、ヘルダーが本巻第三章で取り上げるランベルトの提案との関連の中で初めて明らかになる。また前注で言及した『神、いくつかの対話』第三の対話においてもランベルトが登場する。

(24) 第九巻第二章の「計算するもの」への訳注(24)を参照。

(25) たしかに十八世紀にも人権を引き合いに出して奴隷交易や奴隷制を廃止しようとする運動が見られたが、黒人奴隷の地球規模での解放に道が拓かれたのは南北戦争後のことであった。この『人類歴史哲学考』の第三部が刊行された一七八七年と同じ年の一一月にアメリカの北部諸州では奴隷交易が廃止された。同じ年にイギリスでは奴隷交易の廃止に向けて「アフリカ協会」が設立された。

(26) ゼウスの息子で、航海の保護者とされるカストールとポルックスのこと。海難に際して呼びかけられる。ゼウスは彼らを天上の双生児として星座の中に置いたとされる。

(27) 共和政ローマと、古代イタリア人の一派ウォルスキ族との一連の戦争(前六世紀—前四世紀)のこと。なおヘルダーの挙げる個々の戦争の年代表記は、ガッテラーの『世界の創造から今日の大多数の王国や国家の起源に至る全範囲による普遍史便覧』(一七六一年)の第一巻に従っていると考えられる。

(28) このことは、最初の肯定的な実例としてのギリシア人とエトルリア人に次いで、第四部以降で叙述される北方諸民族の「普遍精神」の展開によって示されることになる。しかしその過程が直線的にではなく、何度もの後退を伴って進行することは、ローマ人によるギリシア人とエトルリア人の征服が明らかにしており、また教皇の位階制度によるローマ人の内部からの弱体化によっても示される。

(29) 原語は der Sttats-Unvernünftige. 伝統的な宗教や道徳観に依存せずに、国家自身を存在目的とする「国家理性」(Staatsvernunft) の概念をふまえた表現。

(30) 訳注(24)の場合と同じく、第九巻第二章の「計算するもの」への訳注(24)を参照。

(31) ここでは「恣意」(Willkür) という言葉の二重の意味が表現されている。ヘルダーが否定するのは、彼がスピノザとともに人間の「任意的」(arbiträr) な行動の自然法則と定めていた「選択の自由」(ちなみに Willkür の元々の意味は、自らの意志 (Will) によって「選択する」(küren) ということである) では決してなく、歴史をもっぱら「偶然的」(kontingent) な出来事として解釈することである。これによってヘルダーは再び第四巻第六章、特に「5」の「正義と真理という規則」に立ち返る。

(32) 第四巻第六章におけるフマニテートをめぐる議論 (第一分冊・二七六―二七八頁) を参照。

(33) ヘルダーは第五巻第三章において「諸力と形のあらゆる連関は退行でも停滞でもなく、進展である」(第一分冊・三〇五頁) という命題を提示していたが、文化の過程もこうした展開において重なり合う多数の系列として、自然の出来事との類比において理解される。ただ、これまでの二つの章においてヘルダーは自然上の諸前提を、歴史の中で生命力の展開との類比で遂行される「偶然」(Kontingenz)の除去を基盤として叙述していた。これに続く第三章でヘルダーが特に依拠するのは、ランベルトの哲学的理論である。『建築術の構想』(一七七一年)の最終章においてランベルトは「量」(Größe)の概念をめぐる議論の枠内で、「有限なもの」と「無限なもの」、そして形而上学の外部での「系列」(Reihe)の適用の問題と、それも非常に広い意味で理解された形而上学において取り組んでいる。ヘルダーの関心を惹いたのは、一つには、彼が本書第五巻の最終章では顧慮していなかったランベルトの指摘、すなわち、無限なものに対する有限なものの絶対的な異質性に関する言述である(『建築術の構想』第二巻、§915)。これに対してヘルダーは他の世界、つまり精神的世界への人間の移行に関しての自らの定式化において、まさにこの問題を無視していた。それにもかかわらず、ランベルトは無限の「系列」の理論の適用可能性を、概念の数学上の的確さを放棄することなく、具体的な意味の中に見ている。この可能性は、特にランベルトが「系列」を「無限なもの」、それも「実体の、あるいは諸系列における実体的なもののたんなる継続」(§922)によって示されるもの、と仮定する点にある。ヘルダーはこのことが人類の歴史における自然の過程の継続にも該当すると考える。ランベルトにおける五つの部門の系列、すなわち(組み合わされた)「周期的系列」、「始まりの系列」、「変化する系列」、「定められた限界のあいだに留まるかぎりで持続状態(Beharrungszustand)にある諸変化」および「無限な系列」という視点のもとで、歴史の一見、偶然的な現実の諸変化の形式全体が把握され、合法則性に依存するものとして提示される。これらの形式は『神、いくつかの対話』では「数学的・自然的・形而上学的定式」として示される（第三の対話）。

（34）第十二巻から第十四巻においてヘルダーが確証していたのは、ペルシア、ギリシア、ローマにおいては権力の自然上の限界を超えることが、すべての民族と文化の没落を招来しえたということである。その実例はキュロス（第十二巻第二章）、アレクサンドロス大王（第十三巻第六章）、そしてポエニ戦争の開始（第十四巻冒頭）であった。今やヘルダーはこの現象を理論的に根拠づけることに着手する。そのさい彼はランベルトの前掲書の、特に「最大値と最小値」について述べた§919と、「持続状態」について述べた§920に立ち戻る。

（35）ヘルダーは再びランベルトの前掲書の§301、および§467に依拠している。『神、いくつかの対話』「第三の対話」におけるテオフロンの発言「彼が亡くなったのは残念なことです」以下の文章（邦訳は前掲『神　第一版・第二版　スピノザをめぐる対話』六一―六二頁）も参照。

（36）ヘルダーはランベルトを、それも、諸事物はまず持続状態から遠ざかるがゆえに持続状態に再び近づくと考えるランベルトを引き合いに出している（§848）。

（37）この視点はランベルトの次の命題に遡る。すなわち、世界連関における自然諸物体の一致は「単純なもの、あるいは全体的なものにおける多様なものの調和」または「多様なものにおける単純なもの、あるいは全体的なものの調和もしくは一致」という伝統的な定式化へともたらされるのではなく、「多様なものが多様なものにおいて調和する」連関としてとらえられる、という命題である（§367）。

（38）第八巻第五章の「どの人間も、自分の幸福の尺度を自分の中に持っている」への訳注（89）を参照。

（39）人間の理性については、第四巻第四章の「生得の自動装置」への訳注（59）および（60）を参照。あらためて強調するまでもないが、ヘルダーは理性そのものを否定することはまったくなく、それどころかフマニテートの本質的要素としてとらえている。

（40）「フマニテート」について記述される本巻第一章を参照。

（41）プロスは、この表現に見られる歴史の学問の課題が、イタリアの法学者で哲学者ヴィーコ（Vico, Giambattista, 1668-1744）における課題と重なるものとして見ている。ヴィーコは『新しい学の諸原理』初版（一七二五年）の第一巻第二章「ある一つの新しい学の構想」においてこう述べる。「すべての知識、すべての学問と技芸は、疑いもなく諸国民の文明から出てきているにもかかわらず、その文明の諸原理について思索をめぐらせ、それらの諸原理によって、文明のアクメー、すなわち、完成状態を確定した者は、いまだだれひとりとしていない。他の死すべき運命にある事物と同様、諸国民の文明もいくつかの段階を経過せざるをえず、始点と終点とを結ぶ範囲の内部にあって終焉せざるをえない。このような文明の諸段階と両極とがその完成状態からは測定されうるのである。そして、ある国民の文明が興隆過程にあるときには、どのようにすればそのような完成された状態にまで到達できるのか、また、それがすでに衰退過程にあるときには、どのようにすればふたたびその完成された状態にまで引き戻すことができるのか、そのための実践的方策がそこからは確実に学びとられるのである」（訳文は『新しい学の諸原理［一七二五年版〕』上村忠男訳、京都大学学術出版会、二〇一八年、一六―一七頁）。プロスによれば、ヘルダーとランベルト両者における歴史の「法則」の妥当性に関する考えは、共通の学問理想を、しかもその中では自然の領域と人間の行動の領域とのあいだに類比が構成される学問理想を念頭に置いているのに対して、ヴィーコにあってこれはプーフェンドルフにおける自然法、それも道徳的存在（entia moralis）に関する学問としての自然法の構想に遡る。ちなみにこの構想は、道徳的存在に対して、自然的存在（entia physica）に対してと同じ規則の妥当性を要求するものであった。なお『人類歴史哲学考』執筆当時のヘルダーがヴィーコの『新しい学の諸原理』を読んでいたかどうかは未詳。ヘルダーがヴィーコに最初に言及するのは『フマニテート促進のための書簡集』第十集（一七九七年）の第百十五書簡においてのことである。

(42)　第三分冊の解説「3『人類歴史哲学考』における歴史記述の特性」でも述べたように、本書のヘルダーはまさに「人類の歴史」を旅する者である。

(43)　訳注(22)を参照。前出の「フリア」と同じくギリシア神話に登場する女神。元来「ネメシス」は「配給者」を意味し、人間の行為の正邪に応じて幸・不幸を分配する正義の女神であった。ヘルダーにとって「ネメシス」は「報復」に限らず、「公正」や「正義」を体現する重要な存在である。

(44)　カエサルとポンペイウスの戦いが描かれたものとしては、プルタルコスの『英雄伝』における記述に加えて、本書第十四巻第三章の終わり近くで言及されるカエサルへの訳注(142)でふれたルカヌスの『内乱　パルサリア』が考えられる。

(45) ヘレニズム期のギリシアの哲学者で、エピクロス派の祖。
(46) キプロス生れの哲学者で、ストア派の祖。
(47) プラトンの『ティマイオス』(二二b)に「あなた方ギリシア人は、いつも子どもだ」という表現がある。またベーコンの『ノヴム・オルガヌム』の「アフォリズム」七一にも同様の表現が見られる。
(48) ヘルダーの『民謡集』およびその改訂版の『歌謡における諸民族の声』(一八〇七年)を参照。
(49) 『ティマイオス』(三九d)で言われる「完全年」、すなわち地球をめぐる八つの天体が同時に元の出発点に戻るのに要する年数のこと。
(50) ここで突然「どんぐりの実」が出てくる背景としては、ルクレティウスの『事物の本性について』第五巻(九三九―九四二)における以下の記述が考えられる。そこでは原初の人類についてこう語られている。「たいていは、どんぐりのなる樫の林の中で体を/やすめた、そして今なお冬時分に/赤く色づいてうれる岩梨の実を、/そのころ、大地は数多くより大きなものをもたらしていた」(訳文は、藤沢令夫・岩田義一訳、前掲『世界古典文学全集21 ウェルギリウス ルクレティウス』三九七頁)。
(51) 軍事的絶対主義的専制政治のもとに中国を統一した始皇帝は、封建時代を想起させる文書の焼却を命じたとされる(焚書坑儒)。
(52) 北フランスのシャンパーニュ地方にある平原。二七四年にはローマ帝国とガリア帝国が、また四五一年には西ローマ帝国とフン族がこの平原で戦い、ともに「カタラウヌムの戦い」と呼ばれている。

(53) この最終章の標題は、第四巻第六章、第五巻第五章および第九巻第五章における宗教の諸定義に遡る。

(54) 第四巻第四章の「理論上も実践上も理性とは何か知覚されたもの」への訳注(60)を参照。ここでの「聞きとる」の原語は vernimmt であり、その原形は、「知覚された」を意味する過去分詞 vernommen の原形と同じ vernehmen である。

(55) 第八巻第五章の「存在しているという、この単純で深くて何ものにも代えがたい感情こそが幸福なのだ」への訳注(80)を参照。また『神、いくつかの対話』の第五の対話においてヘルダーはフィロラウスに「存在」について次のように語らせている。「最高の存在はみずからの被造物に、存在より以上のものを与えるすべを知らなかった」(訳文は前掲書一三〇頁)。

(56) ヘルダーにとっては個人の幸福と人類全体の幸福は決して対立するものではなく、個人の幸福を犠牲にする人類全体の幸福というものはありえない。

(57) ローマの歴史家カッシウス・ディオの『ローマ史』(四七、四九)による。

(58) この実例としては後注(61)および第十七巻第三章で言及されるテオドリックが挙げられる。これについては前出のボエティウス『哲学のなぐさめ』第一巻第五歌(二五―三六)における以下の詩句が参考となろう。「確かなる究極目的のもと、すべてを舵取りしつつ／人間どもの活動ばかりを、おんみ支配者は拒む――／ふさわしいありようで、拘束することを。／じつになぜに、滑りやすいフォルトゥナは／こうも変化をもたらすのか。罪なきを圧迫するのだ、／悪行の負うべき、害となる罰が、／しかもよこしまなる流儀が、そそり立つ／玉座に居座って、聖なるうなじうなじを／正義に悖る返報で、踏みにじり害している。／隠れているのだ、明るい徳は昏い闇に／埋められて、そして正義のひとが負うたのだ、／不正のひとの罪科をば」(訳文は前掲書三八—三九頁)。

(59) かつては奴隷であったエピクテトスはローマから追放された後、ギリシア東部のニコポリスでストア哲学を教えた。

(60) キケロはアントニウスの手下によって殺害された。

(61) ボエティウスは東ゴート人の王テオドリックのもと、反逆のかどで投獄され、死刑の判決を受けた。

第十六巻

(1) ヘルダーの原文は Tantae molis erat, Germanas condere gentes. というラテン語。この詩句は、ウェルギリウス『アエネーイス』(一、三三)「ローマの族を打ち建てる、／ことはかほどに困難な、大きい事業でこそあった」(訳文は泉井久之助訳、前掲『世界古典文学全集21 ウェルギリウス ルクレティウス』六頁)に倣ったもので、原文は Tantae molis erat Romanam condere gentem! というラテン語。ローマからゲルマンへの転換によって、古代に別れを告げるとともに、近代への幕開けにつながる新たな時代の到来が告げられる。ただ、ここで注意すべきは、「ゲルマン」の基にあるラテン語の形容詞 germanus は、大文字で Germanus と書くと「ゲルマン人の」という意味になるが、小文字では「父母を同じくする」「兄弟の、姉妹の」という意味から「肉親の、親戚の」という意味になることである。実際ヘルダーはこの詩句において、近代の時期を「ヨーロッパの普遍精神」(der Allgemeingeist Europas)の形成につながるべきものと見なしている。したがって冒頭の詩句は次のように、すなわち「ゲルマン諸民族の中に彼らを結びつける普遍的な精神を覚醒させることは、非常に骨の折れる仕事であった」と読まれるべきであろう。それはまたこの詩句を汎ゲルマン主義的なスローガンとして理解するべきでないことを示している。

（2）トルコの南部を地中海沿岸とほぼ並行して東西に走る山脈。

（3）トルコ語で「氷雪の山」という意味で、パキスタンのカラコルム山脈の西側の部分を指す。ムスターグ・タワーとも呼ばれる。

（4）モンゴル語で「金の山」という意味で、モンゴル高原と中央アジアとの境界をなす大山脈。中国、西シベリア、モンゴル、カザフスタンにまたがる。

（5）ロシア西部のウラル山脈南部の地域。

（6）ブルガリアの中央部を東西に走るバルカン山脈を意味する古代トラキアの表現。

（7）中央ヨーロッパと東ヨーロッパを東西に走る山脈で、ポーランドとスロバキアの国境付近からウクライナを経てルーマニアに及ぶ。

（8）フランスを南西端とし、オーストリア・ブルガリアを東端として東西に走るヨーロッパ・アルプス全体の総称。

(9) 近代の歴史とそれ以前の歴史の基本的な差異も、第一巻第七章で言及されたパラスの『山地の形成に関する考察』(一七七七年)において示されていたような自然上の基盤に依拠している。アジアの巨大な中心山塊の南東の縁に定住し、それから西方に広がった諸民族における文化の歩みが比較的温和な風土の恩恵に規定されていたとすれば、アジア山地の北の縁の諸民族における文化の歩みは、恵まれない風土のもとで前者とまったく異なる状況に従わざるをえなかった。

(10) 「塩や砂の湖」の原語は Salz- und Sandsee. カスピ海とゴビ砂漠を指すものと思われる。

(11) 東ゲルマンの一部族。民族移動時代にローマ領内に侵入して北アフリカにまで進軍し、四二九年にヴァンダル王国を建設したが、五三三年に東ローマ帝国に滅ぼされた。

(12) イタリアの詩人タッソの『解放されたエルサレム』(第十五のエピソード、第十六歌、第二〇—二二連)からの引用。邦訳『エルサレム解放』(A・ジュリアーニ編、鷲平京子訳、岩波文庫、二〇一〇年、三九七—三九八頁)を参照。そこでは主人公のリナルドが、彼をエルサレム獲得の戦いに参戦しないよう引き止める女妖術師アルミーダによる魔法から覚醒する。

(13) 原語(一格)は die Europäische Republik.『ヘルダー蔵書目録』(一八〇四年)にはドイツの歴史家ニコラウス・フォークト(Vogt, Nicolaus, 1756–1836)の『ヨーロッパ共和国について』(*Über die Europäische Republik*)(一七八七年)という書物(訳者未見)が記載されている(BH 3710/11)。本書『人類歴史哲学考』における以下の記述においては第十七巻以降で考察されるローマ・カトリック教会とフランク王国以降のヨーロッパが念頭にあると思われる。

(14) 主として第十八巻で言及されるゲルマン諸民族など北方ヨーロッパの諸民族のこと。

(15) スペイン北西部とフランス南西部にまたがるバスク地方に居住する民族。以下、キムリ人までは、ヨーロッパ最古の居住民に属し、アジア北方から次々と押し寄せる移民によって山地へと追いやられ、あるいはすでにローマ人によってほとんど根絶された諸民族である。

(16) イギリス諸島の全域に居住していたケルト人のうち、アングロ・サクソン人の渡来などによって同諸島の周縁部に押しやられた結果、スコットランド西北部からアイルランド島にかけて分布した人々が特にゲール人と呼ばれた。

(17)「キムリック人」とも表記される。ヨーロッパ大陸からグレート・ブリテン島南西部に位置する地域のウェールズに移住したケルト人の一派。ユトランド半島を母国とする「キンブリ人」とは別の民族。また第一巻第四章で言及された「キンメリア人」とも別の民族である。

(18) バスク人の話すバスク語のこと。

(19) 銀の搾取を目的としたカルタゴ人によるスペインの征服は、特に「ヒメラの戦い」と第一次ポエニ戦争での敗北によるシチリアの喪失の代償という役割を果たした。「ヒメラの戦い」については第十二巻第四章の「ゲロン」への訳注(114)を参照。なおグリムの『ドイツ語辞典』は Silber というドイツ語の語源について、バスク語の zillar との関連を指摘している(Vgl. Bd. 16, Sp. 974)。また、この後に来る「彼らにとってスペインは最初のペルーであった」という文章は、スペインがフェニキア人とカルタゴ人にとって大航海時代以後のヨーロッパ人、特にスペイン人にとって当時にあって世界最大の銀の産出国としてのペルーが有していた意味を示唆している。なお、銀を媒介としたペルーとヨーロッパの関係については、すでに第六巻第六章に記述がある。

(20) スペイン北岸の民族で、前二九年から前一九年にかけての戦いの後、アウグストゥスによって征服された。ストラボン『地誌』第三巻「イベリア」(一六―一八)に記述がある(邦訳は『ギリシア・ローマ　世界地誌Ⅰ』飯尾都人訳、龍溪書舎、一九九四年、二八二―二八四頁)。

(21) 北コーカサスから黒海北岸地方を支配した遊牧騎馬民族。前掲のシャルダン『ペルシア旅行記』には次のような記述が見られる。「コーカサスの住民はフン族の名であまりに有名なあの好戦的な民族を構成した人びとだが、今日では幾つもの小部族に分れている。コルヒダ〔＝古代グルジアの王国のあった地域コルキスのこと。訳者注〕と境を接して住んでいるのはまずアラーヌ人〔アラン人〕である。彼らの居住地はコーカサス山とカスピ海の間にあって、かつてはアルメニアの北境をなしていたところで、かのアマゾン族の国はここだとされている」(訳文は前掲『ペルシア紀行』一一一頁)。

(22) エルベ河北方のゲルマン民族の一つ。五世紀にガリアを横断してイベリア半島西北部に王国を建設したが、六世紀後半に西ゴート王国に服属した。第十八巻第一章で詳述される。

(23) 現在のデンマーク北部に居住していたゲルマン系の民族。前一一三年頃にキンブリ人とともに南方に移動を開始したが、前一〇二年にローマ軍によって滅ぼされた。

(24) 後出のフランク人によって建てられたフランク王国の王。八〇〇年に教皇レオ三世からローマで西ローマ帝国の帝冠を与えられた。

(25) 古代ギリシア・ローマ世界ではアフリカ北部のアラブ人の呼称であったが、中世ヨーロッパ世界ではイスラム教徒の呼称となった。

(26) 後出のローランの活躍を歌った古フランス語の叙事詩『ローランの歌』のこと。
(27) 七七八年にピレネー山脈にあるこの地でフランク王国軍とバスク軍が戦い、フランク王国軍にいたブルターニュ辺境伯のローランが戦死した。
(28) フランス南西部のピレネー山脈からガロンヌ河流域一帯における古代の地域で、ローマ帝国の属州ガリア・アクィタニアであった。後にアキテーヌ公国となる。中心都市はボルドー。
(29) ゲルマン民族のうち、中世初期に北部ガリアを中心にフランク王国を形成した部族。
(30)「プロヴァンス人」は南フランスの南東部を占める地域であるプロヴァンス地方の居住民。この地域ではトルバドゥールと呼ばれる吟唱詩人たちが活躍した。「悦ばしき詩歌」の原語は die fröhliche Dichtkunst. 第二十巻第二章で詳述される。
(31) Macpherson, James (1736–96) スコットランドの作家。後述のように古代の盲目の詩人オシアンがスコットランド・ゲール語で書いた長編叙事詩を発見したとしてこれを発表したが、後にマクファーソン自身の偽作であることが明らかになった。原注3を参照。なお、後出の「ラランディ」については後注(63)を参照。
(32) 訳注(26)を参照。
(33) カール大帝伝説に登場する人物で、童話的な作品『カール大帝とローラン』の著者と考えられていた。
(34) ホメロスの『イーリアス』において何度も争奪の対象となる「スカイア門」と関連している。
(35) ヴォルガ河に次ぐヨーロッパ第二の大河。ドイツ南部に発し、東に流れて黒海に注ぐ。

(36) ローマ帝国の属州で、現在のハンガリー西部からクロアチアにかけての地域。後出のイリュリクムの一部であった。

(37) ローマ帝国の属州で、バルカン半島西部に存在したイリュリア王国の地域に建設された。現在のアルバニア、スロベニア、ボスニア・ヘルツェゴビナ、クロアチアにまで広がっていた。

(38) 現在のスイス西部にあたる地域。

(39) ケルト人の一派で、前三世紀にアナトリア半島にガラティア王国を建設した。

(40) ドルイド僧は古代ケルトの宗教であるドルイド教の祭司で、政治的指導など重要な役割を果たした。ドルイド教は森や木々を重視し、オークの森を聖地としたとされる。ガリアにおけるドルイド僧については、カエサルの『ガリア戦記』第六巻(一三―一八)に記述がある(邦訳『ガリア戦記』國原吉之助訳、講談社学術文庫、一九九四年、二一五―二一九頁)。

(41) 草稿の一つでは「巨大なストーンヘンジ」となっている(『ズプハン版全集』第十四巻、二五八頁)。

(42) タキトゥスの『ゲルマーニア』が念頭にあると思われる。

(43) これについては第十八巻第四章でも言及される。

(44) ケルト人の歴史に関してヘルダーが参照しているのは、次の原注で言及されるブレアによる『オシアンの時代に関する論考』と『オシアンの詩に関する論考』であり、これらは同じく次の原注で挙げられている『オシアンの詩作品に関する批判的論文』とともに『オシアン作品集』の諸版の冒頭に置かれていた。

(45) ガリアの北東部ベルガエに居住していた民族。「ベルギー」の国名はこの民族に由来する。
(46) スカンジナビア半島からヨーロッパ大陸へと移住したゲルマン系の民族。
(47) ライン河上流地域を原住地とするゲルマン人の部族。後にエルベ河流域に移住し、三世紀頃からたびたびローマ帝国領内への侵入を試みた。
(48) ユトランド半島南部を原住地とするゲルマン系の民族で、「サクソン人」とも呼ばれる。グレート・ブリテン島に上陸した一部のザクセン人は「アングロ・サクソン人」としてイングランド人の民族形成の母体となった。
(49) デンマークやスカンジナビア半島を原住地とした北方系ゲルマン人。九一一年にフランス北部にノルマンディー公国を建設した。なお、続いて言及される「ゲルマン諸民族」については第三章の訳注(163)を参照。
(50) マクファーソンの『オシアン詩集』の主人公。アイルランド神話の英雄フィン・マックールにあたる。訳注(31)で見たように、虚構上の詩人で、マクファーソンはフィンガルの息子オシアンを、ゲール語で詩作品を書いたスコットランドの吟遊詩人として描いた。オシアンについては、ヘルダーが編纂した論文集『ドイツの特性と芸術について』(一七七三年)に所収の自らの論考『オシアンと古代諸民族の歌謡に関する往復書簡の抜粋』を参照。邦訳は中野康存訳『民族詩論』(櫻井書店、一九四五年、一—八一頁)、および若林光夫訳『オシアン論』(養徳社、一九四七年)。
(51) グレート・ブリテン島北部のうち、ローマ帝国の支配下になかった地域の古称。ほぼ現在のスコットランドにあたる。

（52）訳注（17）で言及されたウェールズを南北に走るカンブリア山地のことが念頭にあると思われる。キムリ人 Cymry とカンブリア Cambria はウェールズ語において語源的に近親関係にある。

（53）グレート・ブリテン島の東部、中部、南部を占める地域。紀元前にケルト人が入り、一世紀にはローマの属州となった。

（54）訳注（52）を参照。

（55）イングランド南西端に位置する地域で、ケルト諸語圏の一つ。

（56）フランス北西部の北西に突き出た半島にある地域で、ケルト諸語圏の一つ。

（57）十二世紀の偽史『ブリタニア列王史』に登場する魔術師。後の文学作品ではアーサー王の助言者としても登場するようになった。邦訳関連書にはロベール・ド・ボロン『西洋中世奇譚集成　魔術師マーリン』（横山安由美訳、講談社学術文庫、二〇一五年）などがある。

（58）ホラティウスの『詩論』（三三三以下）における「詩人が狙うのは、役に立つか、よろこばせるか、あるいは人生のたのしみにもなれば益にもなるものを語るか、のいずれかである」をふまえた表現（訳文は岡道男訳、『アリストテレース　詩学／ホラーティウス　詩論』岩波文庫、一九九七年、二四九頁）。

（59）Moret, José de（1615-87）スペインの歴史家でイエズス会士。『ナバーラ王国古代の歴史研究』（一六六五年）。

（60）ピレネー山脈西端のフランスとスペインの両方にまたがる地方。九世紀に独立王国を作った。

（61）Oihénart, Arnauld（1592-1668）バスク地方の歴史家で詩人。『両バスク地方に関する報告』

（一六三八年）。

(62) スペイン・バスクと呼ばれる地域と、フランス領バスクと呼ばれる地域のこと。

(63) Larramendi, Manuel de（1690–1766）スペインの文献学者でイエズス会士。『三カ国語辞典。スペイン語、バスク語、ラテン語』（全二巻、一七四五年）。『スペインにおけるバスク語の古代と一般的普及、および完全性について』（一七二八年）。

(64) ララメンディ『バスク語習得の技術』（一七二〇年）。

(65) Dieze, Johann Andreas（1729–85）ドイツの文献学者。『ドン・ルイ・ホセ・ヴェラスケス。スペイン文学史。スペイン語からのJ・A・Dによるドイツ語訳。解説と注釈付』（一七六九年）。

(66) Lepelletier, Louis（1663–1733）フランスの言語学者。『ブルトン語辞典』（一七五二年）。

(67) Pezron, Paul（1639–1706）フランスのシトー修道会大修道院長。『ケルトの民族と言語の古代性』（一七〇三年）。

(68) Martin, Jacques（1684–1751）フランスのベネディクト会修道士でケルト研究者。『ゲール人の宗教』（一七二七年）。

(69) Picard, Jean（十六世紀中頃）フランスのケルト研究者。『古ケルト事典　第五巻』（一五五六年）。

(70) Barrington, Danies（1727頃–1800）イギリスの学者。『雑録集』（一七八一年）。

(71) Cordiner, Charles（1746頃–94）イギリスの古代研究者。『スコットランド北部の古代性と風景』（一七八〇年）。

(72) Henry, Robert (1718-90) イギリスの歴史家。『グレート・ブリテン史』(ロンドン、一七七一年)。
(73) Jones, Rowland (1722-74) イギリスの学者。『言語と民族の起源』(一七六四年)。
(74) 訳注(31)を参照。『グレート・ブリテンとアイルランドの歴史入門』(一七七二年)。
(75) Maitland, William (1693-1757) イギリスの歴史家。『スコットランドの歴史と古代性』(一七五七年)。
(76) Lloyd, Humphrey (1527-68) イギリスの歴史家で地図製作者。『カンブリア、現在のウェールズの歴史』(一五八四年)。
(77) Owen, John (十八世紀) イギリスの牧師で歴史家。『古代ブリトン人の完全で公平な歴史』(一七四三年)。
(78) Shaw, William (1749-1831) スコットランドの学者で言語研究者。『ゲール語および英語辞典』(一七八〇年)。
(79) Vallancey, Charles (1731-1812) イギリスの学者。『アイルランド史資料集』(一七八六年)。
(80) Whitaker, John (1735-1808) イギリスの歴史家。『ブリトン人の真正な歴史』(一七七二年)。
(81) 第六巻第一章の訳注(27)を参照。
(82) 『グレート・ブリテンとアイルランドの歴史』(『一般的世界史続編』第四十七部、一七八三年)。なおグレート・ブリテンは、一七〇七年にイングランド王国(ウェールズを含む)とスコットランド王国が合同し、成立した王国で、グレート・ブリテン島全体を歴史上初めて支配した。また

「ブリトン人」は、ブリタニアのケルト系先住民。

(83) 原語(単数形)はSchotte. 本来ならば「スコット人」(スコットランドの居住民の中心となったケルト系民族で、元来はアイルランド北部に居住していた民族)と訳すべきであるが、オシアン伝説との関連から本書では「スコットランド人」と訳する。なお、オシアンとスコットランド人については第十三巻第二章でも言及されている。

(84) アイルランド島を中心に居住するケルト系民族。

(85) Blair, Hugh（1718–1800）スコットランドの聖職者で文筆家。『オシアン作品集』(一七六五年)に添えた『オシアンの詩作品に関する批判的論文』においてゲール人の英雄詩の信憑性に対する疑問を払拭しようと努めた。

(86) Borlase, William（1695–1772）イギリスの神学者で郷土史家。『コーンウォール国の古代性に関する考察』(一七五四年)。

(87) Bullet, Jean-Baptiste（1699–1775）フランスの神学者で学者。『ケルト語に関する論文集』(一七五四―一六〇年)。

(88) Rostrenen, François-Grégoire de（?–1750頃没）フランスのカプチン会修道士でケルト研究者。『フランス語・ケルト語あるいはフランス語・ブルトン語辞典』(一七三二年)。

(89) Le Brigant, Jacques（1720–1804）フランスの言語研究者。『ケルト人、ゴメリト人あるいはブルターニュ人の言語の初歩』(一七七九年)。

(90) ここでヘルダーの念頭にあるのは、ウェールズの司教で学者のリチャード・デイヴィス(Da-

vies, Richard, 1505頃-81）とウィリアム・モーガン（Morgan, William, 1547-1604）によってウェールズ語に翻訳され、一五八八年にロンドンで刊行された新約聖書のことであると思われる。

（91）六世紀初めにブリトン人を率いたとされる君主アーサー王をめぐる中世の一群の物語。

（92）Warton, Thomas（1728-90）イギリスの文学史家。『ヨーロッパにおける空想的虚構の起源について』（『イギリス文学史』（一七七四年）に所収）。ドイツ語訳は後出のエッシェンブルクによる『ドイツ人のためのイギリス文芸』（一七七七―八〇年）に所収。

（93）Eschenburg, Johann Joachim（1743-1820）ドイツの文学史家で翻訳家。

（94）Percel, Gordon de（1674-1755）フランスの聖職者で著作家。『物語の使用について』（一七三四年）、『物語一般叢書』（全百十二巻、一七七五―八九年）。

（95）Chaucer, Geoffrey（1340-1400頃）イングランドの詩人で『カンタベリー物語』で知られる。

（96）Spenser, Edmund（1552-99頃）『妖精の女王』などにおける特徴的な韻文形式で知られるイングランドの詩人。

（97）Dufresne, Charles（＝Du Cange）（1610-88）フランスの文献学者で歴史家。『ドゥ・ジョアンヴィーユによる聖ルイの歴史』（一六六八年）。

（98）第八巻第二章の訳注(25)を参照。ここではレット人、プロイセン人とともに北ヨーロッパの少数先住民族として考察されている。フィン人の使用するフィンランド語はインド＝ヨーロッパ語族の言語ではなく、ウラル語族の一つである。古代にはスオミ人、ハミ人、カレリア人などの部族に分かれ、自然崇拝に基づいた生活を送っていたとされる。

(99) ラトヴィア人のドイツ語での呼称。ラトヴィアの主要住民で、インド＝ヨーロッパ語族のバルト語派に属するラトヴィア語を話す。ラトヴィアもドイツ語ではレットラントと呼ばれる。ラトヴィアは十七世紀にはスウェーデン領のリーフラント（後出）とポーランド領のクールラント（後注(144)を参照）に分裂したが、十八世紀に両方ともロシア帝国の支配下に入った。

(100) プロイセンは現在のポーランド北部からロシアのカリーニングラード州とリトアニアにかけて広がる地域。プロイセンという名称は、ヴィスワ河の河口付近に居住した先住民プルーセン人（古プロイセン人）に由来する。ヘルダーがここで念頭に置いているのは、十二世紀から十四世紀にかけて主としてドイツ騎士団（後出）によって行われた東方植民以後にこの地に移住してきたドイツ人ではなく、それ以前のプルーセン人あるいはバルト・プロイセン人とも呼ばれる先住民族のことである。

(101) ヨーロッパ最北部のラップランドの居住民。ちなみにラップランドとは「辺境の地」という意味の他称であり、本文にあるように現地の人々は自分たちのことを「スオミ」と呼ぶ。第六巻第一章の「山地ラップ人」への訳注(7)も参照。

(102) 元来はフィン・ウゴル系民族の居住する地域であったロシア北西部のイングリア地域に移住したフィン人のことと考えられる。

(103) エストニアに居住する民族。フィン人と同系統であるバルト・フィン系に属する。エストニア人の話すエストニア語はウラル語に属するフィン・ウゴル語派の主要な言語である。

(104) 後注(160)で言及されるリーフラントの居住民。フィン・ウゴル系の民族で、リヴォニア人とも呼ばれる。

(105) ロシアの北西部、ウラル山脈の西側に居住するウラル語族のフィン・ウゴル系民族。

(106) ロシア西部のペルミ地方に居住する民族で、現在はコミ・ペルミャク人と呼ばれる。

(107) 現在のマンシ人の旧称。ペルミ近郊に居住するウラル語族系民族。

(108) ヴォチャークは他称で、自称はウドムルト。ヴォルガ河中流北部に居住する。言語はウドムルト語で、ウラル語族フィン・ウゴル語派に属する。

(109) ヴォルガ河やカマ河沿岸に居住しているウラル語族系民族で、自称はマリ。

(110) ロシア領内のモルドヴィア共和国を中心に居住するヴォルガ・フィン系の民族。前出のペルミャク人、ヴォチャーク人、チェレミス人とは親近関係にある。東ゴート人によって征服された民族の一つ。

(111) ウラル語族のフィン・ウゴル系民族で、ハンティは自称。後出のオスチャーク人はハンティの他称で「オビ河の民」を意味する。

(112) 後出のマジャール人のこと。ハンガリー以外に、ルーマニアのトランシルヴァニア地方にも居住している。言語はハンガリー語で、フィン・ウゴル語派に属し、ヨーロッパの言語ではフィンランド語に類似している。

(113) ハンガリー人は自身のことをマジャールと呼ぶ。

(114) スカンジナビア半島やバルト海沿岸に居住していたノルマン人のことが考えられる。

(115) ロシア北部にあるバレンツ海の大きな湾で、北極海に開いている。

(116) 訳注(106)を参照。中世初期のペルミャク一帯には多神教を奉じるフィン・ウゴル系の民族が居住していたとされる。

(117) フィン・ウゴル語を話していたと考えられるビャルメ人が居住していたと推測される白海の南岸地域。前述のペルミ一帯にあったと思われる。

(118) ペルミ人などフィン・ウゴル系民族の神で、「天空の神」を意味したと考えられる。

(119) フィン人の伝承については十九世紀の「カレワラ叙事詩」が知られる。エストニア人の歌謡については第八巻の訳注(72)等で言及された『ヘルダー民謡集』に所収の「いくつかの婚礼歌（エストニア語）」（第二部第二巻1）、「戦争の歌（エストニア語）」（第二部第三巻10）などを参照。

(120) ロシア北西部の丘陵地帯から発し、カスピ海に注ぐヨーロッパ最長の河。

(121) 現在のウラル河の旧称。ロシアとカザフスタンを流れる河で、ヨーロッパとアジアの境界の一部を成す。

(122) 現在のヴォルガ河沿いのバシコルトスタン共和国に居住するテュルク系民族。自称はバシコルト。

(123) 原語は ein Ungrisches Königreich. ここでは、一〇〇〇年にイシュトヴァン一世によって建てられた「ハンガリー王国」のことではなく、九世紀頃に前出のパンノニアに移住してきたマジャール人の建てた王国のことと思われる。

(124) カスピ海の北からコーカサスと黒海沿いで活動したテュルク系の遊牧民族。

(125) ペチェネグとはカスピ海の北から黒海の北の草原で活動したテュルク系遊牧民族の部族連合。

九世紀に黒海北岸を占領したが、十一世紀にキーウとコンスタンティノープルを攻めて撃退され、一一二二年に滅んだ。

(126) 訳注(123)で言及されたハンガリー王国と同じ。マジャール人によって作られたため、こう呼ばれている。

(127) 原語はBulgaren. テュルク系の遊牧民で、現在のブルガリア人の先祖にあたる。七世紀後半に黒海沿岸から移住した後に、農耕民のスラヴ人を支配して、六八一年に第一次ブルガリア帝国を形成した。

(128) 後注(227)で言及されるケールンテンの領主アルヌルフのこと。八九二年にハンガリー人と手を組み、モラヴィア王国の王スヴァトプルク一世と戦った。八九六年にローマ・ドイツ皇帝となる。

(129) チェコ東部のモラヴィア地域に居住し、西スラヴ語の一つであるチェコ語を母語とする西スラヴ族の民族。

(130) 前出のチェコ東部の地域で、チェコ語ではモラヴァ、ドイツ語ではメーレンと呼ばれる。

(131) ドイツ南部に位置する地域。現在の州都はミュンヘン。

(132) ドイツ中部に位置する地域。現在の州都はエアフルト。

(133) ドイツ中部、エルベ河の中流域に位置する地域。訳注(48)も参照。

(134) ドイツ中南部から南ドイツ北部に位置する地域。中心都市はヴュルツブルク。

(135) ドイツ中西部、マイン河流域に位置する地域。現在の州都はヴィースバーデン。

(136) ドイツ南西部、ライン河とドナウ河の上流域に位置する地域。中心都市はシュトゥットガルト。
(137) フランス北東部のドイツ国境に近い地域。中心都市はストラスブール（シュトラースブルク）。
(138) 九世紀から十世紀にかけてヨーロッパ西部に存在した東フランク王国の王ハインリヒ一世のこと。彼は貢ぎ物によってハンガリー人から停戦を手に入れざるをえなかったが、その後リアデの戦い（九三三年）においてハンガリー人を打ち破った。
(139) ドイツのライン河とヴェーザー河のあいだにある地域。
(140) 原語は das deutsche Reich. ここでは前出のハインリヒ一世を中心とする東フランク王国のことと思われる。ちなみに「ドイツ王国」（Regnum Teutonicum）という名称が一般的に用いられるのは十二世紀になってからとされる。
(141) 原語は Dentsche. 語義については後注(163)を参照。
(142) 第十二巻第二章の訳注(53)を参照。
(143) 現在のバルト三国の中で最大の国で、最も南に位置するリトアニアの先住民。使用言語のリトアニア語は、ラトヴィア語とともにインド＝ヨーロッパ語族に属するバルト語派の一つ。
(144) ラトヴィア西部地方とリトアニアの北西部の旧称クールラントに居住するラトヴィア人の支族で、バルト語系のクール語を話していたが、隣人のラトヴィア人とサモギティア人によって併呑され、十五世紀に姿を消した。
(145) ポーランドの主要民族で、西スラヴ語の一つであるポーランド語を母語とする。これにポーランド語以外の言語を話す少数民族も含まれる。なお、ポーランド国家の形成に大きな役割を果たしたポラニェ人の君主ミェシュコ一世が、西方キリスト教に改宗したのは九六六年のことである。

(146) ローマ・カトリック教会の公認した騎士修道会の一つ。十字軍時代に創設され、その後プロイセンなどを統治し、東方植民の先駆けとなった。第二十巻第三章で詳述される。

(147) 訳注(100)を参照。

(148) 第十巻第三章の訳注(48)にある『過去および現在の種々の民族における文字種類の比較表』のこと。

(149) 第十二巻第一章の原注19にある「ガッテラーによる『共時的普遍史序論』七七頁」への訳注(43)を参照。

(150) 『天地創造から現代までの一般的世界史続編』の第三十一部として刊行された『一般北方史』(一七七二年)のこと。

(151) Ihre, Johannes (1707–80) ウプサラの詩学教授。『スウェーデンにおけるルーン文字の古代論』(一七六九年)。なお「ルーン文字」については後注(287)を参照。

(152) Suhm, Peter Friedrich von (1728–98) デンマークの歴史家。次の第三章でアイスランドとの関連で言及されるのは、ズームが古代アイスランドの叙事詩『ヘルヴォルのサガ』を刊行した(一七八五年)ことによる。

(153) Lagerbring, Sven (1707–87) スウェーデンの歴史家。『太古から現代までのスウェーデン法制史概要』（一七七六年）。

（154）Hartknoch, Christoph（1644–87）ドイツの歴史家。ヘルダーの友人で出版業者のヨハン・フリードリヒ・ハルトクノッホとは別人。『プロイセンの起源に関する論考』（一六七四年）、『ポーランド共和国。ポンメルンの起源に関する論文付』（一六七八年）、『古代と近代のプロイセン』（一六八六年）。

（155）Prätorius, Matthäus（1635–1704頃）ドイツの神学者で歴史家。プロイセンとポーランドの歴史研究を行う。『プロイセンの古代における楽しみ。資料一覧』（一六九一年）。

（156）Lilienthal, Michael（1686–1750）ケーニヒスベルクの神学教授。『プロイセン詳解、あるいは教会の市民と学者の歴史からの注釈』（全三巻、一七二四―二六年）。

（157）ドイツの東洋学者で歴史家。第十巻第三章や第十一巻第五章においても言及されている。

（158）ヴァイクセル河（ヴィスワ河）はポーランド最長の河川。ポーランド南部の山地から発し、バルト海に注ぐ。

（159）古プロイセンの王。その旗にはリトアニア人の神話で言及される海または穀物の神パトリムパスが描かれている。

（160）現在のラトヴィアの東北部からエストニアの南部の地域で、リヴォニアとも呼ばれる。

（161）Arndt, Johann Gottfried（1713–67）リーフラントの歴史家。『リーフラント年代史』（全二巻、一七四七年）。

（162）Hupel, August Wilhelm（1737–1819）バルト海東岸を中心に居住していたバルト・ドイツ人の神学者。『リーフラントおよびエストラントに関する地勢的報告』(全三巻、一七七四―八二年)。

(163) 原語は Deutsche Völker. 原語に忠実に訳すならば「ドイツ諸民族」あるいは「ドイツ系諸民族」とすべきであろうが、今回は敢えて「ゲルマン諸民族」とした。その理由は、ヘルダーが「ゲルマン」の原語 deutsch を、この章全体の文脈の中では「ドイツ」という意味だけでなく、より広い「ゲルマン」という意味でも理解していると思われるからである(グリムの『ドイツ語辞典』における deutsch の最初の語釈はラテン語の germanus である。Vgl. Bd. 2, Sp. 1051)。さらに付け加えるならば、「ドイツ」と訳した場合にはゲルマン系諸民族を「ドイツ」の中に含み込む大ドイツ主義的な側面が強調されるであろう。しかしまた今回のように「ゲルマン」と訳した場合には、十九世紀以降のドイツを中心とする「汎ゲルマン主義」を想起させる可能性もある。ただ、翻訳では訳語の併記はできないので、この第十六巻の文章全体の流れから見て、より自然と思われる「ゲルマン」を採った。この問題が容易でないのは、古代から中世にかけてのヨーロッパという歴史上の舞台と、これが近世以降さまざまな形で受容される経緯とが複雑に錯綜している点にある。ましてや、この章を原語のドイツ語で読む場合には、解釈のさらに大きな揺れも想定されよう。こうした事情をふまえて、本書の文中では文脈によっては deutsch を「ゲルマン」と「ドイツ」で訳し分ける場合がある。ちなみにここでの「ゲルマン諸民族」という言葉の使用は、タキトゥスの『ゲルマーニア』において地誌的に位置づけられる諸民族に遡ると推測される。もう一つの原典としては、同じくゲルマン諸民族に言及するカエサルの『ガリア戦記』が考えられる。これらの問題については、第四部冒頭のモットー「ゲルマンの族(うから)を打ち建てるは、かほどに困難な大きい事業でこそあった」への訳注(1)を、また本書における「ドイツ人」と「ゲルマン人」の関係については、第十三巻第一章の「イギリス人はドイツ人である」への訳注(7)を参照。ヘルダーにおける deutsch という語の用法については、拙著『ヘルダー論集』(比較社会文化叢書5)、花書院、二〇〇七年、二三一―二三三頁を参照。

(164) ローマ帝国の属州の一つで、現在のルーマニアとブルガリアに位置した。この地域の住民は主にトラキア人とイリュリア人であった。

(165) 三三〇年にローマ皇帝コンスタンティヌス一世が、古代ギリシアの植民市ビザンティウムに建設した都市。東ローマ帝国の首都で、現在のトルコのイスタンブール。ギリシア正教会の中心地でもあった。

(166) 訳注(23)を参照。ストラボンには「ゲルマニア系のキンブリ、テウトネス両族」という記述が見られる(前掲『ギリシア・ローマ　世界地誌Ⅰ』三四〇頁)。

(167) 第十巻第三章の訳注(21)を参照。

(168) スエビ人(訳注(22)を参照)の首領。ゲルマン人の国家を創設しようとした最初の人物。

(169) ゲルマン系の民族でスエビ人と関係が深いと考えられているマルコマンニ人の王。

(170) タキトゥスの『ゲルマーニア』ではアルミニウスと表記される。エルベ河近郊に居住したゲルマン系の民族ケルスキ人の首領。アリオヴィストやマルボドとともにローマ人に反旗を翻した。

(171) 二世紀から三世紀にかけてのドナウ河を越えてのマルコマンニ人の進撃と、ドイツ南部のシュヴァーベン地方に居住していたアレマン人によるローマ帝国侵略と関連している。

(172) カエサル『ガリア戦記』第六巻(二二)による記述(前掲『ガリア戦記』二二一頁)を参照。
(173) 第六巻第二章における「モンゴル人」についての記述も参照。
(174) 中央アジア、コーカサス、東ヨーロッパに居住する遊牧民族。
(175) 中央ユーラシアに居住するテュルク系遊牧民族。
(176) 第十五巻の訳注(33)で言及されたランベルトの系列の理論との関係においてヘルダーが示すのは、アジア中央の山地の尾根をめぐるずっと遠く離れた出来事が、いかにヨーロッパに関わる重要な出来事を惹き起こすかということである。ここで再び問題になるのは「始まりの系列」である。
(177) モスクワの南東部に発し、約二〇〇〇キロ近くを流れ、アゾフ海北東部に注ぐ。流域は遊牧民族スキタイ人の発祥地とされる。
(178) 「西ゴート人」はゲルマン人の一派。ゲルマン人は二二〇年頃から東ゴート人と西ゴート人に分かれた。西ゴート人は主に傭兵としてローマ帝国領内に移り住んだが、三七五年にフン族に押される形で大規模な移住が始まる。四一八年にはトゥールーズを中心に西ゴート王国を建設し、フン族やイベリア半島に侵入していた他のゲルマン諸民族と戦った。「東ゴート人」は、黒海北岸に定住していたゴート人の一派。ドニエプル河の東側に住んでいたが、三七五年にフン族に征服された。
(179) スカンジナビアに居住していたゲルマン人の部族で、三世紀にデーン人に追われて南下した。五世紀にかけて東ゴート人、フン族、東ローマ帝国に征服されたが、フン族が衰退してきた五世紀後半以降に自らの王国を建てたとされる。東ローマ帝国の傭兵として働いた。

(180) 北方の神話、すなわち「ヴォルガ河からバルト海にまで及ぶ」ゴート王国の神話のことと思われる。

(181) タキトゥスによれば、これらはいずれもゲルマン人が崇拝したものである。トイトは大地から生れた神トゥイストの古い形であり、自分で最初の人間マンヌスを産んだとされる(『ゲルマーニア』第一部、二「ゲルマーニアの太古」、邦訳はタキトゥス『ゲルマーニア』泉井久之助訳註、岩波文庫、一九七九年、三〇頁)。ヘルタ(正しくはネルトゥス)は実りをもたらす大地の母(『ゲルマーニア』第二部、四〇「ランゴバルディーおよびネルトゥス諸族」、邦訳は同書一九一頁)で、ヴォーダンあるいはオーディンはゲルマン神話の最高の神。

(182) 北欧神話の初期の形態を伝える文書群。ヘルダー自身も『民謡集』においてエッダに関するものとして「ヴォルスパ」「女予言者の墓(北方の歌)」「歌の魔力(北方の歌)」を翻訳している。邦訳は『ヘルダー民謡集』(嶋田洋一郎訳、九州大学出版会、二〇一八年)を参照。なお「エッダ」の内容や歴史については、谷口幸男著、清水誠解説『エッダとサガ　北欧古典への案内』(新潮選書、二〇一七年)を参照。

(183) おそらくヘルダーはゲルマン諸語の韻律における頭韻のことを念頭に置いている。

(184) 以下、ヘルダーが原注で挙げるのは、ゲルマンと北方の研究を基礎づけ、あるいは継続した著作家たちである。

(185) ゲルマン諸民族のうち、ドイツのザーレ河流域で形成された混成民族。

(186) ドイツ南部のバイエルン地方とオーストリアから、南ヨーロッパにかけて広く居住する民族。
(187) 原語は Türken. ここでは現在のトルコ共和国を中心とする地域に居住するテュルク系の民族のこと。
(188) 前出の「マルコマンニ連合」や「シュヴァーベン連合」など。
(189) Möser, Justus (1720-94) ドイツの政治家で歴史記述者。以下では次の二つの著作が挙げられている。『オスナブリュック史』(全二巻、一七六八年)。オスナブリュックはドイツ北西部にある都市。七八〇年にカール大帝によって司教座として創建され、ハンザ同盟の一員であった。同書の序文は『ドイツの歴史』としてヘルダーが編纂した論文集『ドイツの特性と芸術について』に収録されている。この序文の邦訳は坂井榮八郎『ユストゥス・メーザーの世界』(刀水書房、二〇〇四年、一五二―一七五頁)に収められている。これによって前述の論文集『ドイツの特性と芸術について』所収の五本の論文(ヘルダー『オシアン論』『シェイクスピア』、ゲーテ『ドイツの建築について』、フリージ『ゴシック建築論』、メーザー『ドイツの歴史』)のうち、フリージのものを除く四本が日本語で読めることとなった。『愛国的夢想』(全四部、一七七四―八六年)。原題は Patriotische Phantasien.「愛国的」patriotisch の名詞「愛国心」Patriotismus については、第十三巻第四章の「愛国心と啓蒙」への訳注(113)を参照。なお、この著作には主要部分を抜粋した邦訳がある。『郷土愛の夢』(肥前榮一他訳、京都大学学術出版会、二〇〇九年)。
(190) Saemund, Sigfusson (1056-1133) アイスランドの司祭で学者。一七八七年に『詩形式のエッダあるいは通例ザイムンドのエッダと呼ばれる古い方のエッダ』という題名で刊行された古い歌謡エッダの著者、もしくは少なくとも蒐集者であると長いあいだ誤って考えられていた。

(191) Snorri, Sturluson（1178–1241）アイスランドの著作家。一六六五年に神話と韻律に関する著作が刊行された。これは吟唱詩人芸術の入門書として考えられ、『散文のエッダ、スノッリのエッダあるいは新しい方のエッダ』の題名で知られていた。

(192) Resenius, Petrus（1625–88）デンマークの学者でスカンジナビア研究者。古い方のエッダの一六六五年に再発見された写本からいくつかの部分を刊行するとともに、一六八三年にはアイスランドの文献学者で詩人のアンドレソン（Andresson, Gutmund, 1615–54）の手になる最古のアイスランド語辞典を刊行した。

(193) Wormius, Olaus（1588–1654）デンマークのルーン文字および古代研究者。『ルーン文字あるいは最古のデンマーク文学』（一六三六年）、『古代デンマークの祝日』（一六四三年）。

(194) Torfäus, Thormod（1636–1719）アイスランドの歴史家で、デンマーク・ノルウェー王国の宮廷歴史家を務めた。ラテン語で書かれた古代スカンジナビアに関する多くの歴史書を著したほか、レゼニウスによるエッダをラテン語に翻訳した。

(195) Stephanius, Stephanus Johannis（1599–1650）デンマークの歴史家。『デンマーク史』（一六四四年）。

(196) Bartholin, Thomas（1659–90）デンマークの古代研究者。『デンマークの古代』（一六八九年）。

(197) Keyßler, Johann Georg（1689–1743）ドイツの古代研究者。ゲルマン人の宗教について体系的に記述するために資料を蒐集した。これらは彼の意志を継いだアルトナの教育学者シュッツェ

(Schütze, Gottfried, 1719-84)によって『古代ドイツ人のための弁明書』(一七四六―四七年、改訂版一七七三―七六年)という形で出版された。

(198) 訳注(151)を参照。そこで言及された『スウェーデンにおけるルーン文字の古代論』のほかに『スウェーデンの言語に関する講義』(一七四五―五一年)、『スウェーデン語・ゴート語注解語句集』(一七六九年)などがある。

(199) Göransson, Johann (1712-69) スウェーデンのルーン文字研究者。『スウェーデンとゴート王国のルーン文字石碑』(一七五〇年)。

(200) Thorkelin, Grimur (1752-1829) アイスランドの学者。『ヴァフトゥルニダスマール』。ザイムンドの歌謡エッダの一つ。ラテン語訳と語彙表付』(一七七九年)。

(201) Erichson, Johann (1700-79) ドイツの神学者でルーン文字研究者。『ルーン文学について』(一七六六年)。

(202) Magnússon, Árni (1663-1730) アイスランドの学者。古代北方の研究を促進するための財団を創設した。

(203) Anchersen, Johannes Peder (1700-65) デンマークの学者。デンマークの起源についての神話学的な著作で知られる。

(204) Eggers, Christian (1758-1813) ドイツのアイスランド研究者。『アイスランドに関する自然的および統計的報告』(一七八六年)、『アイスランド文学史』(一七七七年)。

(205) Schilter, Johann (1632-1705) ドイツの法学者で歴史家。『古代ゲルマン語彙集』(一七一七年)。

(206) この章は第三章における「ゲルマン諸民族」の記述と対照をなすものとして構想されており、またヘルダー自身の東プロイセン時代およびリガ時代の経験も反映されている。さらにこの章の有する政治的・文化史的綱領性は、十九世紀以降の「汎スラヴ主義」の時代に高められたスラヴ人の自意識に対して大きな影響を及ぼした。ヘルダーによるスラヴ諸民族の特性描写は、平和を好むスラヴの農夫や商人と、好戦的なゲルマンの戦士といった一面的な評価から逃れているわけではないが、スラヴ人にもゲルマン人と同じように、本巻の第一章と第二章で言及された先住諸民族、すなわち「追い払われ、征服され、根絶やしにされた民族」にとっての抑圧者という側面があったことも忘れてはならないであろう。

(207) 「ローマ人」もしくは「ローマ帝国」は、ヘルダーにあってヨーロッパの歴史を記述する際の立脚点となっている。

(208) チェコ北部およびドイツ東部を流れ、北海に注ぐ。

(209) 地中海の海域の一つで、イタリア半島とバルカン半島に挟まれている。

(210) ドイツ北部の都市で、ハンブルクの南東に位置する。

(211) ドイツ北部の地域で、主要都市にはロストックがある。

(212) ドイツ北東部からポーランド北西部にかけて広がる地域。ポメラニアとも呼ばれる。

(213) ドイツ北東部に位置する内陸の地域。現在の州都はポツダム。

(214) 現在のブランデンブルク州南部から、ザクセン州東部にかけての地域。

(215) 現在のチェコの西部と中部地方を指す歴史的名称。古くはポーランドの南部からチェコの北部にかけての、より広い地域を指した。なおヘルダーは自らの『民謡集』においてボヘミアに関する歌、すなわち、七〇〇年頃にプラハを建設したとされる伝説上の女性リブッサを主人公とする歌をドイツ語に翻案している。邦訳は前出の『ヘルダー民謡集』に所収の「領主の食卓(ボヘミアの物語)」(第二部第二巻30)。また前掲『歌謡における諸民族の声』にも、同じくリブッサを扱った歌が収録されている。邦訳は『ヘルダー民謡集』に所収の「山から来た馬(ボヘミアの伝説)」(補遺13)。

(216) 訳注(130)で言及されたモラヴィアのドイツ名。

(217) モラヴィア山地に発し、ポーランド領内を北西に下るオーデル河の中・上流の地域の歴史的名称。当初の住民の大多数はスラヴ系民族の諸部族であった。

(218) ルーマニア南部の地方名。現在のルーマニアの首都ブカレストのある地域。

(219) ルーマニアの東北部地域の名称。ルーマニア人の国家モルダヴィア公国があった。

(220) 東ローマ帝国の皇帝。クロアチア人とセルビア人(ともに南スラヴ系の民族)は、彼の支配下にあった六世紀の終わり頃に後出のボスニアとダルマチアに移住した。

(221) クロアチアのアドリア海沿岸の地域。

(222) クロアチア東部の地域で、ダルマチアの反対側に位置する。

(223) ヘルツェゴビナと対をなす、ボスニア・ヘルツェゴビナの北部地域の歴史的名称。当初はイリュリア人が居住するイリュリアがあったが、ローマ帝国の分裂後、スラヴ人が侵入を開始した。

(224) バルカン半島中西部に位置する内陸の国。

(225) イタリア北東部の地域で、アドリア海のヴェネツィア湾に面している。

(226) オーストリア中南部にある地域。

(227) オーストリア南部にある地域。ケルト人によるノリクム王国が建設されていたが、西ローマ帝国が衰退するとゲルマン人やスラヴ人が進出した。

(228) スロベニア中部地方の地名。

(229) バルト海に面する北ドイツの都市。ハンザ同盟の盟主であった。

(230) バルト海に浮かぶ島。

(231) バルト海に存在した島。大変に栄えていたが、神の怒りにふれて大波に呑まれたとされる。オランダのアムステルダムとの共通点は、海に面して交易で栄えたという点にある。

(232) ロシアに発し、ベラルーシを経てウクライナに流れ、黒海に注ぐ河。

(233) ドニエプル河流域に位置するウクライナ最大の都市。八世紀末には「ルーシの地」と呼ばれ、南方の東スラヴ人の共同体の中核的な都市であった。当時のキーウは東ローマ帝国、北欧、西欧、イスラム系諸国と貿易を行う国際都市として発展した。ちなみにヘルダーはウクライナについて『旅日記』において次のように述べている。「ウクライナは新たなギリシアとなるだろう。そこに住む人たちの美しい風土、快活な気質、音楽的本性、肥沃な土地などはいつか目覚めるだろう」（訳文は『ヘルダー旅日記』嶋田洋一郎訳、九州大学出版会、二〇〇二年、六五頁）。

(234) 後出のノヴゴロドにあるイリメニ湖から発し、北へ流れ、ヨーロッパ最大の湖であるラドガ湖に流れ込む。

（235）ロシア北西部にあるロシア最古の都市。八六二年にノルマン人のルーシ族がノヴゴロドを占領し、ロシア最初の国家を建設したとされる。

（236）エルベ河の西を流れる支流。この部分を含む文章、すなわち「今でこそ（…）往古の平和な祝祭をそこで催すことができるのだ」という文章が、特に十九世紀以降におけるスラヴ諸民族の覚醒を促すきっかけとなったと考えられる。

（237）Frisch, Johann Leonhard（1666–1743）ドイツの言語研究者で自然研究者。『スラヴの言語の歴史』（全三巻、一七二七—三〇年）。

（238）Popowitsch, Johann Siegmund Valentin（1705–74）ドイツの言語研究者。『ドイツ諸方言の統一の試み』（一七八〇年）。

（239）ゲルハルト・フリードリヒ・ミュラー。第六巻第二章の訳注（53）を参照。

（240）Jordan, Johann Christoph von（?–1748）ウィーンの宮廷顧問官で歴史家。『スラヴの起源について』（一七四五年）。

（241）Stritter, Johann Gotthelf（1740–1801）ロシアの宮廷顧問官で歴史家。『ドナウ沿岸の諸民族に関する報告』（全四巻、一七七一—七九年）。

（242）Gercken, Philipp Wilhelm（1722–91）ドイツの歴史家。『スラヴ人、特にドイツにおけるスラヴ人の最古の歴史試論』（一七七二年）。

（243）Möhsen, Johann Karl Wilhelm（1722–95）ドイツの医者で歴史家。『マルク・ブランデンブルクにおける学問の歴史』（一七八一年）。

（244）Anton, Karl Gottlob（1751–1818）ドイツの歴史家。『古代スラヴ人の起源、習俗、慣習などに関する最初の大要』（全二巻、一七八三―八九年）。

（245）Dobner, Felix Jakob Gelasius（1719–90）ボヘミアの聖職者で歴史家。『ボヘミアの未公開文化遺産』（全六巻、一七六四―八六年）。

（246）Taube, Friedrich Wilhelm（1728–78）ドイツの作家で歴史家。『スラヴォニア王国とシルミア公国に関する報告』（全二巻、一七七七年）。

（247）Fortis, Alberto（1741–1803）イタリアの作家。『モルラック人の習俗。イタリア語からの訳』（一七七五年）。なおヘルダーは自らの『民謡集』においてフォルティスによるモルラック人（クロアチア北西部のイストリア半島やダルマチアなどに居住していた民族）に関する歌のいくつかをドイツ語に翻訳している。邦訳は前出の『ヘルダー民謡集』に所収の次の歌。「ミロス・コビリッチとヴーク・ブランコヴィッチの歌（モルラック）」（第一部第二巻8）、「ハッサン・アガの高貴な夫人の嘆きの歌（モルラック）」（第一部第三巻24）、「ラドスラウス（モルラックの物語）」（第二部第二巻28）、「美しい女通訳（モルラックの物語）」（第二部第二巻29）。

（248）Sulzer, Franz Joseph（1727–91）オーストリアの歴史家。スイスの美学者ヨハン・ゲオルク・ズルツァーとは別人。『アルプスの向こうのダルシア、すなわちモルダウとバスアラビアの歴史』（全三巻、一七八一―八二年）。

（249）Rossignoli, Jean-Joseph（1726–1807）イタリアの著作家。同じくイタリアの著作家グリゾゴーノ（Grisogono, Pietro Nutrizio, 1748–1823）の著書『ダルマチアの自然誌のための資料』にダルマチアの民族史を補遺として付した著作を刊行した(一七八〇年)とされるが、詳細は未詳。

(250) Dobrowsky, Joseph (1753-1829) チェコの歴史家で文献学者。『「チェコ」という名称の起源について』(一七八二年)。その後ドブロフスキーは『すべてのスラヴ諸言語に基づくスラヴの文学、文法、古代文化遺産の知識に関する論考』(一八〇八年)において「スラヴ諸民族」の章を引用している。

(251) Voigt, Adauct (1733-87) ボヘミアの歴史家。『さまざまな時代におけるボヘミアの法の精神について』(一七八八年)。

(252) Pelzel, Franz Martin (1734-1801) ボヘミアの歴史家。『太古から現在までのボヘミア人の簡略史』(全二部、一七八二年)。

(253) ローマ帝国後期の歴史家アンミアヌス・マルケッリヌスのこと。母語はギリシア語であったが、ラテン語で著述を行ったとされる。『歴史』(全三十一巻)。

(254) 原語は heiliges Römisch-Kalmuckisches Kaisertum. カール大帝の戴冠(八〇〇年)に起源を有する「神聖ローマ帝国」(das Heilige Römische Reich Deutscher Nation)を想起させる表現であるが、ここでは教皇と皇帝のあいだの聖と俗の争いはまだ意識されていないように見える。実際はこの段落から読みとれるように、四五一年にアッティラ率いるフン族が西ローマ帝国のガリア州に侵攻し、カタラウヌムの戦いでローマ人とゴート人の連合軍と戦い、敗退したものの四五二年にイタリア半島にまで侵攻したことが背景にある。むしろ注目すべきは、この表記の後半にある「カルムイク」という表現であろう。『世界民族事典』(綾部恒雄監修、弘文堂、二〇〇〇年)

によれば、カルムイク人とは主にヴォルガ河流域に居住するモンゴル系の民族であり、「カルムイク」という自称は十六世紀からロシアの公文書に現れ、十八世紀からカルムイクの自称となったとされる。したがって、ここでの「カルムイク帝国」とは、時代は遡るが、同じ章で「第二のフン族」として言及されるモンゴル人による帝国のことと思われる。ちなみに十八世紀におけるカルムイク人の活動は、カルムイク人と同じくオイラトの一部族で、好戦的な遊牧民として十七世紀から十八世紀にかけて中国とロシアの境界地域で活動したトルグート人と関連があると推測される。トルグート人はロシアの圧迫を受けていたヴォルガ河流域のモンゴル系のオイラトの一部族で、一七七一年にジューンガルの本拠地イリ地方に戻り、清朝に服属した。このときヴォルガ河西岸に残ったのがカルムイク人であるとされる。これについては第十一巻第一章における「トルグート人の移住についての皇帝の記念碑」への訳注(8)を参照。

(255) 主として訳注(218)で言及された「ワラキア」に居住する人々。「ヴラフ人」とも呼ばれるが、これは他称である。

(256) バルカン半島南部にある「バルカン山脈」の古称。

(257) 現在のルーマニアの一地方。

(258) 「トルコ帝国」はテュルク系の民族(後のトルコ人)のオスマン家出身の君主を戴く多民族帝国で「オスマン帝国」と呼ばれる。その「一地方」とは、ブルガリアに源流を持ち、トラキアとも近いトルコ最西端の都市のエディルネなどが考えられる。

(259) 中央アジア、中央・東ヨーロッパで活躍した遊牧民族。スラヴ諸民族の形成に大きな影響を与えたとされる。

(260) 古代のバルカン半島西部やイタリア半島沿岸南東部に居住していたインド＝ヨーロッパ語族系の古代民族。

(261) 主に現在のアルバニア共和国とコソボを中心としたバルカン半島に住む民族。前出のイリュリア人の子孫とされる。

(262) オスマン帝国の傭兵となったアルバニア人の別称。

(263) 後出のモンゴル人のことと思われる。

(264) いわゆる「タタールの軛」のこと。モンゴル人によるロシア地域の支配をロシア人の側から表現したもの。

(265) ここでは前出のトルコ帝国のことと考えられる。

(266) 南イタリア最大の都市で、ナポリ湾に面した港湾都市。ヘルダーとナポリについては第十三巻の「パルテノペ」への訳注(192)も参照。

(267) テュルク系民族が居住する中央アジアの地域を指す歴史的名称。トルコ人など、テュルク系諸民族については、小松久男編著『テュルクを知るための61章』(明石書店、二〇一六年)を参照。

(268) 東ローマ帝国のこと。

(269) 原語は die parasitische Pflanze. 第十二巻第三章の「寄生する植物」への訳注(83)を参照。

(270) ヘルダーがここで表現しているのは、十八世紀のキリスト教徒ならびにユダヤ人のあいだで広まっていた理念、すなわちユダヤ人をヨーロッパ文化に同化させるという理念である。たとえばドイツの歴史家ドーム（Dohm, Christian Conrad Wilhelm, 1751-1820）の『ユダヤ人の市民的立場の改善』（一七八一年）などを参照。

(271) 反ユダヤ主義の口実を与えたすべての悪は、市民法上から保障された地位を、ユダヤ人に不当にも渡さなかったヨーロッパ人の野蛮な実践の結果であった、ということ。

(272) アルメニアの主要民族。インド＝ヨーロッパ語族に属するアルメニア語を使用している。東ローマ帝国によってアルメニア王国が滅ぼされると、世界中に拡散した。

(273) 第十二巻第三章の「ロマ」への訳注(80)を参照。以下におけるヘルダーの言述は、たとえ他者の文献を指示しているとはいえ、現在から見れば容認できるものではない。

(274) Grellmann, Heinrich Moritz（1756-1804）ドイツの哲学者で政治学者。『ロマ。ヨーロッパにおけるこの民族の生活様式と状態と運命に関する歴史的試論』（改訂増補第二版、一七八七年）。

(275) Rüdiger, Johann Christian（1751-1822）ドイツの言語研究者で官房学者。『ドイツ語、外国語および一般の言語学の最新の発展』（一七八二年）。

(276) モンゴル高原のこと。

(277) ローレンス・スターンの長編小説『紳士トリストラム・シャンディの生涯と意見』（第一巻第五章）において、主人公のトリストラムは自分の身の上をこう嘆く。「あの親切心のない女神は、私の生涯のすべての段階で、あるいは一つ一つのまがり角ごとに、私を何とか待ちぶせしては、およそ古往今来、小英雄たるものの身をおそったかぎりの惨澹たる不運やら意地の悪い事故やらを、雨あられのように投げかけて来たのです」（訳文は『トリストラム・シャンディ』（上）、朱牟

田夏雄訳、岩波文庫、一九六九年、四四頁)。

(278) モンゴル系の遊牧民族の族長の称号「汗」のこと。

(279) 黒海北部にある内海で、ケルチ海峡によって黒海と結ばれている。

(280) バルト海と地中海の比較については、第一巻第六章の第十段落、および第二十巻第一章の第一段落を参照。

(281) ヨーロッパ北部の海で、東はノルウェーとデンマークに、南はドイツ、オランダ、ベルギー、フランスに、西はイギリスに、北はオークニー諸島とシェトランド諸島に囲まれている。

(282) ヨーロッパで九世紀から十世紀に成立し、一八〇六年まで続いた神聖ローマ帝国のことと思われる。

(283) 原語は Allgemeingeist Europa's. モンテスキューの『法の精神』第十九編における esprit général(一般精神)をふまえていると考えられる。

(284) 「民族のそれぞれの性格というものは次第に消滅していくものなのだ」(一九五頁)という文章も参照。これは前出の「普遍精神」の誕生と表裏一体の関係にあるように見える。しかし同時にこうした傾向は、第二十巻で言及される「交易精神」に見られる諸民族同士の交流を通じて、そしてさらには「騎士精神」による学問や文芸の興隆によっても促進される。これらの精神は、近代のヨーロッパという一つの共同体を予期したものと言えよう。ヘルダーはすでにこうした観点から『旅日記』において、自らの生きる啓蒙という時代を念頭に置きながら次のように述べている。「私たちが本来の自分であるためにはユダヤ人でも、アラビア人でも、ギリシア人でも、未開人でも、殉教者でも、巡礼者でもある必要はなく、まさに啓蒙され、教育を受け、聡明で、理性を持ち、教養があり、徳を備え、享受する人間という、神が私たちの文化の段階で要求するものでなければならない」(訳文は前掲『ヘルダー旅日記』二四頁)。

(285) この人類の歴史記述者の原則については、第七巻第一章での人種概念に関する記述を参照。

(286) ヘルダーは、力のある大国と力のない小国との関係をこのように表現しているが、同じような表現は第十一巻第二章における中国とジャワの関係について述べた箇所、すなわち「中国人はこの島を利用したが、その住民を教化することはなかった」(第三分冊・一〇九頁)にも見られる。

(287) ゲルマン人がゲルマン諸語の表記に用いた古い文字体系で、表音文字の中の音素文字の一つ。二四もしくは一六の線刻文字から成る。ヘルダーの『民謡集』「歌の魔力(北方の歌)」(第二部第三巻4)においても、ルーン文字について語られている。これについては、前掲『ヘルダー民謡集』五五一―五五七頁を参照。なお「ルーン文字」の詳細については谷口幸男著、小澤実編『ルーン文字研究序説』(八坂書房、二〇二二年)を参照。

(288) ここでヘルダーは第十七巻におけるキリスト教の記述を示唆している。なおプロスも指摘するように「手段」の原語の Vehikel には薬学における「賦形剤(ふけいざい)」、すなわち、医薬品や農薬などの取り扱い、あるいは成形の向上や、服用を便利にするために加える添加剤の意味がある。

(289) 相互不信と敵対関係の中で生きる異教の諸民族が、キリスト教の精神によって成長して一つの民族にまとまったことを顕彰するために、ヘルダーはゲーテの叙事詩『秘儀』の第八節を引用している。その構想にはヘルダーも関与している(一七八四年八月八日付ヘルダー宛のゲーテによる書簡を参照)。一七八四年から八五年にかけて作られたものの、断片に終わったこの詩は、敬虔な旅人が宗教的人道的な信仰団体、それも純粋さと自己克服の理想を義務づけられている信仰団体に受け入れられる様子を描いている。ヘルダーは、旅人マルクスが修道院へ到着する様子を描く詩節を改変している。ゲーテでは次のようになっている。「みしるしのなんと厳かに聳えていることであろう」(第一行)、「湯浴みのような爽かさが疲れた四肢にみなぎり」(第六行)、「彼は十字架を見つめしずかに瞑目する」(第七行)。訳文は『ゲーテ全集2』(潮出版社、一九八〇年)所収の平井俊夫訳(同書四一四頁)による。なお同訳者による、この詩の解説も参照(同書五一七—五一九頁)。

(290) Fischer, Friedrich Christoph Jonathan (1750–97) ドイツの法学者で歴史家。『ドイツの交易史 第一部』(一七八五年)。

第十七巻

(1) ローマとのユダヤ戦争末期の紀元七〇年にエルサレム神殿が破壊されたことをふまえている。

(2) ヨルダン河は、西アジアのパレスチナ地方を流れ、死海へと注ぐ内陸河川。

(3) ヘルダーは『フマニテート促進のための書簡集』第二巻(一七九三年)第二十五書簡で次のように述べている。「キリストの宗教、すなわち彼自身が教え、実践した宗教はフマニテートそのものであり、それ以外の何ものでもなかった。しかしそれはまた最も広範な総体、最も純粋な源泉、最も効果的な適用において見られる。キリストは自分を人の子、つまり一人の人間と呼ぶことほど自分のための高貴な名称を知らなかった」(『ズプハン版全集』第十七巻、一二一頁)。
(4)「わたしの国はこの世のものではない」(「ヨハネによる福音書」一八、三六)という告白。
(5) 原語は theokratisch. この部分は、ユダヤ民族の歴史を、神によってモーゼと結ばれた絆という側面から考察するスピノザの視点から理解されるべきであろう。これについてはスピノザ『神学・政治論』の第十七章(前掲『神学・政治論』(下)、二〇七頁)および本書第十二巻の訳注(72)を参照。
(6) 原語は Volksglaube. ただ、この場合の Volk は、個々の民族というよりも、「神の民」(Volk Gottes)としての人類全体を意味していると考えられる。すなわち、神の民である人類全体による信仰である。
(7) 当時の律法学者に見られる偽善的で律法中心的な態度。
(8) 原語は Antichrist. 偽りのイエス・キリストという意味で、イエスの教えに背く者や、人を惑わす者のこと。『新約聖書』の「ヨハネの手紙　一」(二、一八—二七)などに記述がある。
(9) 第九巻第三章の「自然に反した野戦病院や養老院」への訳注(47)を参照。
(10) 牧杖とも言われ、羊飼いの杖に倣って上端部が植物のゼンマイのように曲がっている。世俗の王権とカトリック教会、すなわち皇帝と教皇の争いについては、第九巻第五章において「玉座と祭壇との不幸な争い」(第二分冊・二八四頁)として言及されている。
(11) ローマ帝国の皇帝コンスタンティヌス一世のこと。三一三年にキリスト教を公認し、三二五年にニケア公会議を召集した。この会議では、キリストが神と本質を同じくするもの(ホモウーシオス)であり、後出のアリウス派の主張するような、本質の類似したもの(ホモイウーシオス)ではないことが決定された。

(12) コンスタンティノープルの総大司教ネストリウスは、単性論、すなわち神の子キリストは、この世においては神性と人性が融合して単一の性となったとする説とは異なり、二つの本性説(イエスにおける神としての本性と人間としての本性を区別する説)を主張し、「神を産んだ女性」としてのマリアを否定した。エフェソスの公会議(四三一年)によって、ネストリウスの説は弾劾された。彼自身も罷免され、エジプトに追放された。しかし異端者としてローマ帝国から追放された彼の支持者は、四九八年にペルシアで独自の教会を建てた。現在も存続するこの教会はインド、中国、アフリカにまで熱心な宣教活動を行った。なお「単性論者」については後注(51)を参照。

(13) ここでヘルダーが示唆している問題は、父が息子に洗礼によって初めて「その栄光の輝き」(「ヘブライ人への手紙」一、三)を与えたのか、あるいはこの輝きが神の中に生れついた息子に最初から属していたのか、という問題である。

(14) この表現には次のような背景がある。すなわちギリシアの商人はローマ人のもとでは、ローマの劇作家プラウトゥスに見られる「ギリシアの信用貸しで、つまり現金で買う」(Graeca mercamur fide)という言い回しや、ローマの歴史家スエトニウスに見られる「ギリシア人の暦にしたがって、つまり永久に来ない日に支払う」(ad calendas Graecas solvere)という言い回しが示すように、信用できない人々と考えられていた。また主に政治的な動機からローマ人はカルタゴ人の不実さを非難し、ローマの政治家サルスティウスに見られる「カルタゴ人の忠実さ、つまり裏切り」(fides Punica)という言い回しでこれを表現した。第十二巻第四章の「フェニキア人の誠実と信心という表現は、裏切りの烙印を押す諺ともなった」という文章も参照。

(15)「イエス・キリスト」「神の子」「救世主」を意味するギリシア語 Ιησους Χριστός, Θεοῦ Υἱός, Σωτήρ における各語の頭文字は、ギリシア語で「魚」を意味する ΙΧΘΥΣ(イクテュス)を産み出した。これを、緩やかな弧を描く二本の線が尾の部分で交差する魚の形として、初期のキリスト教徒たちは自分たちを特徴づけるシンボルとした。キリスト教をはじめとする諸宗教における図像については、中村圭志『宗教図像学入門　十字架、神殿から仏像、怪獣まで』(中公新書、二〇二一年)を参照。同じく初期からバロック時代までのキリスト教を視覚的に理解するためには、瀧口美香『[カラー版]キリスト教美術史　東方正教会とカトリックの二大潮流』(中公新書、二〇二二年)が参考になろう。

(16) 後期ヘレニズム期に活動したユダヤ人の宗派で、修道会にも似た規則(財産共同制、独身)の中で生きた。

(17) エッセネ派に似たユダヤ人修道僧の宗派で、アレクサンドリアで活動した。

(18) 第十一巻第三章から第五章で言及されたアジアにおける仏教僧。

(19) たとえば使徒ペトロは結婚していた。「マルコによる福音書」(一、三〇)、および「コリントの信徒への手紙　一」(九、五)を参照。

(20) 本来は「弁護者」「助力者」の意味。「ヨハネによる福音書」(一四、一五―二六)によれば、イエスによって使徒たちに約束された聖霊のこと。

(21) キリストが間もなく再臨し、復活した義人たちとともに一〇〇〇年間この世を平和に治めた後、世界は終末の完成に入るという思想。

(22) 原語は Wiedertäufer. 第二十巻第四章においては、十六世紀のスイスやドイツにおける宗教改革以降の同名の宗派に言及されるが、これとは別のものであると思われる。ここでは、前出のコンスタンティヌス大帝による教会と国家の一致を拒否し、真に自発的に信仰する者としての成人に洗礼を施した宗派あるいは運動が考えられる。なおグリムの『ドイツ語辞典』(Bd. 29, Sp. 1333)によると、元来 Wiedertäufer という語は、生涯で一度の洗礼(幼児洗礼)しか認めない側からの神学上の非難を示すものとされる。

(23) カルタゴの司教ドナトゥスの支持者が創った宗派で、彼らの教会は四世紀から七世紀にかけて北アフリカにあった。

(24) モンタノスは二世紀小アジアの宗教家。熱狂的終末論を唱え、彼の中の「慰め主」(パラクレトス)を崇拝した。

(25) 三八五年にトリアで、異端を理由としてキリスト教会史上初めて処刑されたスペインの司教プリスキリアヌスを崇敬する一団。スペインで禁欲的な覚醒運動を展開した。

(26) キルクムケリオネスとは「わら家の泥棒」という意味で、四世紀の北アフリカに見られたオリーブ収穫に携わる下層民の季節労働者を指す。ドナトゥス派の影響を受けた異端の宗派。前出の「ドナトゥス派」に対する正統側からの蔑称ともされる。

(27) シトー修道会の神学者である、クレルヴォーのベルナールの説教を受けて実行され、シリアのダマスクスまで遠征した第二次十字軍のことが念頭にあると思われる。

(28) 最初のキリスト教徒(「使徒行伝」二四、五)、あるいはシリアのユダヤ人キリスト教徒の宗派で、ユダヤ教的な傾向を持っていたとされる。

(29) 「エビオン」はヘブライ語で「貧しい者」意味する。初代教会を構成していたユダヤ人キリスト教徒の一宗派。「マタイによる福音書」(五、三)を参照。

(30) 古代南アラビアにあったシバ人の王国は、キリスト教化されたエチオピアに占領され、同じくキリスト教化された(三三五年頃)。

(31) 初代教会を構成していたユダヤ人キリスト教徒の一宗派。洗礼者ヨハネを支持した。「使徒行伝」(一八、二五および一九、一―五)を参照。

(32) 「使徒行伝」(一五)「エルサレムの使徒会議」を参照。四九年頃に行われたこの会議については、第十九巻第一章においても言及される。

(33) 原語は morgenländische Philosophie. 三世紀中頃から六世紀中頃にかけて登場した新プラトン主義的哲学が念頭に置かれている。この哲学はギリシア哲学最後の形態ともいえるもので、プラトンのみならずアリストテレス、ストア派、ピュタゴラスの思想と、キリスト教ならびに東方の神秘主義的諸要素が融合して生れた。以下、この段落における議論は、後にルネッサンス期の思想家マルシリオ・フィチーノ(Ficino, Marsilio, 1433–99)によって「古代神学」(prisca theologia)と呼ばれる初期キリスト教における護教神学の伝統をふまえていると考えられる。

(34) ギリシア語で「認識」を意味する「グノーシス」の信奉者たち。すなわち、信仰に対して認識をキリスト教の高次の段階と見なし、思弁を通じて神的源泉に到達しようと努めた。霊と肉体の二元論を主張した。
(35) 原語は die Geschichte des menschlichen Verstandes. 第九巻第二章の「人間の知性と心情の歴史と多様な特性描写」への訳注(28)を参照。『人類歴史哲学考』が刊行される二〇年以上も前の若きヘルダーは、ドイツの文化史家カール・フリードリヒ・フレーゲル(Flögel, Karl Friedrich, 1729-88)による同名の著作『人間知性の歴史』(一七六五年)から大きな影響を受け、その刊行直後に書評を発表している(『ズプハン版全集』第一巻、八七—八九頁に所収)。このことからも、ヘルダーにとって「人間知性の歴史」を記述することが、若い頃からの関心事であったことが見てとれる。ちなみにここでのヘルダーは、この問題を神学的観点からとらえようとしている。
(36) マニはペルシアの宗教創設者で、善と悪の原理、光と闇の厳格な二元論を説いた。
(37) 南フランスの都市アルビで活動した宗派で、マニ教の流れを汲み、異端とされた。
(38) 訳注(12)を参照。
(39) エデッサの王アブガル五世はイエスと往復書簡を交わしたとされる。しかしアブガルはキリスト教の導入と無関係であった。この伝説は、すでにキリストの時代に使徒伝来のキリスト教がエデッサに存在したことを証明するために後から作られたものとされる。
(40) 東ローマ皇帝ゼノンの命令によって四八九年に取り壊された。
(41) 中世の伝説によれば、司祭ヨハネスはアジアにキリスト教の王国を建設したが、この王国は後年アビシニアに移されたとされる。司祭ヨハネスについては中世ドイツの詩人ヴォルフラム・フォン・エッシェンバッハ(Wolfram von Eschenbach, 1160-1220頃)の叙事詩『パルツィヴァール』第十六巻(八二二、八二一―八二七)にも記述がある。

(42) 現在のイラクの首都。イスラム帝国の王朝アッバース朝によって建設された古都で、ティグリス河にまたがる。

(43) ティグリス河に面したイラク中部の都市で、八三六年から八九二年までアッバース朝の首都であった。

(44) アッバース朝第七代のカリフ。学問や文化の発展に力を尽くした。

(45) 中央アジアのウズベキスタンの古都。

(46) ネストリウス派(景教)の碑銘が刻まれた西安の碑文のこと。七八一年に建てられたこの中国およびシリアの文字が刻まれた記念碑の信憑性には十八世紀から十九世紀にかけて疑念が呈されたが、現在では本物であることが確認されている。本文はキリスト教の教義の精髄と、シリアの司祭たちによるキリスト教導入の歴史などを内容としている。アジアでのキリスト教の普及についてはギボンの『ローマ帝国衰亡史』第四十七章に記述がある。

(47) ローマ帝国、後には東ローマ帝国を指す国名で、中国の史書に記載されている。

(48) アルメニアの修道士で、アルメニア文字を創り、聖書をアルメニア語に翻訳した。メスロプと後出のモヴセツについては、ジョージ・ブルヌティアン『アルメニア人の歴史　古代から現代まで』(邦訳は小牧昌平監訳、渡辺大作訳、藤原書店、二〇一六年)において言及されている。

(49) 五世紀頃のアルメニアの歴史記述者。詩人で文法家でもあった。『アルメニア史』(全三巻)。

(50) コーカサス山脈の南で、黒海の東岸の地域。アルメニアに隣接する。現在の呼称はジョージア。なおグルジアについては前出のシャルダンの『ペルシア旅行記』に詳しい記述が見られる(前掲『ペルシア紀行』二三五―二八四頁)。

(51) 訳注(12)で言及された単性論の支持者。カルケドンの公会議(四五一年)で否定された。

(52) 「乗り物」の原語は Vehikulum. 第十六巻第六章の最後で「手段」と訳された Vehikel と同じ語源を有する。

(53) 東インド南西沿岸のキリスト教徒の一派。使徒トマスを創設者として仰ぐ。

(54) 前出の「ヨハネ派」のこと。訳注(31)を参照。

(55) Norberg, Matthias (1747-1826) ドイツの学者。『シバ人の宗教と言語の研究』(『リガ科学協会論文集』第三巻(一七八〇年)に所収)。

(56) Walch, Johann Georg (1693-1775), Walch, Christian Wilhelm Franz (1726-84) 父親のヨハン・ゲオルク・ヴァルヒはプロテスタントの神学者。『古代教会便覧』(一七三三年)。息子のクリスティアン・ヴィルヘルム・フランツ・ヴァルヒもプロテスタントの神学者。『異端、分裂、宗教論争の完全な歴史の構想』(全三部、一七六二―六六年)。

(57) Beausobre, Isaac de (1659-1738) フランスのプロテスタント神学者。『マニとマニ教の批判的歴史』(一七三四―三九年)。

(58) Mosheim, Johann Lorenz von (1694 頃-1755) ドイツのプロテスタント神学者。『コンスタン

ティヌス大帝以前のキリスト教徒の歴史詳解』（一七五三年）。

(59) Brucker, Johann Jakob (1696–1770) ドイツの哲学史家。『太古からキリスト生誕までの哲学史からの簡潔な問題』（全七部、一七三一―三六年）、および『太古から現在までの批判的哲学史』（全五巻、一七四二―四四年）。

(60) Jablonski, Paul Ernst (1693–1757) ドイツの神学者で東方学者。『キリスト教の歴史講義』（全二巻、一七六六年）。

(61) Semler, Johann Salomo (1725–91) ドイツのプロテスタント神学者。『キリスト教徒の教会史からの完全な抜粋。バウムガルテンによる抜粋の継続として』（一七六二年）、および『キリスト教の年鑑、あるいは一五〇〇年までの教会史に関する詳細な図表』（全二巻、一七八三年）。

(62) Caylus, Anne-Claude (1692–1765) フランスの古物蒐集家で芸術研究家。『エジプト、エトルリア、ギリシア、ローマの古美術品集』（全七巻、一七五二―六七年）。

(63) Sainte-Palaye, Jean-Baptiste de la Curne de (1697–1781) フランスの文献学者で歴史家。『古代の騎士に関する論文』（一七五三年）。

(64) 第十巻第四章の訳注(84)および(85)などを参照。前出の著書のほかに『トルコ人とモンゴル人の一般史』（一七五六年）がある。ちなみに「フランス文芸院」とは「フランス学士院」の一つで、一六六三年に創設された「碑銘および文芸のアカデミー」のこと。歴史上および考古学上の文化遺産を扱った。

(65) Assemanus, Josephus Simonius (1687–1768) ティルスの名義大司教で学者。『クレメント・

ヴァチカンの東方叢書』の編者。「エアランゲン、一七七六年」という表記は、後出のプファイファーの著作に関するもの。

(66) Pfeiffer, August Friedrich (1748-1817) ドイツの東方学者。『ヨゼフス・シモニウス・アセマーヌスによる東方叢書、あるいはシリアの著作家に関する報告の抜粋』(第一部、一七七六年)。

(67) Fischer, Johann Eberhard (1697-1771) ドイツの歴史家で考古学者。『シベリアの発見からロシアの武力によるこの国の征服まで』(全二部、一七六八年)。フィッシャーによれば、オン・カンとも呼ばれた司祭ヨハネスは、ダライ・ラマと同一人物とされる。

(68) モンゴル帝国以前の時代にモンゴル高原中北部のハンガイ山脈付近で活動していたテュルク系遊牧民族。

(69) 訳注(67)を参照。

(70) Koch, Christoph Wilhelm von (1737-1813) ドイツの法学者で、シュトラースブルク時代のゲーテに法学を教えた。『詩と真実』(第三部第十一章)で言及されている。『西ローマ帝国の崩壊から現在までのヨーロッパの革命の一覧表』(一七七一年)。ちなみに『ヘルダー蔵書目録』には一七九〇年にパリで刊行された二巻本の同書が記載されている(BH 6138/39, 6140/41)。

(71) Whiston, William (1667-1752) イギリスの神学者。『モヴセツ・ホレナツィのアルメニア史』(一七三六年)。

(72) Schröder, Johann Joachim (1680-1756) ドイツの東方学者で神学者。『古代および現代アルメニア語辞典』(一七一一年)。

(73)『アビシニアへの旅』(一七九〇年)。第六巻第四章の「ブルース」への訳注(98)を参照。

(74) ここでの「ヘレニズム」という語は、特に前の段落で言及されたギリシア語との関連で用いられていると思われる。宗教史的には東方の影響が加わったギリシア文化であり、ユダヤ人もキリスト教徒もギリシア人から神話説明のアレゴリー的方法を取り入れ、ユダヤ的あるいはキリスト教的プラトン主義者と見なされた。

(75) 古代の西シリアに建設された「シリアのアンティオキア」のこと。「使徒行伝」(一一、二六)を参照。

(76) 古典文学で語られる伝説の地。古代ヨーロッパでは最北の島と考えられていた。ストラボン『地誌』第四巻「ガリア」(五)に「人びとはこの島を地名のついた土地のなかでも一番北にあるとしている」という記述がある(訳文は前掲『ギリシア・ローマ　世界地誌I』三四七頁)。ゲーテの『ファウスト　第一部』において、グレートヒェンの歌う詩「トゥーレの王」で知られる。ただしギボンは『ローマ帝国衰亡史』第五十五章において「トゥーレなる漠然たる呼称はイングランドを指」すとしている(『ローマ帝国衰亡史8』中野好之訳、ちくま学芸文庫、一九九六年、三九六頁を参照)。

(77) 同地でのギリシア語の普及と新プラトン主義の影響下でのキリスト教の形成については、ギボンの『ローマ帝国衰亡史』第二十一章に詳細な記述がある。

(78) 前三世紀のエジプト王プトレマイオス二世ピラデルポスのこと。学問と文芸を促進し、アレクサンドリア図書館を創設した。

(79) 原語は Synkretismus. 多種多様な起源を持つ思想の混淆。ここでは特にユダヤの宗教上の考えとユダヤ人におけるギリシア哲学との混淆、およびこの二つとキリスト教徒におけるキリスト教の教義との混淆を指している。「東方の哲学」への訳注(33)、および「ヘレニズム」への訳注(74)を参照。

(80) 「ヨハネ」とは『新約聖書』の「ヨハネによる福音書」の作者「使徒ヨハネ」のこと。「パウロ」については、ヘレニズム世界にキリスト教を伝えたパウロが、アテナイの最高法廷アレオパゴスで行った説教(「使徒行伝」一七、二二—三二)が念頭にある。

(81) ここでは「ヨハネによる福音書」冒頭の「初めに言(ことば)があった」の「言(ことば)」の原語であるギリシア語の λόγος(ロゴス)が念頭にある。また「キリスト教よりもはるか以前のあらゆる哲学者」の代表的な人物としてヘルダーが考えているのは、「人間の歴史を語る古の哲学者」(第十巻第六章)のモーゼやプラトン(第十三巻第五章)などである。

(82) 初期キリスト教の護教家で、「殉教者ユスティノス」とも呼ばれる。ローマで「キリスト教哲学者」として活動したが、一六五年に処刑された。

(83) 初期キリスト教の神学者で、アレクサンドリアで活動した。キリスト教的世界観を一種の教会的グノーシスとして提示し、それをストア的およびプラトン的思想の受容によって深めた。

(84) アレクサンドリアの神学者。アウグスティヌスとともに教父神学の最も重要な神学的体系を創ったが、新プラトン主義的な影響を受けた彼の教義は後に弾劾された。

(85) アレクサンドリアの司祭アリウスとその支持者。イエス・キリストの神性を否定したとされる。訳注(11)を参照。本訳書では「アリウス教」「アリウス教徒」とも表記される。

(86) ローマ帝国のパンノニアにあった古代都市シルミウムの司教フォティヌスの支持者。フォティヌスは、たしかにイエスは神の力、すなわちロゴスによって満たされ、それによって自身の天職へと召命されているが、この力は神の国が勝利を収めた後に再びイエスから取り去られる、と説いた。そのために彼は三五一年に職を解かれた。

(87) 四世紀コンスタンティノープルの司教マケドニオスの支持者。マケドニオスは、アレクサンドリアの首都大司教でニケア公会議の決定を擁護した中心人物アタナシウスに異を唱え、聖霊を神の一つの力としてのみとらえ、聖霊が神と同等であることと、聖霊の「人格」を否定した。

(88) 訳注(12)を参照。

(89) オイティケスは五世紀アレクサンドリアの司祭で、ネストリウスの敵対者。訳注(12)で言及されたキリスト単性論を唱えた。

(90) 父と子と聖霊の三位一体を、三つの分離された本性としてとらえた。その代表者はフランスのスコラ学者ロスケリヌスであり、彼はソワッソンの公会議(一〇九二年)で異端とされた。

(91) 一神性論、すなわち、イエス・キリストの中には神としての本性と人間としての本性という二つの本性があるが、意志は一つであるとした。

(92) エフェソスの公会議(四四九年)は、キリスト単性論をめぐる騒動のために教皇レオ一世によって「盗賊公会議」と呼ばれた。

(93) ギリシア神話に登場する怪物ヒュドラのこと。一つの頭を切ってもすぐそのあとに新たに二つの頭が生えたという。ヘラクレスに殺された。なお後出の蛆虫の話については未詳。

(94) 東ゲルマン諸族の一つで、六世紀後半にランゴバルド王国を築き、イタリア半島の大部分を支配した。

(95) 十世紀中頃にバルカン半島や小アジアに広まったキリスト教の一派で、ブルガリアの司祭ボゴミルによって開始されたと考えられている。善悪二元論と現世否定を特徴とし、カトリック教会からは異端とされた。

(96) 十世紀から十四世紀の南西ヨーロッパで活動したマニ教的な宗派で、同じく異端とされた。「カタリ」とは「純粋な人々」を意味する。

(97) 十二世紀にフランスの宗教運動家ピエール・ヴァルドによって始められたキリスト教の教派の一つで、リヨンの貧民が多かった。同じく異端とされた。

(98) 本章の第二段落における「ロゴスという言葉から、さまざまな異端や暴力行為が生れたのであり、それらを目の前にすると、われわれの中のロゴス、すなわち健全な理性は今なお戦慄を禁じえない」という表現を参照。

(99) アリウス派の敵対者。訳注(87)を参照。

(100) アレクサンドリアの教父で、ネストリウスの敵。異教を敵視し、新プラトン主義の女性哲学者ヒュパティアの殺害を指示した。

(101) アレクサンドリアの教父で、オリゲネスの教説を攻撃した。

(102) 七九七年から八〇二年までビザンツ帝国の女帝で、前出の東ローマ皇帝コンスタンティヌス六世の母。

(103) 修道院での生活は原則として共住形式であるが、ここでは最初期のベネディクト会をはじめ、ドミニコ会やイエズス会などの修道士が考えられる。

(104) キリスト教では伝統的に、エジプトに現れた最初の隠者は、ナイル河東岸の都市テーベのパウロとされる。

(105) 神聖ローマ帝国の旗で、赤地に銀の十字架が描かれた軍旗などが考えられる。

(106) 東ローマ帝国のこと。ビザンティウムは古代ギリシア人の建設した都市で、コンスタンティノープルの旧称。

(107) 本来はギリシア神話における双頭の犬オルトロスを意味するが、ここでは世俗の国家とキリスト教の融合したものの象徴、さらには神聖ローマ帝国などに継承された「双頭の鷲」とも考えられる。

(108) 第十四巻の訳注(163)で言及されたセクストゥス・ポンペイウスのことと思われる。なお後出の「新しいローマ」とは、コンスタンティヌス大帝に由来し、本巻において何度も言及される東ローマ帝国の首都コンスタンティノープルのこと。

(109) 第十三巻第七章の「聖クリソストムス」への訳注(202)を参照。

(110) 三九二年にローマ帝国の皇帝テオドシウス一世はキリスト教を国家宗教に格上げした。

(111) 原語は eine edle Einfalt. 同じ表現は第二章(二七四頁)にも見られるが、ここではヴィンケルマン『絵画と彫刻におけるギリシア芸術模倣論』(一七五五年)において、ギリシア芸術の傑作を顕彰する概念として有名な「高貴な単純さと静かな偉大さ」(eine edle Einfalt, und eine stille Größe)との関係がいっそう明白に見てとれる。これについては、ヴィンケルマン『ギリシア芸術模倣論』(田邊玲子訳、岩波文庫、二〇二二年)の解題四四八頁以下を参照。

(112) ビザンツ様式のキリスト教聖堂の「聖ソフィア聖堂」のこと。コンスタンティノープルがオスマン帝国に占領されてからは「アヤソフィア」と呼ばれるイスラム教のモスクとなった。

(113) トルコの西端にあり、エーゲ海に面する古代都市。現在のイズミル。

(114) ギリシアのセレウコス一世が父アンティオコスを記念して各地に建設したギリシアの都市名。ここでは、古代のシリア王国の首都で「シリアのアンティオキア」のことと思われる。

(115) 前出の「東ローマ帝国」のことであるが、文化や領土等の点で「古代ローマ帝国」との違いが顕著であるため「ビザンツ帝国」と呼ばれるようになった。

(116) 第十八巻第二章において詳述される東ゴート人のテオドリック大王は、青少年期を人質としてコンスタンティノープルで過ごした。

(117) 西ゴート人のアリウス派宣教師で司教。聖書をゴート語に翻訳したが、その際ギリシア語のアルファベットとルーン文字から創った文字を使用した。

(118) 東ローマ帝国ユスティニアヌス王朝の第二代皇帝ユスティニアヌス一世。

(119) 前出のユスティニアヌスからの委託をもとに作られた『ユスティニアヌス法典』(『ローマ法大全』)のこと。

(120) コンスタンティノープルが一四五三年にオスマン帝国に征服された後に、イタリアに逃れたギリシアの学者たちが古典古代の遺産を守ったことは、ルネッサンスの基盤の一つであった。たとえばギリシア文法学者のラスカリス(Láskalis, Konstantinos, 1434–1501)は一四七六年に亡命先のイタリアでギリシア語の文法書を刊行したが、これはギリシア語で印刷された最初の書物とされる。

(121)　イタリア北東部に位置する水上都市。七世紀にはビザンツ帝国の支配を脱して独立し、十世紀になるとアドリア海一帯に勢力を拡大した。後出のジェノヴァとともに第二十巻の第一章で詳述される。

(122)　イタリア北西部に位置する港湾都市で、十世紀頃に自治都市となる。東地中海や黒海沿岸などで交易活動を展開し、ヴェネツィアと東地中海の交易覇権を競った。

(123)　Calixt, Georg（1586–1656）ドイツのルター派神学者。ルター派正統主義に対して、宗派的な区別説をより柔軟に理解することを目ざし、キリスト教最初の五〇〇年の教義概念の中にキリスト教教会の再統一の基盤を見出したとされる。『神学綱要』(一六一九年)。

(124)　Dalläus, Jean（1594–1670）フランスの改革派の神学者。『堅信と終油の秘蹟について』(一六五九年)。

(125)　Dupin, Louis Ellies（1657–1719）フランスの哲学者で神学者。『教会著作家新叢書』(一六八六—九一年)。

(126)　Le Clerc, Jean（1657–1736）アムステルダムの教会史の教授。『共観福音書』(一七〇〇年)。

(127)　訳注(58)を参照。ここでは『異端史試論』(一七四六年)が挙げられる。

（128）訳注（61）を参照。ここでは『神学的解釈学』（一七六〇年）が挙げられる。

（129）Spittler, Ludwig Timotheus（1752-1810）ドイツの哲学者で教会史家。『キリスト教教会史概説』（一七八二年）。

（130）Barbeyrac, Jean（1674-1744）スイスのプロテスタントの法制史家。プーフェンドルフの『自然法と万民法』（一六七二年）の仏訳（一七〇六年）への序文において、教父たちの書き方や傾向に関して否定的な言述を行っているとされる。この序文には下記の邦訳がある。バルベラック『道徳哲学史』（門亜樹子訳、京都大学学術出版会、二〇一七年）。

（131）訳注（126）を参照。ここでは『何人かの教父と異端者の歴史』（一七二二年）が挙げられる。

（132）Thomasius, Christian（1655-1728）ドイツの哲学者。ライプツィヒの神学部によって公職禁止を受けた後、ハレで教えた。『神の法の原論』（一六八八年）。

（133）ここでは『イエスの目的に関する断章の返答』（一七七九年）が挙げられる。

（134）Rösler, Christian Friedrich（1736-1821）ドイツの歴史家。『教父たちの重要な著作からの翻訳および抜粋の叢書』（全十部、一七七六―八六年）。

（135）イタリアの法学者で歴史家のカルロ・アントニオ・ピラティ（Pilati, Carlo Antonio, 1733-1802）による『統治、法、人間精神における変革の歴史。フランス語からのドイツ語訳』（第一部、一七八四年）のこと。「フランスの著作家」とあるのは、この著作がフランス語から翻訳されていることに起因するものと思われる。

（136）「緋衣を着て生れた者」と呼ばれるビザンティウムの皇帝コンスタンティヌス七世に関する著

作で、その注釈付のギリシア語・ラテン語版が一七五一年から五四年にかけて、第十九巻で言及されるドイツの学者ライスケによってライプツィヒで刊行された。

(137) Hume, David（1711-76）スコットランドの哲学者で歴史家。歴史書としては『イングランド史』（全六巻、一七五四―六二年）が有名である。

(138) 第六巻第六章の原注59で言及されたロバートソンの歴史書としては、ヘルダーがしばしば引用する『アメリカの歴史』のほかに『スコットランド史』（一七五九年）や『皇帝カール五世の治世の歴史　全三巻』（一七六九年）がある。特にカール五世に関する著作の第一巻は「ヨーロッパにおける社会の進歩に関する私見　ローマ帝国の転覆から十六世紀初頭まで」と題されており、ポーランド出身のフランスの歴史学者で思想史家のポミアン（Pomian, Krzysztof, 1934-）によれば、同書が刊行された「一七六九年という時点以降、ヨーロッパは歴史学の対象になり、ヨーロッパ大陸全土を巻き込む大事件が起こるたびに、その事件にいたる道のりならびにその後の余波に関して歴史的反省が行なわれることになった」（訳文はクシシトフ・ポミアン『［増補］ヨーロッパとは何か　分裂と統合の一五〇〇年』松村剛訳、平凡社、二〇〇二年、五頁）とされる。

(139) Gibbon, Edward（1737-94）イギリスの歴史家で著作家。『ローマ帝国衰亡史』（一七七六―八八年）。ここでの言述以上に、ヘルダーはギボンのこの作品に多くを依拠している。ちなみにヘルダーの言う「イギリスで立てられた悪評」とは、『ローマ帝国衰亡史10』（中野好之訳、ちくま学芸文庫、一九九六年）の訳者による「補訂者あとがき補遺」によれば、イギリスの古典学者リチャード・ポーソン（Porson, Richard, 1759-1808）の『トレーヴィス尊師へ寄せる手紙』（一七九

○年)の序文によるものと思われる。参考までに同訳書から当該箇所を引用しておく。「ギボンの精励さは無類であり彼の正確さは細心、彼の読書はたとえ時折これ見よがしにひけらかされているとは言え途方もない分量で、彼の注意力は常に鋭敏、彼の記憶力は強靭、彼の文体は明晰にして力強く、彼の文章の流れは澱みがない。彼の考察は概ね正当かつ深遠であり、彼は人類の諸権利や宗教的寛容の義務を雄弁に擁護する。私はギボン氏によるキリスト教攻撃に、何一つ誤った論点を見出せない。それは疑いもなく著者の最も純粋で最も有徳な動機に発する、と私は認める。我々はただこの攻撃が陰微な手法で、そして不適当な武器を用いて行なわれていることを論難するだけである。……彼の人道主義は女性たちが凌辱されキリスト教徒が迫害される場合を除けば決して眠ることはない。……彼は我々の宗教を侮辱する機会が見出せないと、雑作もなくそれを作り出す。彼のキリスト教への憎悪は徹底的であって、それはまるで或る種の個人的被害への復讐を試みるかのような凄まじさである……」(訳文は同訳書四二四—四二五頁)。

(140) 原語(一格)は die lateinischen Provinzen. 紀元後のローマ帝国に属する地域(=属州)を指すと思われる。

(141) ホラティウス『諷刺詩』第一巻(五、一〇〇)で言及される「ユダヤ人のアペッラ」が念頭に置かれていると思われる。そこでは次のように書かれている。「続くは水の精たちの/怒りによって生まれたと/言い伝えられるグナティアの/町であったが、その町の/神殿の敷居においてある/香が、火の気もない所で/とけて消えると、人々が/主張するのを、我々は/笑い冷やかすのであった。/あのユダヤ人のアペッラなら/本気にするかも知れないが/この私には信じられない」（訳文は『ホラティウス全集』鈴木一郎訳、玉川大学出版部、二〇〇一年、七八頁）。ちなみに同書の訳注（一九八頁）によれば「アペッラ」という名は、奴隷や解放奴隷によくある名とされる。

(142) 六四年のローマ炎上は皇帝自身の帝国建設計画を実現させるために自ら命じたものだとする嫌疑をネロはユダヤ人とキリスト教徒に向け、彼らを残忍な方法で迫害させた（タキトゥス『年代記』第十五巻、三八―四四を参照）。

(143) ルターによる宗教改革（一五一七年）以降のフランスのカルヴァン主義的な改革派のこと。

(144) ローマ・カトリックの正統信仰によって、この信仰と異なる教義、すなわち異端に対して加えられる迫害や強制的な改宗をめぐる戦いを意味するものと思われる。

(145) ここでのプリニウスとは、『博物誌』の著者で大プリニウスと呼ばれるプリニウスの甥にあたる小プリニウスのこと。トラヤヌス帝との往復書簡（九十六および九十七書簡）では、ローマのキリスト教徒集団の慣習や礼拝について述べられている（邦訳は前掲『プリニウス書簡集』四二一―四二六頁）。当該の書簡では、初期のキリスト教徒の共同体に対するローマ政府の態度や、キリスト教徒の礼拝について言及されている。

(146)「神話」という表現はギボンの『ローマ帝国衰亡史』第二十八章の次の箇所に見られる。「こうして原始キリスト教徒の崇高で単純な神学は次第に腐敗し、すでに煩瑣な形而上学で曇らされていた天上の王国は、通俗な神話の導入で堕落して、多神教の勢威を回復させる方向に向ったのだ」（訳文は『ローマ帝国衰亡史4』中野好夫・朱牟田夏雄訳、ちくま学芸文庫、一九九六年、四一二頁)。

(147)「マタイによる福音書」(一六、一八―一九)を参照。

(148) 後期古典古代のヘレニズム期の学問の中心地アレクサンドリアではクレメンスとオリゲネスが、イタリアのミラノでは皇帝ヴァレンティニアーヌス二世とテオドシウス一世の助言者アンブロジウスが、またアルジェリア北東部の都市ヒッポレギウスでは教父アウグスティヌスが活躍していた。

(149) カトリック教会において、死後にその聖性と徳を認められた者が、聖人に列せられること。

(150)「聖変化」とも呼ばれる。カトリック教会のミサにおいて、パンと葡萄酒の全実体が、キリストの体と血の実体に変化すること。

(151) ローマ教皇の地位を象徴する「教皇冠」のこと。冠を三段に重ねた形状から「三重冠」と呼ばれる。この三重の冠は「司祭、司牧、教導の三権」と「天国、煉獄、地上の神の国である教会」を象徴するものとされる。

(152) 考えられるのは、ヴァチカンによる古代遺産の広範囲な蒐集と、異教徒の文化遺産の保持に努めた個々の教皇の業績であろう。

(153) アフリカにおいてラテン語で著述を行う教父アウグスティヌスと、後出のテルトゥリアヌスやキプリアヌスなどが念頭にある。

(154) カルタゴ出身の禁欲主義的な聖典学者で護教家であったが、最後には、異端と見なされていたモンタヌス派に近づき、カトリック教会から離れた。

(155)　カルタゴの司教。著書『教会の一致について』などで、迫害の中で背教者となった者たちを、厳しい改悛の後に再び教会に受け入れることを支持した。

(156)　アウグスティヌスは、人間による意志の自由を強調していた初期に比べて、後には神意による予定ということをいっそう強調するようになった。彼によれば、意志の自由はアダムに限定される。人間には善への自由ではなく、悪への自由しかない。神への道は神の恩寵によってとらえられた者だけに開かれているとされる。

(157)　人間本性を善ととらえる修道僧ペラギウスは原罪を否定した。アウグスティヌスは意志の決定に先行する恩寵を主張することによってペラギウスと闘った。

(158)　ラテン語の聖書翻訳（ウルガタ聖書）で有名な教父。『反ペラギウス派論』。

(159)　イタリア中部のヌルシアに生れたベネディクトゥスは、五二九年頃に同地にある後出のモンテ・カッシーノの岩山に修道院を設立し、修道僧に精神的な活動と同時に肉体的な労働をも課した。この原則（祈れ、そして働け）に基づく種々の活動によって、古典古代の文学はキリスト教の修道院の中で救われ保護された。

(160)　ローマの南東に位置する標高五二〇メートルほどの岩山。元来そこにはアポロ神殿があったが、ゴート人によって荒廃させられた。

(161)　ローマ教皇グレゴリウス一世による音楽についての業績について、ギボンは『ローマ帝国衰亡史』第八巻第四十五章でこう記している。「グレゴリウス聖歌は劇場の声楽と器楽の音曲を今に保存しているし、蛮族民の粗野な声はローマ楽派の旋律を模倣した」（訳文は『ローマ帝国衰亡史7』中野好之訳、ちくま学芸文庫、一九九六年、五五頁)。

(162) この第十七巻も第三部および第四部の他の巻と同じく、元来は要約的な最終章をもって終わるはずであった。実際ヘルダーは一七八八年一月に、この巻を締めくくる「一般的考察と結論」を完成させており、友人のクネーベルへこれを閲読に供している。クネーベルからの批判もふまえてヘルダーは新たにその第二稿を完成させた(一七九一年三月)。しかしヘルダーは、そこに込められたキリスト教に対する批判的な言述や、プロテスタントの聖職者という自らの立場などを考慮して、これを公にはしなかった。なお、この未公刊の部分は『ズプハン版全集』第十四巻(五六〇—五六八頁)等に収録されている。

(163) 幼児洗礼を受けた者が、一〇代半ばになってから、キリスト教徒であると自覚したしるしとして、信仰を言い表す儀式。

(164) Ciampini, Giovanni Giustino (1633-98) イタリアの歴史家。『神聖な洗礼の儀式に関する情報を与える二つの石棺の説明』(一六九七年)。

(165) Aringo, Paolo (1676没) イタリアの聖職者。『最新研究による地下ローマ』(一六五一年)。

(166) Bingham, Joseph (1668-1723) イギリスの教会史家。『教会の起源』(全十巻、一七一〇—二二年)。

解　説

嶋田洋一郎

1　『人類歴史哲学考』第三部（承前）

本・第四分冊の前半には第十四巻と第十五巻を収める。アジアや中東、そしてアルプス以南の地域の古代史を扱う第三部の第十一巻から第十三巻、そして本・第四分冊に収録される第十四巻までの記述において注目すべきは、中国、インド、ペルシア、エジプト、ギリシア、ローマといった歴史上の大国だけに記述が集中するのではなく、コーチシナ、トンキン、ラオス、朝鮮、日本、アッシリア、カルデア、そしてフェニキアとカルタゴというふうに、それぞれの周辺の決して大きくない諸国にも目配りがされていることである。たとえば征服者に対する交易民族としてのフェニキア人には高い評価が与えられている。それは「侵略者は自分のために侵略を行うのに対して、交易民族は自分と他民族に奉仕する。後者は財貨と勤勉と学問を世界の一部に共通のものと」(第三分冊・一九五頁)するからである。同じことはローマの誕生に大きく貢献したエトルリア人(第十四巻第一章)についても言える。また芸術や文化についての記述が多く見られることも第三部全体の特徴である。地域としての広がりの大きいギリシアは、中国やエジプトのように堅固な体制を持たず、また強制も受けずにできた共同体の模範像として現れる。ヘルダーにとってギリシアの芸術と文化は、こうした緩やかな国家結合に行き渡っている自由の産物である。第十四巻においてもローマの芸術や文化についての詳細な記述が見られ、この点で『人類歴史哲学考』は文化史としての特徴も示している。

アジアや中東、そしてギリシアを扱った第三分冊は、そこに見られた宗教的側面も含めてヴォルテールの『歴史哲学』と重なっていたが、ローマから始まり、初期キリスト教の時代までを扱う本・第四分冊は、『人類歴史哲学考』とほぼ同時期に刊行されたギボンの大作『ローマ帝国衰亡史』(一七七六―一七八八年)の描く範囲とおおよそ一致している。また第五分冊に収録される『人類歴史哲学考』の第十八巻から第二十巻の考察範囲も、東ローマ帝国の滅亡(一四五三年)までの時期を描くという点でギボンと重なる。ただ、ギボンの作品はもっぱら東西両ローマ帝国の歴史に限定されているものの、規模の大きさと描写の精緻さにおいてヘルダーを圧倒しており、ここで両者を単純に比較することはできない。また第十四巻で扱われるローマの歴史については、ポリュビオスの『歴史』や、リウィウスの『ローマ建国以来の歴史』を始めとして多くの史書が存在し、十八世紀においても、ギボンのほかにモンテスキューの『ローマ人盛衰原因論』(一七三四年)などが知られている。これらの作品とヘルダーによる記述を比較することも有意義ではあるが、ヘルダーの主眼はあくまでもローマの歴史が人類史全体の中で有する意義を明らかにする点に置かれている。

さて、ローマを扱う第十四巻は、ギリシアを扱った第十三巻と並んで『人類歴史哲学考』全体において分量的に最も多くなっている。「どうしてヨーロッパだけが際立って民族も多彩で、習俗や技術も成熟し、そして何よりも世界のあらゆる地域に影響を及ぼしてきたのか?」(第一分冊・九二頁)と問いかけるヘルダーにとって、このことはギリシアとローマがヨーロッパの形成という点で大きな意義を有していることの証明でもあろう。ここでは、ローマにはギリシア文化のヨーロッパへの仲介者としての役割が与えられている。ローマ全体に対するヘルダーの評価は「世界略奪者としてのローマ人」あるいは「盗賊のような国家」(第一章)という表現に見られるように否定的な側面が強いものの、同時に肯定的な評価も並存しており、そこには可能なかぎり多くの側面から公平な歴史記述を行おうとするヘルダーの姿勢が見てとれる。歴史記述の問題も第十三巻に続いて考察される。このようにローマを扱う第十四巻は『人類歴史哲学考』の中でもとりわけ重要な巻となっており、以下ではこうした点もふまえて解説することにしたい。

2　第三部　第十四巻

第十四巻における特徴の一つは、第一章をローマではなくエトルリア人の記述から始めることであろう。ここで、エトルリア人はローマに種々の文化上の技術を伝えたという意味でギリシアに次ぐ「ヨーロッパ文化の第二の栽培地」として高く評価される。ヘルダーはまたローマの周辺に住んでいた小民族、すなわちカエニナ人、クルストゥメリウム人、アンテムナエ人、サビニ人、カメリヌム人、フィデナエ人、ウエイイ人などにも目を向ける。こうした小民族あるいは先住民に対するヘルダーの視線は、第十六巻で述べられるように、諸民族の混淆こそがヨーロッパを形成してきたという確信に支えられており、ギリシアの場合でも「クレタ島の住人、リュディア人、ペラスゴイ、トラキア人、ロドス島の住人、フリュギア人、キプロス島の住人、ミレトス人、カリア人、レスボス島の住人、ポカイア人、サモス人、スパルタの住人、ナクソス島の住人、エレトリア人、アイギナ島の住人」(第三分冊・二三二頁)などに言及されている。

続く第二章でヘルダーは「ローマの元老院は、ローマの国民と同じように古くから戦士であった。ローマは最高位の成員はもちろん、危急の場合には最下位の成員までも含めた軍事国家であった」として、ローマの政治体制を戦争という観点からとらえようとする。しかもこうした「ローマという国家の偏狭で冷酷な体制」は、キリスト教が伝えられる以前のローマ人の宗教とも不可分の関係にあった。これについてヘルダーは「宗教がローマにおいて国家と織り合わされた際の仕方が、市民の住む都市および戦争国家としてのローマの偉大さに寄与したことは明らかである」と述べる。そのさい注目すべきは、戦争に加えて宗教と国家にヘルダーが「ローマの偉大さ」を認めていることであろう。それはすなわち「黎明期からずっと古代のローマ人に見られる厳格な公正さ、私心のない寛大さ、そして勤勉な市民生活」、そしてまた「氏族の名によっても輝かしく傑出していた歴代貴族の高貴さ」であり、これらが「ローマ国民を世界で最も誇り高い第一級の国民へと形成した」とされる。

「ローマ人による征服」と題された第三章においては「軍事国家」としてのローマが世界征服という目標に向かって突き進む様子が詳述される。そこでは攻撃側に立つローマ人の様子が冷酷なまでに描かれる一方で、エトルリアやシラクサなど歴史の表舞台から姿を消した数多くの地域や都市が列挙されている。このように、『人類歴史哲学考』

では多くの民族や地域に言及される。しかもそれらの民族や地域は状況の変化に応じて栄枯盛衰を繰り返す。そうした中でヘルダーはギリシアやローマといった大きな名前の陰に隠れて目立たない名前にも言及することで、人類史の多様性を描き出そうとする。

続く第四章はその標題が示すとおり「ローマの没落」を考察の対象としており、これによってヘルダーは同じ主題で十八世紀に書かれたモンテスキューやギボンの著作、そしてドイツ語圏ではヘルダー自身が原注で挙げているマイナースの『ローマ人の習俗と国家体制の衰亡の歴史』(一七八二年)とも結びつくことになる。ここでのヘルダーは没落の萌芽をローマの体制内部における「分裂」、すなわち「国家それ自身の制度、すなわち、元老院と騎士と市民のあいだの不公正もしくは不確実な境界」に見ている。そしてローマの没落を促したものは「奢侈」であるとされる。この問題も十八世紀の特にフランスやイギリス、そしてドイツでもマイナースの著作において議論されていたが、ヘルダーにあって最終的にローマの没落の原因とされるのは「ローマの好戦精神」である。しかもこの精神は、ローマが「罪のない、いくつもの都市や国民に対して何度も何度も抜いてきた剣を自らの臓腑に向けざるをえなかった」という結果をもたらすことになる。これらの人的な要因と並んでヘルダーが挙げるのは「自然の偉大な秩序」と、「公正な自然法則」による「事の成り行きの自然な結果」である。しかしこれでは何の説明にもなっていない。このような「自然」の意味するものについては、第六章と、それを受ける第十五巻に目を向けなければならない。

第四章を第十四巻全体のいわば折り返し点として、第五章と最後の第六章が続く。まず第五章「ローマ人の性格、学問、技術」で目を引くのは歴史に関する記述であろう。その一つは、新旧論争を意識しながら挑発的に問いかけるヘルダーの次の文章に現れている。「いったい近代のどの国民が、統治者、軍司令官、一流の政治家という点で、これほどの短い時期に重要な変革やそれに関わる自らの行為に関して、この野蛮と呼ばれるローマ人よりも多くの偉大な歴史家を有していたというのか?」こうした修辞疑問文と、その前に置かれた四〇名を超える人名の列挙は、ヘルダーが歴史記述という点では古典古代の側に立つことを示している。

そしてもう一つは「ローマ人による歴史記述」に関するものであり、これは「その妹である弁論術と、これら両者の母である政治術と戦争術と手を携えながら進展した」とされる。ここでもヘルダーは第十三巻における次の記述を意識しているように思われる。「ギリシア人による歴史記述はトゥキュディデスとクセノフォンとともにアテナイから始まり、しかも記述者は政治家と軍司令官であった。そのため彼らの手になる歴史記述は、たとえ彼らがこれに実用的な形態を与えようとしなくても実用的なものにならざるをえなかった。公共の場での弁論、ギリシアに関わる重要案件の絡み合い、種々の事件とその動機の生々しい姿が、彼らにこうした形態を提供した」(第三分冊・二九四頁)。ギリシア人とローマ人による歴史記述をめぐるヘルダーのこうした言述は『人類歴史哲学考』という作品を支える根本原理であるとも言えよう。その中心概念は「公共」と「諸民族の自由」(第十四巻第五章)であり、第四部において考察されるヨーロッパの歴史もこれらの概念を導きの糸として記述される。

第十四巻を締めくくる第六章「ローマの運命と歴史についての一般的考察」は、続く第十五巻における歴史の自然法則の問題、そしてさらにはキリスト教の問題をめぐって、同じく本・第四分冊に収録されている第四部の第十七巻につながる重要な章でもある。ヘルダーがそこに見据えるものは「ローマとキリスト教の混淆したもの」としての神聖ローマ帝国である。それゆえ、ヨーロッパの在り方を主題とする『人類歴史哲学考』にあってローマを扱う第十四巻は、第十七巻を理解するうえでの前提となっている。しかし「ローマ帝国が独力で大きくなったのと同じように、キリスト教も自分自身の力で発展した」と言われるように、読者はこれら二つの歴史上の事象を、まずそれぞれ個別のものとして理解しなければならない。そしてローマ帝国とキリスト教の両者が「最終的に結びついたときも、それによって一方も他方も得るものはなかった」とヘルダーが語ることの意味は、神聖ローマ帝国が扱われる第十八巻以降であらためて考えられなければならない。

3　第三部　第十五巻

人類史の個々の地域や民族の具体的な記述が中心となっている第三部と第四部にあって、第三部の最後に置かれた第十五巻は、特に第三章以下において理論的な記述という点で異彩を放っている。その最も大きな理由は、ヘルダーが新たに得たランベルトの理論的知識を人類史の記述に適用しようとしている点に求められる。『人類歴史哲学考』全二十巻のうちで、このような理論的色彩の濃い巻としては「序言」に加えて第四巻と第九巻、そしてこの第十五巻が挙げられる。これら四つの巻を起承転結の四部分として見れば、「序言」が「起」に、第四巻が「承」に、第九巻が「転」に、そして第十五巻が「結」にあたるとも考えられよう。すなわち「序言」は前著『人間性形成のための歴史哲学異説』を受けるとともに、『人類歴史哲学考』全二十巻の導入になるというふうに、それぞれの部分がその前後の諸巻を結びつける役割を果たしている。こうして「序言」の後には地球から動物界に至る被造物界を描く第一巻から第三巻が続き、この被造物界における人間の特性を論じる第四巻の後には、宗教的要素も含めた人間の多様な姿や世界観を描く第五巻から第八巻が続く。そして社会や政治との関連から人間を考察する第九巻の後には、神話の時代から古代に至る諸地域の人間の在り方が第十巻から第十四巻において記述される。第十五巻の後には第十六巻から第二十巻までが続き、巻数で見ると三巻、四巻、五巻、五巻と徐々に増えていき、それに伴って記述も厚みを加えていく。

第十五巻の冒頭でヘルダーは、これまで第三部においてアジアに始まる人類史をローマの没落に至るまで考察してきたことをふまえ、「文化は進展する。しかしそれによっていっそう完全なものになるわけではない」と述べ、あらためて啓蒙主義的な進歩史観を否定する。続いて「フマニテートは人間本性の目的であり、神は人類にこの目的をもって人類固有の運命を委ねた」と題された第一章では、第四巻の第四章から第六章にかけて言及された「フマニテート」を「自然法則」として提示する。続く第二章ではこの「自然法則」を、「自然において破壊を行うすべての力は、時の経過とともに、維持する諸力に従属するのみならず、自らも最後には全体の完成に役立たざるをえない」という標題のもとで弁神論に近い観点から説明する。しかしこれによって「フマニテート」の実体が明らかになったわけではないこともまた否定できないであろう。

「フマニテート」を構成する重要な要素としてヘルダーは第三章の標題にもあるように「理性と公正」を挙げる。この第三章ではランベルトの理論に従って、歴史を進める「活動する諸力」の最大値と最小値という考えが導入される。ヘルダーの目的は、歴史を考察し記述する際に、偶然的な要素をできるだけ除去し、歴史の「自然法則」を明らかにする点にある。そこでは「復讐の女神フリア」や「報復の女神ネメシス」にも言及され、歴史における因果応報という側面に注意が向けられる。続く第四章でも「理性」と「公正」が標題に掲げられ、ヘルダーは人類史を旅する一人の旅人になぞらえて、「この旅人がもし自分の視野を広げ、歴史からかなり精確に知られている時代を相互に公平に比較しさえすれば、そしてさらに人間の本性の奥深くに入り込み、理性と真理の何たるかを思い量るならば、この旅人は最も確実な自然真理に対するのと同じように、理性と真理、ひいては善の進展に対してもほとんど疑いをいだかないだろう」と述べる。特にこの「相互に公平に比較」するという視点は、ヘルダーの歴史記述の特徴でもある。第五章においては人間の「幸福」が主題となる。これは「序言」から第四部に至るまで、ほとんどすべての巻において考察される問題である。そして最後にボエティウスの『哲学のなぐさめ』への言及によって古代世界の終焉が告げられる。

中国から始まり、東から西へとヨーロッパに向かって人類の歴史を描く『人類歴史哲学考』の第三部では、たしかにギリシアとローマに比重が置かれすぎている観もあるが、全体として見れば、それぞれの地域や民族が、その大小を問わず、かなり公平に扱われているように思われる。また作品の評価という点では、第三部の前に置かれた第一部と第二部は、第一分冊の「訳者まえがき」でも見たようにカントの批判的な書評によって特に哲学を中心とするドイツの読書界からも遠い存在になったかもしれない。こうした状況はカントの書評が二度も日本語に訳された日本の読書界においても同じであったと推測される。その一方で、この第三部に対する評価として日本語で読めるものとしては、フランスの文筆家でゲーテ時代のドイツ文学や思想にも造詣が深かったスタール夫人(Anne Louise Germaine de Staël, 1766–1817)の『ドイツ論』(一八一三年)「第三十章　ヘルダー」における次の箇所が挙げられよう。

ドイツの文学者たちは、多くの点で、識者層が提供できるかぎりの最も尊敬すべき人たちである。これら文学者の中でヘルダーの立場はさらに独自なものである。その魂、その才気、その倫理性すべてが一緒になってその生涯を有名にした。彼の著作は三つの異なる観点、歴史、文学、神学から考察しうる。古代文明全般、とりわけ東洋の言語に大変熱中した。彼の『歴史哲学』と題する書物はおそらく最も魅力あるドイツ語の書物であろう。ローマ人の偉大さと衰退との原因に関しては、モンテスキューの作品ほどには政治的観察の深さが見出されない。しかしヘルダーは、はるか昔の時代の人間の天分を洞察することに専念していたので、彼の持つ最高に素晴らしい資質である想像力が、古い時代を紹介するのにおそらく他の何よりも役だっていたのだろう。暗闇の中を歩くにはそのような松明が必要である。ヘルダーの、ペルセポリス、バビロン、ヘブライ人、エジプト人といったさまざまな章を読むと心を魅了される。詩情豊かな歴史家と一緒に古代世界の中を散歩しているようだ。彼は細い棒で廃墟に触れ、私たちの眼前で崩壊した建物を復元してくれる。（訳文は、スタール夫人『ドイツ論2　文学と芸術』中村加津・大竹仁子訳、鳥影社、二〇〇二年、三四一頁）

4　第四部　第十六巻

『人類歴史哲学考』第四部は第三部が刊行された一七八七年から四年後の一七九一年に刊行された。これほどの時間が必要とされたのには二つの大きな理由があった。一つは、第三部刊行の翌一七八八年がハーマンの死とイタリア旅行という出来事によって、ヘルダーの生涯において大きな転機となったことである。すなわち、この年にトリア在住のカトリック司教座教会参事会員フーゴー・フォン・ダールベルクからイタリア旅行への誘いがあり、ヘルダーもその準備をしていたが、そのさなかにケーニヒスベルク時代からの恩師ハーマンが亡くなったことが知らされる。もう一人の恩師であったカントから『人類歴史哲学考』の第一部と第二部を酷評された当時のヘルダーにとって、ハーマンは自分を最も良く理解してくれる唯一と言えるほどの存在であった。このような状況の中で八月初めにヘルダーは単身イタリアへと旅立つ。イタリアではローマやナポリにまで足を延ばすが、このイタリア体験は、キリスト教の観点からローマを考察する第十七巻と第十九巻の執筆にも少なからぬ影響があったと推測される。

もう一つの理由は、ヘルダーがイタリアからヴァイマールに帰って一週間もしない一七八九年の七月にフランスで革命が起きたことである。その二〇年前の一七六九年に僅か二週間あまりであったがパリに滞在した経験のあるヘルダーにとって（拙訳『ヘルダー旅日記』を参照）、同地が革命の舞台となったことは決して他人事ではなかったであろう。ただ、『人類歴史哲学考』第四部の原稿をイタリアに向かう前にほとんど完成させていたとはいえ、教会制度や君主政治への批判を含む第四部をフランス革命の直後に刊行することは、カール・アウグスト公を君主に戴くヴァイマール公国の上級宗務局副局長というヘルダーの職務を考えると、彼自身の立場そのものをも危うくしかねないものであった。これらの理由から、第四部の刊行は当初の構想よりも大幅に遅れることになった。しかし何とか出版に至り、全二十巻の大作を完成させることができた。なおヘルダーはさらに第二十五巻まで書き続けるつもりであったが、これはフランス革命後のヴァイマールにおける政治的な状況などから実現されなかった。以下では、本・第四分冊に収録された第四部の第十六巻と第十七巻の内容を概観しておきたい。

第十六巻からは、神聖ローマ帝国の建設に代表されるキリスト教ヨーロッパが考察の主題となる。第四部の最初でもある第十六巻冒頭の「ここからわれわれは北方の古代世界の諸民族に目を向ける」という文章は、それまでのヨーロッパにおけるギリシアやローマを中心とした歴史記述に対して、アルプス以北の地、すなわちタキトゥスが『ゲルマーニア』において「蛮族の地」として描いた地域の諸民族の歴史を記述の対象とすることを示している。そこではラトヴィア人やプロイセン人など北東ヨーロッパの諸民族、およびフランク人などのゲルマン諸民族とスラヴ諸民族のように、広い意味でのヨーロッパに居住する民族と、アラブ人やユダヤ人など「ヨーロッパにおける外来民族」(第五章)が取り上げられる。こうした広範な考察の根底には、特に強者によって迫害を受ける少数民族や先住民族など弱者への視線が存在する。

こうした民族についてヘルダーが提唱するのは、それぞれの民族の歴史を伝える資料を集めて、各民族の歴史を記述することである。たとえばスラヴ系民族についてヘルダーはこう述べる。「われわれはこの民族の歴史について、種々の地方から貴重で有益な資料を集めている。それゆえ望まれるのは、足りない部分を他の地方からの資料で補い、次々と散逸しつつある彼らの習俗や歌謡や伝承の残存物を蒐集し、最終的には人類の姿をくまなく描くために必要な、このスラヴ系民族の全歴史を記述し刊行することであろう」(第四章)。ただ、この引用文で読み落とされてならないのは、ヘルダーが個々の民族の独自性を強調するとともに、「人類の姿をくまなく描く」ことの重要性も強調していることであろう。ちなみに「ゲルマン諸民族」(第三章)と「スラヴ諸民族」(第四章)の記述が「汎ゲルマン主義」や「汎スラヴ主義」と結びつくようになるのは、ヘルダーが亡くなってからの十九世紀以降の話である。

さて、人類史におけるヨーロッパの意義に目を向けるヘルダーが重視するのは「ヨーロッパの普遍精神」(第六章)である。すなわちそれは、ヨーロッパに居住する種々の民族が一つの共同体を形成するための基本原理とも呼ぶべきものであり、その具体的な在り方が第四部全体において考察される。ここでは第四部を読み進めるうえで重要な「普遍精神」という言葉について説明を加えておきたい。グリムの『ドイツ語辞典』の新訂版によれば、「普遍精神」の原語であるAllgemeingeistは英語のpublic spiritの借用語であるとされる(Bd. 2, Sp. 439)。したがって訳語としては「普遍精神」ではなく、私利私欲にとらわれずに社会全体の利益のために尽くそうとする精神を意味する「公共精神」あるいは「公共心」を選ぶべきであろう。実際また本書の第十三巻第一章で言及されたイギリスの「普遍精神」(第三分冊・二三〇頁)も「公共精神」と訳すべきであるかもしれない。

しかし本書『人類歴史哲学考』において問題となるのは、ヘルダーが「公共精神」という意味でのAllgemeingeistとほぼ同義のGemeingeistという語も使用していることである。たとえば同じ第十三章の第三章ではギリシアの国家体制との関連で「公共精神」(Gemeingeist)に言及し、「万事を少なくとも外見上は全体のために行うという精神こそがギリシア諸国家の魂であった」と述べている(第三分冊・二五九頁)。グリムの『ドイツ語辞典』の旧版によればGemeingeistにも英語のpublic spiritとの関係が指摘されており(Bd. 5, Sp. 3254)、それゆえヘルダーの使用するこれら二つのドイツ語を、ともに「公共精神」と訳しても問題がないことになる。そこで次に問われるべきは、ヘルダーが「私」に対する「公」の意味でこれら二つの語を併用しているのか、それとも両者の間に何か相違があるのか、あるいはまた、両者が部分的に重なり合うものなのかどうかということであろう。

いずれの見方にも妥当性が見出せるが、私見では二つの語には重なるところがあると思われる。すなわちAllgemeingeistには、「私」に対する「公」のみならず、allgemeinという形容詞が元来ラテン語のuniversalisに対応する語であるということもあり、「個別」に対する「普遍」の意味も含まれる。実際「ヨーロッパの普遍精神」の場合には、個々の民族や国家の相違を内包した共同精神あるいは共同体が想定されているように見える。具体的には第十四巻で考察される古代の「ローマ帝国」や第十七巻以降で取り上げられる「ローマ・カトリック教会」、もしくは第十八巻で登場する「神聖ローマ帝国」などが考えられる。そして『人類歴史哲学考』全体においては、すべての人類を包括する地球という共同体が念頭に置かれている。それゆえAllgemeingeistとGemeingeistに共通する第三の訳語を挙げるとすれば「共同精神」とでもなろう。

ただ、翻訳においては複数の訳語を同時に提示できないため、AllgemeingeistとGemeingeistを今回のように「普遍精神」と「公共精神」に訳し分けた。しかし逆にそうなると、原語のドイツ語ではGemeingeistが両者に共通のものとして存在するのに対して、日本語では表記の点からも両者は互いに異なるものとして理解される。たしかに翻訳に際してこうした事態が生じるのは通常のことなので、あえてここまで詳しく説明する必要もないかもしれない。とはいえ、これら二つの言葉は『人類歴史哲学考』のみならず、ヘルダーの思想全体においても重要なものであるだけに、両者の関係に言及しないわけにはいかない。そしてまた両者をともに英語の public spirit の借用語であるという理由から「公共精神」という一つの訳語に集約させることもできない。なぜなら、これら二つのドイツ語は、普遍性に対する個別性の一つの端的な現れである偏狭な愛国心のみならず、反啓蒙主義的な姿勢とも相容れないように見えるからである。しかし本書の第十三巻で見られたように「愛国心と啓蒙」(第三分冊・二七六頁)は必ずしも対立するものではない。

これを第十六巻の「ヨーロッパの普遍精神」(第六章)に即して見るならば、そこでの普遍とは、ヨーロッパに居住し、あるいは移住した個々の民族の「混淆」を通じて形成されるものである。しかしヘルダー自身も述べるように、その結果として「いくつものヨーロッパ民族が古代から有していた部族としての形態的特徴は弱められ、かつ変化した」のみならず、「ヨーロッパではすべてが民族のさまざまな性格を次第に消し去ろうとする傾向にある」。したがってヨーロッパにおいては特定の民族だけが他の民族を支配するようなことは起こりえないし、また起こるべきでもない。ただ、それでは個々の民族の個別性はいったいどのようにして担保されるのであろうか。そのさい注目すべきは、個々の民族の原初の形が永遠に保持されると考えられていないことである。「ヨーロッパにおいては、どの民族として独自の力で文化の域に達したものはない」と言われるように、諸民族の「混淆」を通じてのヨーロッパの形成こそが「ヨーロッパの普遍精神」の目標となるが、これは『人類歴史哲学考』の最後に置かれた第二十巻の第四章と第五章において議論されることになる。その一方で民族の個別性についてヘルダーは、諸民族間で互いに弱められる人間の「形態的特徴」ではなく、「諸民族の習俗や言語」によって保持することを考えている。すなわち、ヘルダーにとっての民族の個別性とは、人間の「形態的特徴」といった先天的な要素に依存するというよりも、家族や社会の中で伝承されている習俗や、その中で話されている言語を、後天的に習得することによって保持されるべきものであると言えよう。

5　第四部　第十七巻

「ヨーロッパの普遍精神」を語るうえで不可欠なのは、文字どおり「普遍」を標榜する「ローマ・カトリック教会」である。第十七巻ではキリスト教が、その成立と、その後の東方諸国における流布とギリシア諸国やローマ諸州における進展という観点から考察される。第十六巻が諸民族の移動を主題としているとすれば、この第十七巻は、諸言語間の翻訳を通じての宗教の伝播あるいは移動を主題としている。またこうした初期キリスト教史の記述の背景には、ギボンの『ローマ帝国衰亡史』の特に第十五章と第十六章(いずれも一七七六年刊行の第一巻に収録)におけるキリスト教に関する記述も想定される。たしかにヘルダーの手になる第十七巻は、ギボンによる委曲を尽くした記述には及ばないが、それでもキリスト教の歴史の根源的な部分を、人類史という大きな枠組みの中で過不足なく叙述していると言えよう。

まず第十七巻の冒頭部分で注目すべきは、ヘルダーがイエスの言葉に「最も純粋なフマニテート」が含まれると述べていることであろう。ヘルダーにおけるフマニテートの概念は、ほとんど定義不能に思われるが、それでもこの「最も純粋なフマニテート」という表現を、第四巻第六章冒頭の段落(第一分冊・二六九頁)と照らし合わせるならば、彼が最初からイエス・キリストを措定するのではなく、あくまでもナザレのイエスという人間を出発点としてキリスト教について考察しようとしていることが見てとれる。そしてこのフマニテートは、イエスが「その生涯という形で実証し、自らの死によって裏づけたもの」とされる。言い換えればそれは、ナザレのイエスという歴史上の人物の残した言葉が、この人物の十字架上の死によって、神とイエス・キリストを信じる者たちの中で普遍的なものとなることを意味している。そしてイエスの言葉は「普遍的に活動を行うフマニテート」として個々の信者の中で生き続ける。しかしヘルダーが人類史におけるキリスト教に認める意義は、次の文章、すなわち「歴史においてこれほど短期間のうちに、かくも静かに惹き起こされ、ひ弱な道具によって、あれほど風変わりな方法で、今なお見極めがたいほどの効果を地球上の至るところに植えつけた変革はどこにも見られない」という文章にも端的に示されている。

第一章ではユダヤ教という民族的宗教からのキリスト教の誕生と発展の様子が描かれる。そのさいヘルダーが重視するのは、当時のユダヤの国と、これを統治するローマ帝国との関係である。こうした歴史的状況の中で「当時ローマ人は、その広大な帝国において普遍的な寛容精神を保持し、かつ至るところに折衷哲学(…)を普及させていたが、今ここに、もう一つ、すべての民族をたった一つの民族にするような民族信仰が現れた」。ここで言われる「たった一つの民族」とは「神の民」としての人類全体を指している。この引用文にはまたヨーロッパ世界全体の盟主たらんとするローマ帝国と、たとえ信仰という世界においてであれ、全人類を神のもとで一つの民族にしようとするキリスト教、すなわちローマ・カトリック教会との確執が予見されている。さらにヘルダーは、「この信仰は、たった一つの神と救世主を教え知らしめることによって、すべての民族を同胞たらしめたが、この信仰を軛や鎖として、すべての民族に押しつけるその瞬間に、すべての民族を奴隷にすることもできた」と述べることによって、この信仰が後に教義として制度化および正統化され、そこから除外されるものを異端として抑圧することに危惧の念を表明する。

「東方諸国におけるキリスト教の伝播」と題された第二章では、キリスト教が「東方の哲学」や「マニの教義」など種々の形をとりながら「インド、チベット、中国にまで押し寄せた」過程が詳述される。その中では「特に五世紀以降アジアの奥深くにまで広がり、多種多様な利益をもたらした」ネストリウス派にも目が向けられるが、同時にヘルダーは「読者諸賢はどうかこの動きから、たとえばギリシア人やローマ人において見出された人間精神の新たな独自の開花を期待しないでほしい」と述べ、この宗派に対する人類史的な観点からの批判も忘れてはいない。しかし第二章でこれにもまして重要なのは、グノーシス派に代表される「異端」もしくは「異端者」に対するヘルダーの視線であろう。なぜならヘルダーにとって「異端」はたしかに「正統」の側からすれば排除されるべきものであろうが、人類史という見地からは不可欠であるだけでなく、尊重もされなければならないからである。「人類史はどのような異端者の名前も知らないいため、これらの挫折した試みのどれもが人類史にとっては貴重であり、かつ注目に値するものなのだ。これらの宗派については、教会の立場から多大な努力がなされたのだから、これらの努力に基づいて純粋に哲学的な研究を行い、次のことを、すなわち、これらの宗派が自分たちの考えをどこから得てきたのか？　それらの考えで何を言おうとしたのか？　それらの考えがどのような実りをもたらしたのかということを明らかにするのは、人間知性の歴史にとって決して無益ではないだろう」とヘルダーが力説するのもこのような意味においてである。

さらに第二章で興味深いのは、キリスト教の伝播に際しては、「キリスト教が教えられる手段である言語に多くのことが左右される」という点である。これについてヘルダーは、「アルメニア語、シリア語、アラビア語にもギリシア語から啓蒙の火花が飛び込んできた」と述べ、ギリシア語がこれらの言語において果たした肯定的な役割に着目する。しかし同時にヘルダーは「ギリシア諸国におけるキリスト教の進展」と題された第三章において「ロゴスという言葉から、さまざまな異端や暴力行為が生れたのであり、それらを目の前にすると、われわれの中のロゴス、すなわち健全な理性は今なお戦慄を禁じえない」と述べ、ロゴスというギリシア語に起因する種々の論争に見られる否定的な側面にもあらためて読者の注意を促す。それはまたプラトンやアリストテレス、さらにはヘロドトスやトゥキュディデスを産み、かつ育てたギリシア語という言語が持つ、もう一つの側面でもあった。

その背景には『新約聖書』の「ヨハネによる福音書」(一、一―四)のギリシア語で書かれた次の章句がある。「初めに言(ことば)があった。／言(ことば)は神と共にあった。／言(ことば)は神であった。／この言(ことば)は、初めに神と共にあった。／万物は言(ことば)によって成った。／成ったもので、言(ことば)によらずに成ったものは何一つなかった。／言(ことば)の内に命があった。／命は人間を照らす光であった。」なかでも冒頭の「初めに言(ことば)があった」の「言(ことば)」の原語であるλόγος(ロゴス)には「理性」という意味もあり、このλόγοςをどのように解釈し、また翻訳するかということは、ゲーテの『ファウスト　第一部』「書斎」の場における翻訳の場面を挙げるまでもなく、ヨーロッパ思想史の大問題であった。ヘルダーはこのλόγοςの解釈をめぐってキリスト教の内部で生じた種々の事態や混乱について批判的に記述を進める。

最後の第四章では、東方から再びローマに戻り、キリスト教がローマ帝国の国教となる過程が描かれる。それによってこの第十七巻は第十四巻における古代ローマの記述、および第十九巻におけるローマ・カトリックの記述と結びつく。これ以降の巻も含めて、ヘルダーによる初期キリスト教に関する記述は、彼自身がプロテスタントの聖職者であったことを考えても、人類史という大きな枠組みを念頭に置いた幅の広さと、ローマ帝国におけるキリスト教の国教化に関わった多くの人物や地域に関する重層的な記述において今なお一読の価値があると言えよう。そして特に異端者に対するヘルダーの言葉、すなわち「われわれは、これらの狂信的な異端者の多くが進取の気性に富み、思索を重視する頭脳の持ち主であったことも書き記しておきたい」(第二章)という言葉は、第十九巻や第二十巻におけるローマ・カトリック教会への批判と、その後の宗教改革にもあてはまるものである。このように第十七巻における初期キリスト教の歴史は、それ以前の巻でも考察された宗教に関する多くの記述と並んで「人間の知性と心情の歴史」(第二分冊・二五〇頁)を考えるうえで欠くことのできない部分となっている。

人類歴史哲学考（四）〔全5冊〕　ヘルダー著

2024年6月14日　第1刷発行

訳　者　嶋田洋一郎

発行者　坂本政謙

発行所　株式会社　岩波書店
〒101-8002　東京都千代田区一ツ橋2-5-5
案内 03-5210-4000　営業部 03-5210-4111
文庫編集部 03-5210-4051
https://www.iwanami.co.jp/

印刷・三秀舎　カバー・精興社　製本・中永製本

ISBN 978-4-00-386035-9　　Printed in Japan

読書子に寄す

——岩波文庫発刊に際して——

岩波茂雄

真理は万人によって求められることを自ら欲し、芸術は万人によって愛されることを自ら望む。かつては民を愚昧ならしめるために学芸が最も狭き堂宇に閉鎖されたことがあった。今や知識と美とを特権階級の独占より奪い返すことはつねに進取的なる民衆の切実なる要求である。岩波文庫はこの要求に応じそれに励まされて生まれた。それは生命ある不朽の書を少数者の書斎と研究室とより解放して街頭にくまなく立たしめ民衆に伍せしめるであろう。近時大量生産予約出版の流行を見る。その広告宣伝の狂態はしばらくおくも、後代にのこすと誇称する全集がその編集に万全の用意をなしたるか。千古の典籍の翻訳企図に敬虔の態度を欠かざりしか。さらに分売を許さず読者を繫縛して数十冊を強うるがごとき、はたしてその揚言する学芸解放のゆえんなりや。吾人は天下の名士の声に和してこれを推挙するに躊躇するものである。このときにあたって、岩波書店は自己の責務のいよいよ重大なるを思い、従来の方針の徹底を期するため、すでに十数年以前より志して来た計画を慎重審議この際断然実行することにした。吾人は範をかのレクラム文庫にとり、古今東西にわたって文芸・哲学・社会科学・自然科学等種類のいかんを問わず、いやしくも万人の必読すべき真に古典的価値ある書をきわめて簡易なる形式において逐次刊行し、あらゆる人間に須要なる生活向上の資料、生活批判の原理を提供せんと欲する。この文庫は予約出版の方法を排したるがゆえに、読者は自己の欲する時に自己の欲する書物を各個に自由に選択することができる。携帯に便にして価格の低きを最主とするがゆえに、外観を顧みざるも内容に至っては厳選最も力を尽くし、従来の岩波出版物の特色をますます発揮せしめようとする。この計画たるや世間の一時の投機的なるものと異なり、永遠の事業として吾人は微力を傾倒し、あらゆる犠牲を忍んで今後永久に継続発展せしめ、もって文庫の使命を遺憾なく果たさしめることを期する。芸術を愛し知識を求むる士の自ら進んでこの挙に参加し、希望と忠言とを寄せられることは吾人の熱望するところである。その性質上経済的には最も困難多きこの事業にあえて当たらんとする吾人の志を諒として、その達成のため世の読書子とのうるわしき共同を期待する。

昭和二年七月

《哲学・教育・宗教》〔青〕

ソクラテスの弁明・クリトン　プラトン　久保勉訳
ゴルギアス　プラトン　加来彰俊訳
饗宴　プラトン　久保勉訳
テアイテトス　プラトン　田中美知太郎訳
パイドロス　プラトン　藤沢令夫訳
メノン　プラトン　藤沢令夫訳
国家　全二冊　プラトン　藤沢令夫訳
プロタゴラス ―ソフィストたち　プラトン　藤沢令夫訳
パイドン ―魂の不死について　プラトン　岩田靖夫訳
アナバシス ―敵中横断六〇〇〇キロ　クセノポン　松平千秋訳
アリストテレス ニコマコス倫理学　全二冊　高田三郎訳
アリストテレス 形而上学　全二冊　出隆訳
アリストテレス 弁論術　戸塚七郎訳
アリストテレース詩学　ホラーティウス詩論　松本仁助・岡道男訳
物の本質について　ルクレーティウス　樋口勝彦訳
エピクロス ―教説と手紙　出隆・岩崎允胤訳

生の短さについて 他二篇　セネカ　大西英文訳
怒りについて 他二篇　セネカ　兼利琢也訳
エピクテトス 人生談義　全二冊　國方栄二訳
人さまざま　テオプラストス　森進一訳
マルクス・アウレーリウス 自省録　神谷美恵子訳
老年について　キケロー　中務哲郎訳
弁論家について　全二冊　キケロー　大西英文訳
キケロー書簡集　高橋宏幸編
平和の訴え　エラスムス　箕輪三郎訳
方法序説　デカルト　谷川多佳子訳
哲学原理　デカルト　桂寿一訳
情念論　デカルト　谷川多佳子訳
パンセ　全三冊　パスカル　塩川徹也訳
スピノザ 神学・政治論　全二冊　畠中尚志訳
知性改善論　スピノザ　畠中尚志訳
スピノザ エチカ（倫理学）　全二冊　畠中尚志訳
スピノザ 国家論　畠中尚志訳

スピノザ往復書簡集　畠中尚志訳
デカルトの哲学原理 ―附 形而上学的思想　スピノザ　畠中尚志訳
スピノザ 神・人間及び人間の幸福に関する短論文　畠中尚志訳
モナドロジー 他二篇　ライプニッツ　谷川多佳子・岡部英男訳
市民の国について　全二冊　ヒューム　小松茂夫訳
自然宗教をめぐる対話　ヒューム　犬塚元訳
エミール　全三冊　ルソー　今野一雄訳
人間不平等起原論　ルソー　本田喜代治・平岡昇訳
ルソー 社会契約論　桑原武夫・前川貞次郎訳
言語起源論 ―旋律と音楽的模倣について　ルソー　増田真訳
ディドロ 絵画について　佐々木健一訳
道徳形而上学原論　カント　篠田英雄訳
啓蒙とは何か 他四篇　カント　篠田英雄訳
純粋理性批判　全三冊　カント　篠田英雄訳
カント 実践理性批判　波多野精一・宮本和吉・篠田英雄訳
判断力批判　全二冊　カント　篠田英雄訳
永遠平和のために　カント　宇都宮芳明訳

- プロレゴメナ　カント　篠田英雄訳
- 学者の使命・学者の本質　フィヒテ　宮崎洋三訳
- シュライエルマッハー 独白　木場深定訳
- ヘーゲル 政治論文集 全二冊　金子武蔵訳
- 哲学史序論 —哲学と哲学史　ヘーゲル　武市健人訳
- 歴史哲学講義 全二冊　ヘーゲル　長谷川宏訳
- 法の哲学 —自然法と国家学の要綱　ヘーゲル　上妻精・佐藤康邦・山田忠彰訳
- 学問論　シェリング　西川富雄・藤田正勝監訳
- 自殺について 他四篇　ショウペンハウエル　斎藤信治訳
- 読書について 他二篇　ショウペンハウエル　斎藤忍随訳
- 知性について 他四篇　ショーペンハウエル　細谷貞雄訳
- 不安の概念　キェルケゴール　斎藤信治訳
- 死に至る病　キェルケゴール　斎藤信治訳
- 体験と創作 全二冊　ディルタイ　柴田治三郎・小牧健夫訳
- 眠られぬ夜のために 全二冊　ヒルティ　草間平作・大和邦太郎訳
- 幸福論 全三冊　ヒルティ　草間平作・大和邦太郎訳
- 悲劇の誕生　ニーチェ　秋山英夫訳

- ツァラトゥストラはこう言った 全二冊　ニーチェ　氷上英廣訳
- 道徳の系譜　ニーチェ　木場深定訳
- 善悪の彼岸　ニーチェ　木場深定訳
- この人を見よ　ニーチェ　手塚富雄訳
- プラグマティズム　W・ジェイムズ　桝田啓三郎訳
- 宗教的経験の諸相 全二冊　W・ジェイムズ　桝田啓三郎訳
- 日常生活の精神病理　フロイト　高田珠樹訳
- 純粋現象学及現象学的哲学考案 全二冊　フッセル　池上鎌三訳
- デカルト的省察　フッサール　浜渦辰二訳
- 愛の断想・日々の断想　ジンメル　清水幾太郎訳
- ジンメル宗教論集　深澤英隆編訳
- 笑い　ベルクソン　林達夫訳
- 道徳と宗教の二源泉　ベルクソン　平山高次訳
- 時間と自由　ベルクソン　中村文郎訳
- ラッセル教育論　安藤貞雄訳
- ラッセル幸福論　安藤貞雄訳
- 存在と時間 全四冊　ハイデガー　熊野純彦訳

- 学校と社会　デューイ　宮原誠一訳
- 民主主義と教育 全二冊　デューイ　松野安男訳
- 我と汝・対話　マルティン・ブーバー　植田重雄訳
- アラン 幸福論　神谷幹夫訳
- アラン 定義集　神谷幹夫訳
- 天才の心理学　E・クレッチュマー　内村祐之訳
- 英語発達小史　H・ブラッドリ　寺澤芳雄訳
- 日本の弓術　オイゲン・ヘリゲル述　柴田治三郎訳
- ことばのロマンス —英語の語源　ウィークリー　寺澤芳雄・出淵博訳
- ヴィーコ 学問の方法　上村忠男・佐々木力訳
- 国家と神話 全二冊　カッシーラー　熊野純彦訳
- 天才・悪　ブレンターノ　篠田英雄訳
- 人間の頭脳活動の本質 他一篇　ディーツゲン　小松摂郎訳
- プラトン入門　R・S・ブラック　内山勝利訳
- 反啓蒙思想 他二篇　バーリン　松本礼二編
- マキアヴェッリの独創性 他三篇　バーリン　川出良枝編
- ロシア・インテリゲンツィヤの誕生 他五篇　バーリン　桑野隆編

- 論理哲学論考 ウィトゲンシュタイン 野矢茂樹訳
- 自由と社会的抑圧 シモーヌ・ヴェイユ 冨原眞弓訳
- 根をもつこと 全二冊 シモーヌ・ヴェイユ 冨原眞弓訳
- 重力と恩寵 シモーヌ・ヴェイユ 冨原眞弓訳
- 全体性と無限 全二冊 レヴィナス 熊野純彦訳
- 啓蒙の弁証法 —哲学的断想 M・ホルクハイマー T・W・アドルノ 徳永恂訳
- ヘーゲルからニーチェへ —十九世紀思想における革命的断絶 全二冊 レーヴィット 三島憲一訳
- 統辞構造論 付『言語理論の論理構造』序論 チョムスキー 福井直樹 辻子美保子訳
- 統辞理論の諸相 方法論序説 チョムスキー 辻子美保子 福井直樹訳
- 快楽について ロレンツォ・ヴァッラ 近藤恒一訳
- 古代懐疑主義入門 判断保留の十の方式 J・アナス J・バーンズ 金山弥平訳
- ニーチェ みずからの時代と闘う者 ルドルフ・シュタイナー 高橋巖訳
- フランス革命期の公教育論 コンドルセ他 阪上孝編訳
- フレーベル自伝 長田新訳
- 旧約聖書 創世記 関根正雄訳
- 旧約聖書 出エジプト記 関根正雄訳
- 旧約聖書 ヨブ記 関根正雄訳

- 旧約聖書 詩篇 関根正雄訳
- 新約聖書 福音書 塚本虎二訳
- 文語訳 新約聖書 詩篇付
- 文語訳 旧約聖書 全四冊
- キリストにならいて トマス・ア・ケンピス 大沢章 呉茂一訳
- 聖アウグスティヌス 告白 全二冊 服部英次郎訳
- アウグスティヌス 神の国 全五冊 服部英次郎 藤本雄三訳
- 新訳 キリスト者の自由・聖書への序言 マルティン・ルター 石原謙訳
- キリスト教と世界宗教 シュヴァイツェル 鈴木俊郎訳
- 水と原生林のはざまで シュヴァイツェル 野村実訳
- コーラン 全三冊 井筒俊彦訳
- エックハルト説教集 田島照久編訳
- ムハンマドのことば ハディース 小杉泰編訳
- 新約聖書外典 ナグ・ハマディ文書抄 荒井献 大貫隆 小林稔 筒井賢治 編訳
- 後期資本主義における正統化の問題 ハーバーマス 山田正行・金慧訳
- シンボルの哲学 —理性、祭礼、芸術のシンボル試論 S・K・ランガー 塚本明子訳

- ジャック・ラカン 精神分析の四基本概念 全二冊 ジャック=アラン・ミレール編 小出浩之 新宮一成 鈴木國文 小川豊昭 訳
- 精神と自然 生きた世界の認識論 グレゴリー・ベイトソン 佐藤良明訳
- 人間の知的能力に関する試論 全二冊 トマス・リード 戸田剛文訳
- 開かれた社会とその敵 全四冊 カール・ポパー 小河原誠訳

《歴史・地理》〔青〕

- 新訂 魏志倭人伝・後漢書倭伝・宋書倭国伝・隋書倭国伝 —中国正史日本伝1　石原道博編訳
- 新訂 旧唐書倭国日本伝・宋史日本伝・元史日本伝 —中国正史日本伝2　石原道博編訳
- ヘロドトス 歴史 全三冊　松平千秋訳
- トゥーキュディデース 戦史 全三冊　久保正彰訳
- ガリア戦記　カエサル　近山金次訳
- ランケ 世界史概観 —近世史の諸時代　鈴木成高・相原信作訳
- ランケ自伝　林健太郎訳
- 歴史とは何ぞや　ベルンハイム　坂口昻・小野鉄二訳
- 歴史における個人の役割　プレハーノフ　木原正雄訳
- 古代への情熱 —シュリーマン自伝　シュリーマン　村田数之亮訳
- アーネスト・サトウ 一外交官の見た明治維新 全二冊　坂田精一訳
- ベルツの日記 全二冊　トク・ベルツ編　菅沼竜太郎訳
- 武家の女性　山川菊栄
- インディアスの破壊についての簡潔な報告　ラス・カサス　染田秀藤訳
- ラス・カサス インディアス史 全七冊　長南実訳　石原保徳編
- コロンブス 全航海の報告　林屋永吉訳

- 戊辰物語　東京日日新聞社会部編
- 大森貝塚 —付 関連史料　E・S・モース　近藤義郎・佐原真編訳
- ナポレオン言行録　オクターヴ・オブリ編　大塚幸男訳
- 中世的世界の形成　石母田正
- 日本の古代国家　石母田正
- 平家物語 他六篇　石母田正　高橋昌明編
- クリオの顔 歴史随想集　E・H・ノーマン　大窪愿二編訳
- 日本における近代国家の成立　E・H・ノーマン　大窪愿二訳
- 旧事諮問録 —江戸幕府役人の証言 全二冊　旧事諮問会編　進士慶幹校注
- 朝鮮・琉球航海記 —一八一六年アマースト使節団とともに　ベイジル・ホール　春名徹訳
- アリランの歌 —ある朝鮮人革命家の生涯　ニム・ウェールズ　キム・サン　松平いを子訳
- さまよえる湖 全二冊　ヘディン　福田宏年訳
- 老松堂日本行録 —朝鮮使節の見た中世日本　宋希璟　村井章介校注
- 十八世紀パリ生活誌 —タブロー・ド・パリ 全二冊　メルシエ　原宏編訳
- 北槎聞略 —大黒屋光太夫ロシア漂流記　桂川甫周　亀井高孝校訂
- ヨーロッパ文化と日本文化　ルイス・フロイス　岡田章雄訳注
- ギリシア案内記 全二冊　パウサニアス　馬場恵二訳

- 西遊草　清河八郎　小山松勝一郎校注
- オデュッセウスの世界　フィンリー　下田立行訳
- 東京に暮す —一九二八〜一九三六　キャサリン・サンソム　大久保美春訳
- ミカド —日本の内なる力　W・E・グリフィス　亀井俊介訳
- 増補 幕末百話　篠田鉱造
- 幕末明治 女百話 全二冊　篠田鉱造
- トゥバ紀行　メンヒェン=ヘルフェン　田中克彦訳
- 徳川時代の宗教　R・N・ベラー　池田昭訳
- ある出稼石工の回想　マルタン・ナド　喜安朗訳
- 植物巡礼 —プラント・ハンターの回想　F・キングドン-ウォード　塚谷裕一訳
- モンゴルの歴史と文化　ハイシッヒ　田中克彦訳
- ダンピア 最新世界周航記 全二冊　平野敬一訳
- ローマ建国史 全三冊（既刊上巻）　リーウィウス　鈴木一州訳
- 元治夢物語 —幕末同時代史　馬場文英　徳田武校注
- フランス・プロテスタントの反乱 —カミザール戦争の記録　カヴァリエ　二宮フサ訳
- ニコライの日記 —ロシア人宣教師が生きた明治日本 全三冊　中村健之介編訳
- 徳川制度 全三冊・補遺　加藤貴校注

第二のデモクラテス
戦争の正当原因についての対話
セプールベダ
染田秀藤訳

ユグルタ戦争 カティリーナの陰謀
サルスティウス
栗田伸子訳

史的システムとしての資本主義
ウォーラーステイン
川北稔訳

《法律・政治》〔白〕

人権宣言集　高木八尺・末延三次・宮沢俊義編
新版 世界憲法集 第二版　高橋和之編
君主論　マキアヴェッリ／河島英昭訳
フィレンツェ史 全二冊　マキァヴェッリ／齊藤寛海訳
リヴァイアサン 全四冊　ホッブズ／水田洋訳
法の精神 全三冊　モンテスキュー／野田良之・稲本洋之助・上原行雄・田中治男・三辺博之・横田地弘訳
教育に関する考察　ロック／服部知文訳
完訳 統治二論　ジョン・ロック／加藤節訳
寛容についての手紙　ジョン・ロック／加藤節・李静和訳
キリスト教の合理性　ジョン・ロック／加藤節訳
ルソー 社会契約論　桑原武夫・前川貞次郎訳
アメリカのデモクラシー 全四冊　トクヴィル／松本礼二訳
リンカーン演説集　高木八尺・斎藤光訳
権利のための闘争　イェーリング／村上淳一訳
近代人の自由と古代人の自由・征服の精神と簒奪 他一篇　コンスタン／堤林剣・堤林恵訳
民主主義の本質と価値 他一篇　ハンス・ケルゼン／長尾龍一・植田俊太郎訳
外交談判法　カリエール／坂野正高訳
危機の二十年―理想と現実　E・H・カー／原彬久訳
ザ・フェデラリスト　A・ハミルトン・J・ジェイ・J・マディソン／斎藤眞・中野勝郎訳
アメリカの黒人演説集―キング・マルコムX・モリスン他　荒このみ編訳
モーゲンソー 国際政治―権力と平和 全三冊　原彬久監訳
ポリアーキー　ロバート・A・ダール／高畠通敏・前田脩訳
現代議会主義の精神史的状況 他一篇　カール・シュミット／樋口陽一訳
政治的なものの概念　カール・シュミット／権左武志訳
第二次世界大戦外交史 全二冊　芦田均
憲法講話　美濃部達吉
日本国憲法　長谷部恭男解説
民主体制の崩壊―危機・崩壊・再均衡　ファン・リンス／横田正顕訳
憲法　鵜飼信成

《経済・社会》〔白〕

政治算術　ペティ／大内兵衛・松川七郎訳
国富論 全四冊　アダム・スミス／水田洋監訳・杉山忠平訳
法学講義　アダム・スミス／水田洋訳
コモン・センス 他三篇　トーマス・ペイン／小松春雄訳
経済学における諸定義　マルサス／玉野井芳郎訳
オウエン自叙伝　ロバアト・オウエン／五島茂訳
戦争論 全三冊　クラウゼヴィッツ／篠田英雄訳
自由論　J・S・ミル／塩尻公明・木村健康訳
大学教育について　J・S・ミル／竹内一誠訳
功利主義　J・S・ミル／関口正司訳
イギリス国制論 全二冊　バジョット／遠山隆淑訳
ユダヤ人問題によせて ヘーゲル法哲学批判序説　マルクス／城塚登訳
経済学・哲学草稿　マルクス／城塚登・田中吉六訳
新編輯版 ドイツ・イデオロギー　マルクス・エンゲルス／廣松渉編訳・小林昌人補訳
マルクス・エンゲルス 共産党宣言　大内兵衛・向坂逸郎訳
賃労働と資本　マルクス／長谷部文雄訳
賃銀・価格および利潤　マルクス／長谷部文雄訳
マルクス 経済学批判　武田隆夫・遠藤湘吉・大内力・加藤俊彦訳
マルクス 資本論 全九冊　エンゲルス編／向坂逸郎訳
トロツキー わが生涯 全二冊　森田成也・志田昇訳

- 空想より科学へ —社会主義の発展　エンゲルス　大内兵衛訳
- 帝国主義論　全二冊　ホブスン　矢内原忠雄訳
- 帝国主義　レーニン　宇高基輔訳
- 国家と革命　レーニン　宇高基輔訳
- ローザ・ルクセンブルク獄中からの手紙　秋元寿恵夫訳
- 雇用、利子および貨幣の一般理論　全二冊　ケインズ　間宮陽介訳
- シュムペーター経済発展の理論　全二冊　塩野谷祐一・中山伊知郎・東畑精一訳
- シュムペーター経済学史 —学説ならびに方法の諸段階　中山伊知郎・東畑精一訳
- 租税国家の危機　シュムペーター　木村元一・小谷義次訳
- 日本資本主義分析　山田盛太郎
- 恐慌論　宇野弘蔵
- 経済原論　宇野弘蔵
- 資本主義と市民社会 他十四篇　大塚久雄　齋藤英里編
- 共同体の基礎理論 他六篇　大塚久雄　小野塚知二編
- ユートピアだより　ウィリアム・モリス　川端康雄訳
- 社会科学と社会政策にかかわる認識の「客観性」　マックス・ヴェーバー　富永祐治・立野保男訳　折原浩補訳
- プロテスタンティズムの倫理と資本主義の精神　マックス・ヴェーバー　大塚久雄訳

- 職業としての学問　マックス・ウェーバー　尾高邦雄訳
- 社会学の根本概念　マックス・ヴェーバー　清水幾太郎訳
- 職業としての政治　マックス・ヴェーバー　脇圭平訳
- 古代ユダヤ教　全三冊　マックス・ヴェーバー　内田芳明訳
- 宗教と資本主義の興隆 —歴史的研究　全二冊　トーニー　出口勇蔵・越智武臣訳
- 世論　全二冊　リップマン　掛川トミ子訳
- 鯰絵 —民俗的想像力の世界　C・アウエハント　小松和彦・中沢新一・飯島吉晴・古家信平訳
- 贈与論 他二篇　マルセル・モース　森山工訳
- 国民論 他二篇　マルセル・モース　森山工編訳
- ヨーロッパの昔話 その形と本質　マックス・リュティ　小澤俊夫訳
- 独裁と民主政治の社会的起源 —近代世界形成過程における領主と農民　全二冊　バリントン・ムーア　宮崎隆次・森山茂徳・高橋直樹訳
- 大衆の反逆　オルテガ・イ・ガセット　佐々木孝訳

《自然科学》〔青〕

- ヒポクラテス医学論集　國方栄二編訳
- 科学と仮説　ポアンカレ　河野伊三郎訳
- ロウソクの科学　ファラデー　竹内敬人訳
- 種の起原　全二冊　ダーウィン　八杉龍一訳

- 自然発生説の検討　パストゥール　山口清三郎訳
- 完訳ファーブル昆虫記　全十冊　山田吉彦・林達夫訳
- 科学談義　T・H・ハックスリ　小泉丹訳
- メンデル雑種植物の研究　岩槻邦男・須原準平訳
- アインシュタイン相対性理論　内山龍雄訳・解説
- 相対論の意味　アインシュタイン　矢野健太郎訳
- アインシュタイン一般相対性理論　小玉英雄編訳・解説
- 自然美と其驚異　ジョン・ラバック　板倉勝忠訳
- ダーウィニズム論集　八杉龍一編訳
- ニールス・ボーア論文集1 因果性と相補性　山本義隆編訳
- ニールス・ボーア論文集2 量子力学の誕生　山本義隆編訳
- パロマーの巨人望遠鏡　全二冊　D・O・ウッドベリー　関正雄・湯澤博・成相恭二訳
- ハッブル銀河の世界　戎崎俊一訳
- 生物から見た世界　ユクスキュル　クリサート　日高敏隆・羽田節子訳
- ゲーデル不完全性定理　林晋・八杉満利子訳
- 日本の酒　坂口謹一郎
- 生命とは何か —物理的にみた生細胞　シュレーディンガー　岡小天・鎮目恭夫訳

ウィーナー サイバネティックス ―動物と機械における制御と通信　池原止戈夫・彌永昌吉・室賀三郎・戸田巌 訳

熱輻射論講義　マックス・プランク　西尾成子 訳

コレラの感染様式について　ジョン・スノウ　山本太郎 訳

20世紀科学論文集 現代宇宙論の誕生　須藤靖 編

高峰譲吉文集 いかにして発明国民となるべきか　鈴木淳 編

相対性理論の起原 他四篇　廣重徹　西尾成子 編

《ドイツ文学》〔赤〕

ニーベルンゲンの歌 全二冊 相良守峯訳
若きウェルテルの悩み ゲーテ 竹山道雄訳
ヴィルヘルム・マイスターの修業時代 全三冊 ゲーテ 山崎章甫訳
イタリア紀行 全三冊 ゲーテ 相良守峯訳
ファウスト 全二冊 ゲーテ 相良守峯訳
ゲーテとの対話 全三冊 エッカーマン 山下肇訳
スペインの太子 ドン・カルロス シルレル 佐藤通次訳
ヒュペーリオン ―希臘の世捨人 ヘルデルリーン 渡辺格司訳
青い花 ノヴァーリス 青山隆夫訳
夜の讃歌・サイスの弟子たち 他一篇 ノヴァーリス 今泉文子訳
完訳 グリム童話集 全五冊 金田鬼一訳
黄金の壺 ホフマン 神品芳夫訳
ホフマン短篇集 池内紀編訳
影をなくした男 シャミッソー 池内紀訳
流刑の神々・精霊物語 ハイネ 小沢俊夫訳
ブリギッタ・森の泉 他一篇 シュティフター 宇多五郎 高安国世訳

みずうみ 他四篇 シュトルム 関泰祐訳
村のロメオとユリア ケラー 草間平作訳
沈鐘 ハウプトマン 阿部六郎訳
地霊・パンドラの箱 ルル二部作 F・ヴェデキント 岩淵達治訳
春のめざめ F・ヴェデキント 酒寄進一訳
花・死人に口なし 他七篇 シュニッツラー 番匠谷英一 山本有三訳
ゲオルゲ詩集 手塚富雄訳
リルケ詩集 高安国世訳
ドゥイノの悲歌 リルケ 手塚富雄訳
ブッデンブローク家の人びと 全三冊 トーマス・マン 望月市恵訳
トオマス・マン短篇集 実吉捷郎訳
魔の山 全二冊 トーマス・マン 関泰祐 望月市恵訳
トニオ・クレエゲル トオマス・マン 実吉捷郎訳
ヴェニスに死す トオマス・マン 実吉捷郎訳
講演集 ドイツとドイツ人 他五篇 トーマス・マン 青木順三訳
講演集 リヒアルト・ヴァーグナーの苦悩と偉大 他一篇 トーマス・マン 青木順三訳
車輪の下 ヘルマン・ヘッセ 実吉捷郎訳

デミアン ヘルマン・ヘッセ 実吉捷郎訳
シッダルタ ヘッセ 手塚富雄訳
ルーマニア日記 カロッサ 高橋健二訳
幼年時代 カロッサ 斎藤栄治訳
ジョゼフ・フーシェ ―ある政治的人間の肖像 シュテファン・ツワイク 高橋禎二 秋山英夫訳
変身・断食芸人 カフカ 山下肇 山下萬里訳
審判 カフカ 辻瑆訳
カフカ短篇集 池内紀編訳
カフカ寓話集 池内紀編訳
ドイツ炉辺ばなし集 ―カレンダーゲシヒテン ヘーベル 木下康光編訳
ウィーン世紀末文学選 池内紀編訳
チャンドス卿の手紙 他十篇 ホフマンスタール 檜山哲彦訳
ホフマンスタール詩集 川村二郎訳
ドイツ名詩選 生野幸吉 檜山哲彦編
聖なる酔っぱらいの伝説 他四篇 ヨーゼフ・ロート 池内紀訳
暴力批判論 他十篇 ―ベンヤミンの仕事1 ベンヤミン 野村修編訳
ボードレール 他五篇 ―ベンヤミンの仕事2 ベンヤミン 野村修編訳

- パサージュ論 全五冊 — ヴァルター・ベンヤミン 今村仁司・三島憲一・大貫敦子・高橋順一・塚原史・細見和之・村岡晋一・山本尤・横張誠・與謝野文子・吉村和明訳
- ジャクリーヌと日本人 — ヤーコプ 相良守峯訳
- ヴォイツェク ダントンの死 レンツ — ビューヒナー 岩淵達治訳
- 人生処方詩集 — エーリヒ・ケストナー 小松太郎訳
- 終戦日記一九四五 — エーリヒ・ケストナー 酒寄進一訳
- 第七の十字架 全二冊 — アンナ・ゼーガース 山下肇・新村浩訳

《フランス文学》〔赤〕

- ラブレー第一之書 ガルガンチュワ物語 — 渡辺一夫訳
- ラブレー第二之書 パンタグリュエル物語 — 渡辺一夫訳
- ラブレー第三之書 パンタグリュエル物語 — 渡辺一夫訳
- ラブレー第四之書 パンタグリュエル物語 — 渡辺一夫訳
- ラブレー第五之書 パンタグリュエル物語 — 渡辺一夫訳
- ピエール・パトラン先生 — 渡辺一夫訳
- エセー 全六冊 — モンテーニュ 原二郎訳
- ラ・ロシュフコー箴言集 — 二宮フサ訳
- ブリタニキュス ベレニス — ラシーヌ 渡辺守章訳
- ドン・ジュアン —石像の宴 — モリエール 鈴木力衛訳
- いやいやながら医者にされ — モリエール 鈴木力衛訳
- 守銭奴 — モリエール 鈴木力衛訳
- 完訳ペロー童話集 — 新倉朗子訳
- ラ・フォンテーヌ寓話 全二冊 — ラ・フォンテーヌ 今野一雄訳
- カンディード 他五篇 — ヴォルテール 植田祐次訳
- ルイ十四世の世紀 全四冊 — ヴォルテール 丸山熊雄訳

- 美味礼讃 全二冊 — ブリア＝サヴァラン 関根秀雄・戸部松実訳
- 近代人の自由と古代人の自由・征服の精神と簒奪 他一篇 — コンスタン 堤林剣・堤林恵訳
- 恋愛論 全二冊 — スタンダール 杉本圭子訳
- 赤と黒 全二冊 — スタンダール 桑原武夫・生島遼一訳
- ゴプセック・毬打つ猫の店 — バルザック 芳川泰久訳
- 艶笑滑稽譚 全三冊 — バルザック 石井晴一訳
- レ・ミゼラブル 全四冊 — ユーゴー 豊島与志雄訳
- ライン河幻想紀行 — ユーゴー 榊原晃三編訳
- ノートル＝ダム・ド・パリ 全二冊 — ユーゴー 辻昶・松下和則訳
- モンテ・クリスト伯 全七冊 — アレクサンドル・デュマ 山内義雄訳
- 三銃士 全二冊 — デュマ 生島遼一訳
- カルメン — メリメ 杉捷夫訳
- 愛の妖精（プチット・ファデット） — ジョルジュ・サンド 宮崎嶺雄訳
- ボオドレール 悪の華 — 鈴木信太郎訳
- 感情教育 全二冊 — フローベール 生島遼一訳
- 紋切型辞典 — フローベール 小倉孝誠訳
- サラムボー 全二冊 — フローベール 中條屋進訳